MAIRIDH AN DÒCHAS

MAIRIDH AN DÒCHAS

100 LATHA A DH'ATHARRAICH ALBA GU BRÀTH

AILIG SALMOND

WILLIAM COLLINS

William Collins
Na chomharra-clò le HarperCollins Publishers
1 Sràid London Bridge
Lunnainn SE1 9GF
www.WilliamCollinsBooks.com

Air fhoillseachadh ann am Breatainn le William Collins ann an 2015

Chuidich Comhairle nan Leabhraichean am foillsichear
le cosgaisean an leabhair seo.

Tha clàr cataloig an leabhair seo ri
fhaighinn aig Leabharlann Bhreatainn

LAGE/ISBN 978-0-00-815873-6

Do m' athair a tha a' creidsinn ann an saorsa,
agus do mo mhàthair a chreid annam fhìn

Clàr-innse

Facal-toisich

Latha 100: Dihaoine 19 An t-Sultain 2014

Tha mi a' fònadh gu Daibhidh Camshron ann an seòmar cùil anns an ionaid-taisbeanaidh, Dynamic Earth, ann an Dùn Èideann, agus a' cur meal an naidheachd air leis mar a shoirbhich leis. Tha e fhèin a' cur meal an naidheachd orm fhìn airson na h-iomairt iongantaich a bh' againn. Tha e ag innse dhomh gu bheil e air Morair Mac a' Ghobhainn Chaol Abhainn ainmeachadh airson na geallaidhean a rinneadh do dh'Alba anns na làithean mu dheireadh den reifreann – a' bhòid – a chur an gnìomh. 'Roghainn mhath dha-rìribh,' tha mise ag radh, agus a' cur stad air fad tiotain.

Tha e a' tighinn a-steach orm an làrach nam bonn nach eil dad a dh'fhios aige gu bheil mi glè eòlach air Raibeart Mac a' Ghobhainn mar-thà. Dè as adhbhar, na bheachd-san, gun do thagh mi e airson Geamannan a' Cho-fhlaitheis a thoirt gu buil? Tha mi a' bruthadh a' Chamshronaich air a' cheist an cùm e bhòt anns na Cumantan air a' bhòid do dh'Alba ro àm na Càisge, mar a gheall Gòrdan Mac a' Bhruthainn. Tha fios agam nach cùm.

Tha a' chamhanaich air fàire agus tha am Prìomhaire a' cur sìos a' fòn airson aithris a thoirt seachad taobh a-muigh 10 Sràid Downing, a tha mi a' coimhead air an telebhisean. Tha e a' spaidsearachd thar

1

na starsaich airson cur an cèill gum feum ath-leasachadh ann an Alba tachairt 'còmhla ri' atharrachaidhean ann an Sasainn, agus tha mi a' tuigsinn cudrom na h-aithris seo anns a' bhad. Cha deach iomradh a thoirt air seo an t-seachdain sa chaidh nuair a bha e fo iomagain ro na cunntasan-bheachd.

'A dhuine ghòraich àrdanaich a tha thu ann' ar leamsa agus mi a' coimhead mu thimcheall an t-seòmair. Tha sgioba na h-iomairt claoidhte, an spionnadh air a spìonadh asta, agus chan eil duine a' faicinn an dorais a tha an Camshronach air fhosgladh dhuinn. Tha mise a' faicinn – no a' faireachdainn – dè dh'fheumas tachairt.

Beagan uairean a thìde ron a sin, aig 3.30 sa mhadainn, bha mo bhean, Moira, agus mi fhìn air tighinn a Dhùn Èideann à port-adhair Obar Dheathain.

Bha fear camara air ar glacadh aig a' gheata. Bha mo cheann-sa sìos, a' leughadh toraidhean an reifreinn air an iPad agam – cha b' e an dealbh as tarraingiche a chaidh a thogail san iomairt – agus chunnaic mi an dealbh air-loidhne fiù 's mus do ràinig sinn Dùn Èideann. Rinn mi cinnteach gun robh fiamh-ghàire calma orm fhad 's a dh'fhàg sinn am port-adhair gun fhios nach tachradh an aon rud aig Turnhouse.

Chaidh sinn gu Taigh Bhòid an toiseach far an do dh'fhòn mi am Prìomh-oifigear agam, Geoff Aberdein, airson innse dha gun dèanainn an òraid ghèillidh agam aig Dynamic Earth cho luath 's a bhiodh mòr-chuid oifigeil aig CHA BU CHÒIR. Bha muinntir BU CHÒIR air tighinn còmhla an sin fad na h-oidhche agus bhiodh fìor bhriseadh-dùil aca. Bha e mar fhiachaibh orm fhìn rudeigin a ràdh riutha.

Rinn mi an òraid agam a bha mi air ullachadh sa mhadainn thràth nuair a fhuaireadh a' chiad toradh à Clach Mhanainn aig 1.31m. Bha an òraid modhail ach daingeann, a' toirt fa-near do na 1.6 millean bhòt airson BU CHÒIR agus a' coimhead air an àm ri teachd.

*

An dèidh na thuirt an Camshronach aig 10 Sràid Downing, agus mi a-nis air ais ann an Taigh Bhòid, tha mi nam shuidhe a' sgrìobhadh òraid bheag a' leigeil dreuchd a' Phrìomh Mhinisteir dhìom. Tha làn fhios agam dè dh'fheumas mi ràdh. Chan eil ach a' chiad dreach ga sgrìobhadh. Tha mi a' faighneachd don sgioba naidheachdan an cuir iad fios do dh'Iain Swinney agus Nicola Sturgeon a thighinn a choinneachadh rium aig àm-lòin, agus airson coinneamh-naidheachd a chur air dòigh feasgar. Mu dheireadh thall, tha mi fhìn agus Moira a' faighinn norrag bheag chadail.

Nuair a tha mi a' cur m' aodaich orm tha mi a' cur mo làimh air an taidh as fheàrr leam air a bheil crann na h-Alba, ach tha Moira ag ràdh gum freagradh am breacan, a tha nas sèimhe, leis an latha seo na b' fheàrr. Taidh breacan Loch Carrann ma-thà.

Tha Nicola agus Iain air tighinn. Tha sinn a' coinneachadh ann an Seòmar a' Chaibineit. Tha Nicola gu mòr airson 's gun atharraich mi an co-dhùnadh agam. Tha i ag ràdh nach eil duine ga iarraidh, ga shùileachadh. 'Seadh,' arsa mise. 'Chan eil àm nas freagarraiche.'

Bha Iain san t-suidheachadh cheudna còmhla rium o chionn ceithir bliadhna deug agus tha e tùrsach. Tha mi a' mìneachadh os ìosal nach ann air sgàth diomb no briseadh-dùil a tha mi a' leigeil an dreuchd dhìom. Tha mi briste brùite mu thoradh an reifreinn ach chan e sin a tha fa-near. Tha Camshron air an doras fhosgladh agus feumaidh sinn fhìn sparradh troimhe gu sgiobalta. 'S e as fheàrr a bheir an dùthaich air adhart.

Tha Peadar Housden, an Rùnaire Maireannach agam, air tighinn. Tha e a' cur a h-uile nì a tha ri rèiteach an gnìomh, na dhòigh shocair ùghdarrasail. Tha e a' dol leam, agus a dh'aindeoin cho beag 's a tha e, gur e Taigh Bhòid as fhreagarraiche airson òraid a leithid seo a thoirt seachad. Tha an seòmar-cuideachd loma-làn mu 3.00f. Tha mi a' toirt taing don a h-uile duine airson tighinn gun mòran rabhaidh agus tha mi a' toirt na h-òraid a leanas seachad:

Tha mi uabhasach moiteil às an iomairt aig BU CHÒIR Alba agus gu sònraichte às na 1.6 millean neach a chuir taic rithe.

Tha mi cuideachd moiteil às an 85% a dhaoine a bhòt anns an reifreann agus mar a ghabh muinntir na h-Alba an sàs anns an deasbad mhòr dheamocratach bhun-reachdail, agus gu dearbh às an dòigh a ghiùlan a h-uile duine san deasbad.

Tha cothrom againn a-nis casan Westminster a chumail ris an teine gus an cùm iad a' bhòid a gheall iad gun toireadh iad cumhachdan shusbainteach a bharrachd a dh'Alba. Tha seo a' cur na h-Alba ann an suidheachadh cumhachdach.

Bhruidhinn mi ris a' Phrìomhaire an-diugh, agus ged a dhearbh e gun cumadh e air mar a gheall e, cha ghealladh e gun rachadh bhòt dàrna leughaidh a chumail air Bile na h-Alba ùr ro 27 Am Màrt. Chaidh sin a ghealladh gu soilleir le Gòrdan Mac a' Bhruthainn rè an reifreinn. Tha am Prìomhaire ag ràdh nach biodh a leithid sin a bhòt gu feum sam bith. Tha mi fhìn an amharas nach urrainn dha taic a' phàrtaidh a ghealltainn agus, mar a chunnaic sinn san uair a chaidh seachad, tha an com-pàirteachas eadar Làbaraich is Tòraidhean, Tòraidhean is Làbaraich an impis briseadh.

Ach 's i seo a' phuing chudromach. Chan e luchd-poileataigs Westminster, no fiu 's Taigh an Ròid a tha glèidheadh adhartais a-nis, ach an luchd-iomairt nan deicheadan de mhìltean nach gèill, nam bheachd-sa, agus nach till don duibhre phoilitigich.

Mar sin, dhomh fhìn dheth, feumar a thighinn gu co-dhùnadh air cò as fheàrr a bheir am pròiseas seo air adhart.

Tha mise a' creidsinn gur e suidheachadh ùr fìor inntinneach a tha seo anns a bheil an t-uabhas comasach. Ach anns an t-suidheachadh sin tha mi den bheachd gum b' fheàirrde am pàrtaidh, a' phàrlamaid agus an dùthaich ceannardas ùr.

Mar sin, tha mi air innse do rùnaire nàiseanta Pàrtaidh Nàiseanta na h-Alba nach tèid m' ainm-sa a chur air adhart airson dreuchd a' cheannaird aig a' cho-labhairt nàiseanta ann am Peairt eadar 13 is 15 An t-Samhain.

An dèidh bhòt na ballrachd, leigidh mi dhìom post a' Phrìomh Mhinisteir gus an tèid ceannard ùr a thaghadh a rèir riaghailtean na pàrlamaid.

Cumaidh mi orm mar Phrìomh Mhinistear gus an uair sin. An dèidh sin, cùmaidh mi orm mar bhall Pàrlamaid na h-Alba airson Siorrachd Obar Dheathain an Ear.

B' e an t-urram as àirde a chaidh a bhuileachadh orm a-riamh a bhith a' frithealadh nam Phrìomh Mhinistear. Ach mar a thuirt mi tric is minig rè na h-iomairt, chan ann mu mo dheidhinn-sa no mun Phàrtaidh Nàiseanta no mu phàrtaidh sam bith a tha am pròiseas seo. Tha fada fada nas cudromaiche na sin.

'S e seo an suidheachadh. Chaill sinn bhòt an reifreinn ach 's urrainn do dh'Alba am pròiseas poilitigeach a stiùireadh. 'S urrainn do dh'Alba a thighinn às air thoiseach air càch.

Tha an ùine agam mar cheannard a' tighinn gu crìch. Ach do dh'Alba, tha an iomairt a' leantainn agus gu sìorraidh buan cha chrìon an aisling.

Ro-ràdh

Bha mise, fad mo bheatha inbheach, a' làn-chreidsinn ann an neo-eisimeileachd do dh'Alba.

Chan eil seo bonntaichte, mar a their cuid, air an dreuchd a bh' agam mar eaconamair, ged a chuir sin ris a' bheachd gun teagamh. Tha na freumhan fada nas doimhne na sin.

B' e Ailig Salmond eile – mo sheanair – a bheothaich an creideamh a th' aig an Ailig Salmond seo ann an Alba. Chaidh seo a lasadh air glùin mo sheanar nuair a bha mi nam bhalachan beag.

Bha gnìomhachas plumaireachd aig mo sheanair tapaidh – Sandaidh, mar a theireadh iad ris – ann am baile Ghleann Iucha. Bha e a' sreap ri aois a' gheallaidh agus air a dhreuchd a leigeil dheth nuair a bha mise òg ach dhèanadh e obraichean plumaireachd do dhaoine fhathast an-dràsta 's a-rithist. B' e mise an t-oileanach òg aige, a' giùlan a chuid uidheim gu moiteil air a shon.

Fhad 's a dh'fhalbhadh sinn tro shràidean is caol-shràidean an t-seann bhaile rìoghail, lasadh mo sheanair mo mhac-meanmna le ùr-sgeulan a' bhaile agus eachdraidh na h-Alba agus mar a bha na dhà co-cheangailte ri chèile. Dh'innis e dhomh, mar eisimpleir, ciamar a ghlac feachd a' Bhrusaich caisteal Ghleann Iucha gu soirbh an dèidh dhaibh slighe geata a' chaisteil a dhùnadh le cairt-feòir.

A thuilleadh air sin, dh'ainmich e ainmean nan teaghlaichean a bha an sàs ann: muinntir a' bhaile, daoine a b' aithne dhomh – clann Binnie, clann 'ic Dhaibhidh, na Granndaich, clann Bamberry, clann Salmond agus clann Oliphant. B' e clann Oliphant bèicearan a' bhaile. Nam mhac-meanmna òg, dhèanadh gillean a' bhèiceir an t-aran, bhuaileadh iad a' mhin-fhlùir asta agus an uair sin a' toirt ionnsaigh air an lùchairt.

Cha deach eachdraidh na h-Alba a theagasg dhomh san sgoil, ach iomadh bliadhna an dèidh sin aig Oilthigh Chill Rìmhinn dh'ionnsaich mi eachdraidh mo dhùthcha fhèin mu dheireadh thall agus fhuair mi a-mach nach robh beul-aithris mo sheanar fada ceàrr – ma cheadaicheas sinn mar a sgeadaich e an sgeul leis na h-ainmean. Ach gu dearbh fhèin cha b' ann air eachdraidh ach air beatha a bha teagasg mo sheanar stèidhichte: ciamar a dhèanadh na daoine cumanta an gnothach.

A rèir mo sheanar, b' e duine onorach an obair a b' uaisle a rinn Dia, b' e àite sònraichte sa chruinne a bh' ann an Alba agus b' e àite sònraichte ann an Alba a bh' ann am baile Ghleann Iucha. An dèidh seo ionnsachadh, cha tàinig e a-steach orm fiù 's gun robh dad ann nach gabhadh dèanamh le dealas agus dìcheall gu leòr.

Sgrìobh Raibeart Burns gun tug eòlas a leithid sin na bhalach sealladh Albannach air an t-saoghal 'a ghoileas thall an sin gus an dùin tuil-dhorsan na beatha nam fois shìorraidh'.

Bitheadh e mar sin leam fhìn.

Tha a h-uile nì eile a tha mi air ionnsachadh no air an d' fhuair mi eòlas, eadar saidheans eaconamach is eòlas poileataigs, stèidhichte air a' bhunait sin: gur e àite àraid a th' ann an Alba agus gu bheil muinntir na h-Alba comasach air mòran.

*

B' iad sin na làithean geala. B' iad sin na làithean geala.

Bha mòran dhaoine den bheachd gur e iomairt reifreann na h-Alba an t-àm a b' fheàrr a bh' aca a-riamh, àm ro ghoirid nuair a dh'fhaodadh rud sam bith tachairt agus nuair a bha cothrom aig na 'daoine beaga' buille mhòr a dhèanamh.

Cha deach leinn sa bhòt ach sheall sinn don t-siorcas phoilitigeach – agus do mhaighstirean an t-siorcais Camshron, Miliband agus Clegg – nach gabhadh ath-leasachadh a sheachnadh. Tha an seann shiostam air a bhriseadh – agus b' iad na daoine fhèin a bhris e.

Tha pàirt anns an fhilm le Ridley Scott *Kingdom of Heaven* a tha coltach ris an t-suidheachadh anns a bheil sinn. Tha Orlando Bloom, ann an riochd an ridire Balian, a' dìon Ierusalem gun ridirean eile agus na bha air fhàgail de dh'arm brùite an aghaidh Sultan Saladin. Ach tha beachd air tighinn thuige: thoir na daoine a tha air fhàgail còmhla le bhith a' buileachadh urraim ridire orra, is e a' dol gu tur an aghaidh ceannardan gealtach Ierusalem a tha airson gèilleadh.

'A bheil thu a' saoilsinn gun cuir iad cath nas dèine a chionn 's gun do bhuilich thu urram ridire orra?' tha an t-àrd-uachdaran a' faighneachd.

'Tha,' arsa Balian.

Agus bha e ceart. Ma chuireas tu earbsa anns na daoine airson maith am baile no an dùthaich, èiridh sluagh nas fheàrr, agus san t-suidheachadh againn fhìn, èiridh Alba nas fheàrr. Bu chòir gun ionnsaich eòlaichean poileataigs a' bhaile mhòir nach eil a' tuigsinn fàs a' Phàrtaidh Nàiseanta an suidheachadh a th' ann a-nis.

Uair 's gu bheil na daoine air a' chumhachd fheuchainn tha leisg orra a leigeil seachad le an toil. Tha pròiseas an reifreinn air an dùthaich atharrachadh. Airson a' chiad uair a-riamh bha cuid a dhaoine a' faireachdainn gun robh iad cudromach gu poilitigeach. 'S e daoine atharraichte a th' annta, daoine nas fheàrr.

Tha an leabhar seo airson an t-atharrachadh sin a mhìneachadh, ciamar a ràinig sinn seo, carson a chaidh na daoine a mhisneachadh, dè a dh'adhbhraich am brùthadh mòr a dh'ionnsaigh BU CHÒIR, ciamar a chaidh soirbheachadh a dhiùltadh agus, nas cudromaiche buileach, dè thachras a-nis.

Tha na thachair an Alba a' dearbhadh comasan iomairtean nan daoine an aghaidh shiostaman poilitigeach ann an deamocrasaidhean nuadh. Tha feachd ùr cumhachdach air a thional – ridirean nuadh, mar gum b' e. Agus bu chòir gun toireadh a' choimhearsnachd eadar-nàiseanta feart orra.

*

Ach a-nis gu sgeul an reifreinn againn. Chan eil ar sgeul-ne ach na chaibideil ùr – na chaibideil chudromach ceart gu leòr – ann an sgeul a tha fada nas sine. Tha Alba air aon de na dùthchannan as sine san Roinn Eòrpa.

Aig deireadh an dàrna linn deug, nuair a bhiodh Balian a' dìon a' Bhaile Naoimh, bha Alba air a bhith aonaichte na rìoghachd fad 300 bliadhna, nuair a dh'fheumadh Cruithneach agus Gàidheal a thighinn còmhla rè ionnsaighean nan Lochlannach. Chan fhaigheadh Richard Cridhe an Leòmhainn baile Ierusalem air ais a-rithist, ach thug a chogadh-croise cothrom do dh'Uilleam Leòmhann na h-Alba a shaoradh o na bacaidhean fiùdalach a sparr Eanraig II air fhèin agus air Alba. Dh'fhaodadh e a' bhratach rìoghail (Leòmhann na h-Alba) fhoillseachadh le barrachd moit.

Bha an ath iomairt airson saorsa na h-Alba a dhearbhadh na b' fhuiltiche ach bha toradh na strì sa cho-ionnan. Cha do choisinn Raibeart Brus neo-eisimeileachd do dh'Alba an dèidh ionnsaigh a thoirt air caisteal Ghleann Iucha ann an 1313, no air blàr Allt a' Bhonnaich air Latha Fèill Eòin an ath-bhliadhna, no fiù 's an ceann sia bliadhna an dèidh Foirgheall Obar Bhrothaig, ach aig Còrdadh Northampton le Sasainn ann an 1328. Ach tha Allt a' Bhonnaich fhathast air fear de na cathan a bu dheimhinne ann an eachdraidh. Dhìon e agus chruthaich e an dùthaich.

Cha deach an gnothach a rèiteach fhathast nuair a chaidh neo-eisimeileachd na h-Alba aithneachadh aig Northampton, agus lean an càirdeas mì-chofhurtail eadar Alba is Sasainn fad 300 bliadhna eile – rachadh cogaidhean sna crìochan a shèimheachadh fad greis an dèidh phòsaidhean sna cinnidhean mòra. Bho thaobh Albannach, fad iomadh bliadhna, bha aonadh leis an Fhraing na bu choltaiche na aonadh leis an t-seann nàmhaid Shasannaich.

Agus nuair a chaidh na crùin aonachadh ann an 1603, b' e rìgh Albannach, Seumas VI a dh'aonaich iad nuair a chaidh a chrùnadh mar Rìgh Shasainn. Ach bha Alba na dùthaich neo-eisimeileach fhathast agus cha bhiodh aonadh ann eadar na pàrlamaidean airson ceud bliadhna eile.

Nuair a thachair sin ann an 1707, bha eachdraidh aig Alba mar stàit, a shìn air ais fad mìle bliadhna: trì uairean nas fhaide na an ùine a th' air a dhol seachad bhon uair sin.

Tha mì-thoileachas muinntir na h-Alba le riaghaltas Lunnainn air èirigh agus air crìonadh bho Chòrdadh an Aonaidh. Bha linntean ann nuair a bha cùl-taic airson an aonaidh air thoiseach. Ach is fìor gun robh nàiseantachd Albannach ri fhaicinn anns a h-uile strì airson ath-leasachaidh radaigeach ann an Alba, eadar Seumasach is Jacobin, eadar croitearan Libearalach agus an iomairt thràth Làbarach.

B' iomadh Albannach ainmeil, a bha air fhaicinn mar bhun-stèidh an t-siostaim stèidhichte, a sheall bàidh is meas airson na strì nàiseantachd. Chithear na faclan aig a' Bh. Howden a sgrìobh Bhaltair Scott san leabhar *Heart of Midlothian* snaighte air Balla Canongate aig Pàrlamaid na h-Alba:

'When we had a king, and a chancellor, and parliament-men o' our
ain, we could aye peeble them wi' stanes when they werena gude bairns
– But naebody's nails can reach the length o' Lunnon.'

Cha do chuir na h-Albannaich a-riamh uiread spèis anns an
dearbh-aithne Bhreatannaich 's a chuir anns na beagan
bhliadhnaichean an dèidh an Dàrna Cogaidh, agus bha buaidh mhòr
aige sin air m' àrach òg fhèin. Ged a bha gràdh aig mo mhàthair,
Màiri, nach maireann, don dùthaich, 's dòcha nach tigeadh e a-steach
oirre fhèin a taic a chur ri neo-eisimeileachd mura robh a mac air a
dhol an sàs anns an iomairt nàiseantachd. Bhuineadh i do theaghlach
den chlas-mheadhanach agus bha an cogadh air a beachdan a
dhaingneachadh: pròis Churchill.

Ach tha beachdan m' athar, Raibeart, gu tur eadar-dhealaichte.
Nuair a bha mi nam Bhall Phàrlamaid òg gun eòlas, dh'adhbharaich
mi beagan aimhreit nam theaghlach fhìn. Thaisbean mi gu poblach
an diofar ann am beachdan mo mhàthar is m' athar, agus gun robh
m' athair am beachd gun robh Churchill feumach air a chrochadh
leis mar a dhèilig e leis na mèinnearan.

'Bha athair Salmond airson Churchill a chrochadh' dh'èigh
cinn-naidheachd a' phàipeir. Chuir mi fòn gu m' athair airson mo
leisgeulan a thoirt dha.

'Nach do dh'ionnsaich mi dad dhut?' arsa Athair is e a' trod rium.
'Is ann a bha crochadh ro mhath don duine sin!'

Bha daoine den chlas-obrach sgileil a leithid m' athar fhìn – eadar
Raibeart Burns agus martairean 1820, eadar Keir Hardie agus strì
thràth nan aonaidhean-ciùird – a-riamh air a bhith fosgailte do
dh'fhèin-riaghladh na h-Alba.

Thuirt Seumas Maxton, Ball Pàrlamaid Abhainn Chluaidh, is e a'
cur taic ri Bile Fèin-riaghlaidh (agus ri co-fhlaitheas sòisealach
Albannach) ann an Glaschu sna 1920an, 'le eanchainnean agus

misneachd na h-Alba … dhèanamaid barrachd ann an còig bliadhna ann am Pàrlamaid Albannach na dhèanamaid fad còig bliadhna fichead no deich bliadhna fichead ri saothair a bhriseadh cridhe ann an Taigh nan Cumantan.'

Mar sin cha b' e leum mòr a ghabh m' athair eadar am Pàrtaidh Làbarach agus am Pàrtaidh Nàiseanta anns na 1960an. Agus cha b' e a ghabh an t-iomadh duine a rinn an nì ceudna anns na 1970an, a' putadh cumhachdan na h-Alba air clàr-gnothaich na Rìoghachd Aontaichte.

Bha e coltach gun robh an gluasad air tionndadh air ais an dèidh mar a chailleadh an reifreann ann an 1979 agus taghadh Mairead Thatcher, ach an da-rìreabh 's ann a chaidh an gluasad a dh'ionnsaigh fèin-riaghlaidh a phutadh air adhart na bu luaithe na chaidh a-riamh.

Chaidh mòran den fhèin-aithne Albannaich a ghlèidheadh fad 300 bliadhna ann an neart nam bun-stèidhean Albannach – eaglaisean na h-Alba, lagh na h-Alba, foghlam na h-Alba – agus a-nis an t-iomadh buidheann iomairt san treas-roinn a nì co-obrachadh le fèin-aithne nam bun-stèidhean sin.

Gu h-annasach, b' e a seòrsa fhèin de Thòraidheachd a bh' aig Mairead Thatcher a thòisich air na samhlaidhean mòra Breatannach a thoirt às a chèile. Mar sin, b' e BA a chuireadh air British Airways, BP air British Petroleum, agus iomadh ainm a chuireadh air British Rail.

Ach rinn Thatcher an gnothach air fada a bharrachd a dhèanamh gun fhiosta dhi. O chionn còig bliadhna fichead, thàinig i a-steach a dh'Àrd-sheanadh Eaglais na h-Alba, agus anns an òraid ainmeil, dh'fhoillsich i saoghaltas cruaidh a creideimh-se. Cha b' urrainn do na h-èildearan agus an coithional an còrr fhulang – no Tòraidhean Churchill a leithid mo mhàthar, nach tug bhòt do na Tòraidhean a-rithist.

13

A bharrachd air an tadhal aice don Àrd-sheanadh rinn i tadhal a bha a cheart cho leibideach air cuairt dheireannach Cupa na h-Alba, nuair a dh'aonaich i luchd-leantainn Dundee United agus Celtic is iad a' togail fianais gu h-innleachdach na h-aghaidh leis na cairtean dearga.

Goirid an dèidh sin, air 16 An t-Ògmhios 1988, a rèir Hansard, bha ball pàrlamaid òg à Siorrachd Obar Dheathain a' fanaid air a' Phrìomhaire, airson, na fhaclan fhèin, 'a litir-se chum nan Albannach', beagan an dèidh dha fhèin fhaighinn a-steach do na Cumantan far an robh e air a bhith air fògairt is e a' togail fianais an aghaidh na cìs-chàin:

An seall am Prìomhaire an t-eòlas farsaing a th' aice air cùisean Albannach le bhith a' cur an cuimhne an Taighe ainmean Modaràtor an Àird-sheanaidh ris an do labhair i, agus caiptean Celtic, don tug i an cupa?

Bha Mairead Thatcher air taobh ùr poilitigeach a thoirt do nàiseantachd Albannach agus chuir i ri crìonadh fada nan Tòraidhean ann an Alba, far nach eil ach an treas cuid den taic aca 's a bha aca anns na 1950an.

Bha gnothaichean eile a' toirt stèidh air falbh on aonadh. Bha eaconamaidh na h-Alba air a bhith air dheireadh air an Rìoghachd Aonaichte fad mòran den fhicheadamh linn. Bha na h-adhbharan domhainn agus iom-fhillte ach nam measg bha prìomh adhbhar ann, bha daoine a' fàgail. Gu minig b' iad na daoine a b' fheàrr a bha a' fàgail, na daoine innleachdach togarrach a thog orra is a dh'fhalbh.

Nuair a bha mi fhìn nam bhalach, agus air sgàth ionnsachadh bho mo sheanair, bha fios agam gun robh Albannaich air tionnsgnadh de gach seòrsa a thoirt don t-saoghal. Sheall e dhomh le moit an soidhne air balla taigh-seinnse Four Marys air an robh ainm Dhaibhidh

Waldie, a rugadh ann an Gleann Iucha agus a bha an sàs ann an rannsachadh tràth air chloroform. Dh'innis e dhomh gun robh e ris an obair rannsachaidh cuide ri Seumas Simpson à Bathgate.

Cha b' fhada gus an d' fhuair mi a-mach gum b' e Albannaich, fiù 's à taobh a-muigh baile Ghleann Iucha agus Bathgate, a bha air a h-uile nì innleachadh as d' fhiach innleachadh – telebhisean, fòn, tarmacadam, teleprompter, agus mar sin adhart – agus chan iad ach na h-eisimpleirean a tha a' tòiseachadh leis an litir 't'!

An dèidh greis eile, thuig mi nach b' e innleachd nàdarra a dh'adhbharaich tionnsgalachd mhòr na h-Alba ach an nì as cudromaiche a-riamh a chaidh a thoirt gu buil ann an Alba: fada ro Achd an Aonaidh, bha Alba air foghlam riatanach coitcheann anns na paraistean a chur anns an lagh. Agus gu dearbh, ma bheir sinn sùil air na liostaichean de dh'innleachdairean mòra Albannach an ochdamh is an naoidheamh linn deug, cha mhòr nach do bhuineadh a h-uile duine aca do theaghlach bochd, a chionn 's gun d' fhuair a' mhòr-chuid foghlam reachdail. Cha do chinn dìthean an Alba a ruaidh gun fhaicinn.

Cha robh a leithid a dhaoine cumanta ri fhaicinn ann an dùthaich sam bith eile, ach 's ma dh'fhaoidte A' Phruis, a chuir an siostam aca fhèin an gnìomh dà cheud bliadhna nar dèidh, aig an robh uiread a sgoilearachd airson soirbheachadh ann an saoghal gnìomhachais, saidheans agus slàinte.

Dh'èirich an Soillseachadh Albannach às an t-siostam foghlaim a bu leasaichte san t-saoghal agus às an t-Soillseachadh dh'èirich an luchd-dèanadais a stèidhich ann an Alba an eaconamaidh ghnìomhachail a b' adhartaiche san t-saoghal ro dheireadh an naoidheamh linn deug.

Bha Alba fhathast a' cruthachadh nan innleachdairean agus an luchd-saidheans anns a' mhòr-chuid de na ceud bliadhna mu

15

dheireadh ach gu ìre mhòr cha robh iad a' fuireach anns an dùthaich. Thòisich Alba air a cuid dhaoine a chur a-null thairis gu ìre chaillteach.

Ach ro dheireadh an fhicheadamh linn thàinig atharrachadh air a' chùis.

Anns na 1980an, nuair a bha mi ag obair nam eaconamair, bha cleas agam sna h-òraidean agam nuair a dh'iarrainn air a' chlas an ciad sia luchd-dèanadais no luchd-gnìomhachais san dùthaich a sgrìobhadh. Air na liostaichean chìte sreathan de dh'uachdaran beaga, a' mhòr-chuid dhiubh nach robh a' stiùireadh an companaidhean idir cho math 's a stiùirich an athraichean is an seanairean.

Ach ro dheireadh an linn bha atharrachadh mòr ann. B' iad Albannaich on chlas-obrach a bha air an gnìomhachasan fhèin a chur air bhonn no air companaidhean a stiùireadh air an ceann fhèin a bu mhotha a bha a' cosnadh cliù ann an saoghal a' ghnìomhachais an àite dhaoine a bhuineadh do theaghlaichean saoibhir.

Mar sin, b' iad daoine a leithid Brian Souter, Jim MacColla, Tom Hunter, Tom Farmer, Màrtainn Gilbert, Roy MacGriogair agus Daibhidh Moireach a bha air an luchd-dèanadais a bu chliùitiche san dùthaich. Agus a thuilleadh air sin, bha meas mòr air na daoine seo air an tug feallsanachd is fialaidheachd sàr Albannaich eile buaidh, Anndra Carnegie.

Bha na daoine seo cuideachd gu ìre mhòr fosgailte do neo-eisimeileachd no fèin-riaghlaidh agus cha robh meas aig daoine aca air na buidhnean gnìomhachais traidiseanta a thug taic don aonadh a leithid an CBI. Thug seo buaidh mhòr air poileataigs na h-Alba.

Bha muinntir na h-Alba a' toirt feart don CBI fhathast anns an reifreann ann an 1979. Ann an 1997 cha robh diù a' choin aca dhaibh. Ann an 2014 's ann a' magadh orra a bha iad.

Aig a' cheart àm bha piseach air tighinn air eaconamaidh na h-Alba. Tha àireamhan cion-chosnaidh nas ìsle a-nis, agus nas cudromaiche buileach, tha àireamhan chosnaidhean nas àirde na an Rìoghachd Aonaichte. Gu dearbh, 's ann an Alba a tha an eaconamaidh as làidire san dùthaich taobh a-muigh iar-dheas Shasainn.

Chunnacas ath-bheothachadh sna h-ealain ann an Alba san dàrna leth den linn, agus lean an t-ath-bheothachadh sin san linn ùr. Eadar nobhailean eucoir is duaisean Turner is còmhlanan-ciùil cliùiteach, dh'fhàs ealain na h-Alba fhad 's a shiubhail an dùthaich tro na h-ìrean fèin-riaghlaidh. Bha beachdan na mòr-chuid den choimhearsnachd ealain seo cuideachd air taobh atharrachaidh radaigeach no neo-eisimeileachd.

Ri linn an ath-bheothachaidh sin bha an gluasad a dh'ionnsaigh fèin-riaghlaidh do-sheachanta. Chuir mise ron Phàrtaidh Nàiseanta gun obraicheamaid còmhla ris na Làbaraich airson dà BU CHÒIR a chosnadh san reifreann anns an t-Sultain 1997. Bha cosgais phoilitigeach ann a dh'aontaich Dòmhnall Mac an Deòir ri phàigheadh airson iomairt aontaichte a dhearbhadh agus b' e sin gum faodadh Alba leantainn oirre a dh'ionnsaigh neo-eisimeileachd nam b' e sin roghainn na dùthcha. Bu chòir dhomh a ràdh gun do dh'aontaich na Làbaraich leis a' gheallaidh sin is iad daingeann den bheachd gun toireadh an siostam bhòtaidh riochdachaidh roinneil barrantas dhaibh nach tachradh a leithid a shuidheachadh gu bràth.

An dèidh iomairt reifrinn shoirbheachail, chaidh Pàrlamaid na h-Alba 'ath-stèidheachadh' a rèir a buill a b' eòlaiche, Winnie NicEòghainn. Cha robh i na tàmh ach airson 292 bhliadhna!

Ann an taghaidhean na bliadhna sin fhuair an SNP barrachd bhall pàrlamaid ann an aon latha na fhuair e sna trì fichead bliadhna 's a deich roimhe ann an eachdraidh a' phàrtaidh, bha e na phàrtaidh

17

dùbhlanach oifigeil, agus chaidh cridhe poileataigs na h-Alba a ghluasad bho Westminster gu Alba gu sìorraidh bràth.

An dèidh tuiteam air ais beagan ann an 2003, ghlèidh an SNP air èiginn an taghadh ann an 2007, fo stiùireadh an sgioba ùir, Nicola Sturgeon agus mi fhìn, agus chaill na Làbaraich airson a' chiad uair ann an taghadh Albannach bho 1955.

Lean ceithir bliadhna de riaghaltas le beag-chuid agus sinn air thoiseach le aon seat a-mhàin. Bhiodh dùbhlan mòr ron riaghaltas seo a dh'fheumadh dèiligeadh ris a' ghearradh a bu mhotha bhon Dàrna Cogadh air a' mhaoin phoblaich.

Ach air sgàth eòlas pàrlamaideach an stiùiriche ghnìomhachais, Bruce Crawford, agus sgilean draoidheil Rùnaire an Ionmhais, Iain Swinney, shoirbhich le riaghaltas na mòir-chuid. Ann an 2011 choisinn an SNP na bha air a mheas, gu ruige sin, do-dhèante: mòr-chuid ann an siostam bhòtaidh a chaidh a dhealbhadh a dh'aona-ghnothach gus nach tachradh a leithid.

Bha reifreann air neo-eisimeileachd na phrìomh ghealladh ann am manifesto an SNP agus e a-nis do-sheachanta. Anns a' chiad riaghaltas chùm trì pàrtaidhean an aonaidh orra an aghaidh an reifreinn ach fad tiotain ann an 2008 nuair a nochd ceannard nan Làbarach ann am Pàrlamaid na h-Alba, Wendy Alexander, gun robh i airson reifreann a chumail.

Is bochd do Wendy gun robh am Prìomhaire, Gòrdan Mac a' Bhruthainn, air aon de na daoine a bu mhotha air an do chuir i iongnadh agus chaidh an sgeul a thoirt gu crìch nuair a b' fheudar do Wendy a dreuchd a leigeil dhith. 'S ann airson cùis bheag co-cheangailte ri foillseachadh thabhartasan a chaill i a dreuchd mas fhìor ach an dà-rìreabh chaidh a cliù poilitigeach a reubadh aiste le ceannardan Làbarach ann an Lunnainn, agus a bràthair fhèin, Dùghlas, nam measg, nach tug taic sam bith dhi.

Tha a' chùis seo na fìor dheagh eisimpleir air Làbaraich Lunnainn a' dèiligeadh ris a' phàrtaidh ann an Alba mar 'oifis sgìreil', mar a thuirt Johann NicLaomainn (an dàrna ceannard an dèidh Wendy) an dèidh dhi fhèin a dreuchd a leigeil dhith san Dàmhair 2014.

Nan robh toradh an taghaidh air dearbhadh gum biodh reifreann ann, cha do chuir e an cèill dè an structar a chùirte air an reifreann. Dh'fheumadh Sràid Downing agus riaghaltas na h-Alba a rèiteachadh gu fìor chùramach eatarra.

Bha mi fhìn air moladh a thoirt do Dhaibhidh Camshron roimhe, nuair a chaidh e fhèin a thaghadh na phrìomhaire ann an 2010, gum bu chòir dha iongnadh poilitigeach a chur air a h-uile duine agus fèin-riaghladh radaigeach a thoirt do dh'Alba, air a bheil 'devo max'. Cha b' e an taing a b' fheàrr a fhuair mi bhon Phrìomhaire!

Chan eil fhios agam carson ge-tà. Bhiodh fèill mhòr air a bhith air am measg a charaidean Libearalach agus leigeadh e leis a' Chamshronach fuasgladh stàitireil a mholadh air ceist Lodainn an Iar,* agus a h-uile rud a rèir a riaghailtean fhèin.

Chithear am mìneachadh as fheàrr air dìorras nan Tòraidhean ann an eachdraidh Westminster agus gu domhainn ann an cridhe ùidhean nan Tòraidhean. Eadar Baile Atha Cliath agus Delhi, tha

---

* An teirm phoilitigeach airson co-ionnanachd eadar buill phàrlamaid Albannach a' bhòtadh air gnothaichean Sasannach ach chan fhaodadh buill Shasannach bhòtadh air gnothaichean Albannach. Chaidh ainmeachadh air Tam Dalyell, BP airson Lodainn an Iar, a chionn 's gun do thog e a' cheist gu tric. Chleachd e Blackburn na sgìre fhèin agus Blackburn, Lancashire, airson a phuing a mhìneachadh. Bha làn fhios aig Dalyell gun deach a' cheist a thogail anns a' chiad dol a-mach le Gladstone anns na deasbadan air fèin-riaghladh do dh'Èirinn anns na 1880an. Chaidh an t-ainm 'ceist Lodainn an Iar' a chur an cèill le BP Buidheann Ulaidh na h-Aonachd, Enoch Powell, mar fhreagairt air òraid le Dalyell, anns an tuirt e: 'Tha sinn, mu dheireadh thall, a' tuigsinn na tha am Ball Urramach airson Lodainn an Iar ag ràdh. Cuireamaid ceist Lodainn an Iar air a' chùis.'

eachdraidh uabhasach aig riaghaltasan ann an Lunnainn airson cumhachd ro bheag agus ro anmoch a thoirt seachad do dhùthchannan an-fhoiseil. Tha beachd nan Tòraidhean air Alba nas toinnte buileach a chionn 's gu bheil iad airson fearann agus oighreachdan a dhìon. A dh'aindeoin gun d' fhuair iad bàs ann an iomadh sgìre phoilitigeach an Alba, tha iad den bharail gu bheil Alba na pàirt den oighreachd aca.

Chan e Daibhidh Camshron a' chiad phrìomhaire Tòraidh aig a bheil ùidh phearsanta ann am fearann ann an Alba. Bidh am Prìomhaire a' cur seachad a shaor-làithean air Fearann an Tairbeirt ann an Diùra, a tha a rèir cuid fo sheilbh athair-cèile, Uilleam Astor. Ach 's ann le Ginge Manor Estates Ltd., companaidh a tha stèidhichte sna Bahamas, a tha an oighreachd. Tha sgeul an teaghlaich ri fhaicinn san ainm – 's e Ginge Manor, an taigh mòr aig Uilleam Astor ann an Oxfordshire.

Tha an ùidh phearsanta ri fhaicinn aig bàrr na seirbheis sìobhalta. Bha draghan air mòran daoine tron reifreann leis mar a chuir, a rèir coltais, Ceannard Roinn an Ionmhais, Sir Nicholas Mac a' Phearsain, neo-thaobhachd na seirbheis sìobhalta an dara taobh le dheòin. Tha cuid den bharail gur e an Seansalair carach poilitigeach a thug air a dhèanamh. Cha chreid mi gur e.

An dèidh an taghaidh ann an 2011, bha coinneamh agam le Seòras Osborne agus Sir Nicholas ann an Roinn an Ionmhais. Mar as àbhaist anns na coinneamhan seo bidh beagan strì phoilitigeach eadar an luchd-poileataigs fhad 's a dh'fhanas na searbhantan sìobhalta stòlda. Ach bha a' choinneamh seo eadar-dhealaichte. B' e Osborne a bha làn càirdeis fhad 's a bha Mac a' Phearsain fìor nàimhdeil.

Chan urrainn dhomhsa coimhead am broinn anam Rùnaire Maireannach Roinn an Ionmhais ach nam bheachd fhìn 's e na h-oighreachdan mòra a th' aig a theaghlach ann an Alba as adhbhar gu bheil ùidh mhòr phoilitigeach anns a' chùis.

Mas e sin as adhbhar gus nach e, chan eil teagamh ann a-nis gu bheil e poilitigeach. Ann an sreath bheachdan mì-chiallach a chuir e an cèill aig a' chiad choinneimh de Strand Group* air 19 Am Faoilleach 2015, rinn Mac a' Phearsain uaill dha fhèin mun obair ùir aige mar neach-poileataigs. Dhaingnich e a cho-dhùnadh gun obraicheadh e an aghaidh neo-eisimeileachd na h-Alba. Thuirt e nach eil riaghailtean àbhaistean neo-thaobhach na seirbheis sìobhalta gan cur an sàs ann an suidheachadh 'anabarrach' a leithid an reifreinn, anns an robh daoine 'a' feuchainn ri cruth na stàite a lèirsgrios' agus 'a' cur a chrìochan nàiseanta an teagamh'.

Tha e inntinneach a bhith a' meòrachadh air ciamar a dh'fhaodadh rabhd Mhic a' Phearsain an co-obrachadh eadar luchd-poileataigs agus searbhantan sìobhalta atharrachadh ma ghabhas feadhainn eile ris an amaideas chunnartach seo. O chionn beagan bhliadhnaichean dh'fhaodadh oifigich ceumannan a chur an gnìomh an aghaidh neach-poileataigs no fiù 's riaghaltais a bha 'a' feuchainn ri cruth na

---

* 'S e Strand Group sreath fòraim agus seimineir aig Policy Institute, King's College, Lunnainn. Bidh e a' rannsachadh ciamar a tha cumhachd ag obair ann an teis-meadhan an riaghaltais. Bidh tachartasan a' bhuidhinn a' toirt nam prìomh eòlaichean ann an saoghal riaghlaidh, seirbheis shìobhalta, gnìomhachais, naidheachdan agus foghlaim còmhla airson cuspairean trom-chùiseach an latha ann an riaghaltas is poileataigs a dheasbad. Tha fastadh àrd-ollamhan tadhalach a leithid Sir Nicholas Mhic a' Phearsain air cur ri stèidheachadh a' bhuidhinn an lùib Policy Institute. Anns an òraid a thug e seachad, dhaingnich Mac a' Phearsain obair Roinn an Ionmhais san reifreann agus e a' cur an cèill gu bheil an tiotal fhèin 'Roinn Ionmhais A Mòrachd Rìoghail' a' sealltainn gur e stèidh den aonadh a th' ann. Innsidh an t-ainm sin dhut. Air sàilleabh 's nach e 'stèidh den aonadh' a th' anns a' chrùn, a chaidh a stèidheachadh còrr is bliadhna ro Achd an Aonaidh, dh'fhaodamaid a ràdh le cinnt nach e eachdraidh air a bheil an t-Àrd-ollamh Mac a' Phearsain a' tadhal!

stàite a lèirsgrios' le bhith, mar eisimpleir, a' gabhail ri ballrachd den Aonadh Eòrpach, no a' cur a fìreantachd ,an teagamh' le bhith, mar eisimpleir, a' gabhail ri ballrachd den Euro. Anns an àm ri teachd, dh'fhaodadh a bith 'anabarrach' a bhith a' ciallachadh, a rèir Mhic a' Phearsain, a' tagairt an aghaidh ùrachadh cabhlach bàtaichean-aigeil Trident.

Tha fuasgladh soilleir air imcheist Mhic a' Phearsain. Cha bu chòir dha feitheamh gus am faigh e a shuidheachan deimhinn ann an Taigh nam Morairean. Feumaidh e a mhanifesto fhèin a chur air beulaibh nan daoine an làrach nam bonn agus feumaidh e seasamh san taghadh air taobh siar na Gàidhealtachd, 's ma dh'fhaoidte ann am Ploc Loch Aillse, faisg air oighreachd a theaghlaich. Faodaidh athair fhèin (duine gasta a rèir choltais) a chuid oidhche a thoirt dha fhad 's a bheir e iomairt do na daoine, a' mìneachadh dè bhiodh math do mhuinntir na sgìre. Co-dhiù bu chòir do Shir Nicholas ìomhaigh mheallta an t-searbhanta shìobhalta a leigeil dheth.

Leigeadh Taigh nan Cumantan gèillte le Mac a' Phearsain faighinn às leis a' ghiùlan seo, is e aontaichte thar nam pàrtaidhean leis a' ghràin a th' aca air neo-eisimeileachd na h-Alba. Chan fhaca ach Paul Flynn BP, a tha na Làbarach ach aig a bheil beachdan neo-eisimeileach, an eisimpleir chunnartach a bha ga stèidheachadh le foillseachadh 'comhairle' Mhic a' Phearsain don t-Seansalair air an not Bhreatannach. Is ainneamh fìor Bhuill Phàrlamaid a leithid Flynn ann an Lùchairt Westminster san latha an-diugh.

Co-dhiù no co-dheth, agus às bith dè a b' adhbhar, dhiùlt an Camshronach gabhail ri deasbadan devo max ann an 2010.

An dèidh buaidh mhòr an SNP ann an taghaidhean Pàrlamaid na h-Alba ann an 2011, rinn mi oidhirp eile air an deasbad air devo max a thoirt am follais le bhith a' cur cheist eile air a' phàipear bhòtaidh, air am biodh trì roghainnean eadar neo-eisimeileachd, fèin-riaghladh radaigeach agus an status quo. Tha reifreannan reachdail le trì taobhan air a bhith ann roimhe. Nach do dh'eagraich Oifis a' Chaibineit fear dhiubh ann an Talamh an Èisg, Canada, ann an 1948.

Chaidh am beachd seo a mhìneachadh le cuid den luchd-naidheachd agus le iomadh duine anns na pàrtaidhean eile mar nach robh de dhealas agam ann an neo-eisimeileachd. Is beag an t-eòlas a th' aig na daoine seo orm fhìn no air m' eachdraidh.

Tha mise a' creidsinn ann an neo-eisimeileachd na h-Alba. B' e mo dhleastanas gun cumamaid reifreann anns an robh neo-eisimeileachd air a' phàipear bhòtaidh. Bha mi a-riamh den bharail gum b' urrainn dhuinn bhòt de leithid a bhuannachadh. Ach mar a thuirt mi ris an neach-poileataigs Chuimreach, Dafydd Wigley, ann an iomairt an reifreinn, tha cuideigin a tha a' cur airgead air a' gheall roinnte fhathast airson 's gun tig each-san dhachaigh sa chiad àite.

Cha robh Camshron airson gnothach a ghabhail ri reifreann nan trì roghainnean. Bu mhiann leis-san sabaid a chumail eadar BU CHÒIR agus CHA BU CHÒIR gun roghainn eatarra agus e air a phiobrachadh le cunntasan-bheachd prìobhaideach is comhairle phoilitigeach a dh'innis dha nach fhaigheadh bhòt BU CHÒIR còrr is 30% aig a' char as àirde. Is iongantach coimhead air ais air a bheachd dhaingeann ann an 2011/12 an dèidh mar a dh'èirich 'a' bhòid' do dh'Alba air 'fèin-riaghladh', 'devo max' no 'faisg air feadarail' anns na làithean mu dheireadh den reifreann.

Bha seasamh Chamshroin a rèir beachdan traidiseanta nan Tòraidhean nach toireadh ach an car a bu lugha do dh'Alba. Aig a' cheart àm, b' e beachd ceannard ùr nan Tòraidhean ann an Alba, Rut NicDhaibhidh, anns an taghadh cheannardach gun rachadh 'loidhne sa ghainmheach' a sgròbadh an aghaidh molaidhean eile air fèin-riaghladh.

Bha aonta le Westminster riatanach airson an reifreann a chur thar chùis lagha sam bith a dh'fhaodadh èirigh agus, a thuilleadh air sin, gun rachadh an ùine an dèidh an reifreinn a stiùireadh ann an dòigh thaiceil. B' e an dùbhlan a bu mhotha ann an eachdraidh nàiseantachd Albannach toirt air daoine smaoineachadh gum b' urrainn dha seo tachairt, an àite gum bu chòir dha tachairt.

Mar sin, b' e beachd daingeann a' Chamshronaich anns an rèiteachadh nach biodh ach aon cheist ann is e den bharail gun rachadh an latha gun strì le CHA BU CHÒIR. B' e mo phrìomh amas-sa gun rachadh aonta a chur an cèill a stèidhich neo-eisimeileachd mar phròiseas aontaichte. An dèidh seo cha b' urrainnear a dhol às àicheadh gu bràth nach eil dòigh ann anns am faod Alba a saorsa fhaighinn.

An coimeas ris an amas mhòr ro-innleachdail sin cha robh am beachd poilitigeach airson devo max a chur air a' phàipear bhòtaidh a cheart cho cudromach. Tha beagan deasbaid air a bhith ann air a' chùis sa, am b' e seo mo bheachd an da-rìreabh no seasamh barganachaidh. 'S e an fhìrinn gun robh na dhà fìor.

An toiseach, an dèidh an taghaidh ann an 2011, bha mi an dòchas gum faigheadh sinn barrachd taic thar nan iomadh buidheann sìobhalta a bha airson devo max. Bha mòran dhiubh anns an iomairt Devo Plus a bh' air a stiùireadh leis a' mhaoiniche libearalach, Ben MacThòmais, ach bha daoine eile anns an treas roinn agus ann an Còmhdhail Aonaidhean-ciùird na h-Alba cuideachd. Gu follaiseach, bhiodh e do-dhèanta gun toireadh riaghaltas an SNP dà bheachd eadar-dhealaichte air adhart don reifreann: neo-eisimeileachd *agus* devo max. Dh'fheumadh devo max a bhith air a leasachadh an dèidh mòran saothrach is rannsachaidh taobh a-muigh an riaghaltais agus a bhith calg-dhìreach an aghaidh tairgse shuarach pàrtaidhean an aonaidh aig an àm.

Ach cha deach moladh iomlan air devo max a thoirt gu buil, agus ann an 2012 b' fheudar dhomh dèiligeadh leis an t-suidheachadh sa. Stiùirich mi deasbad leis a' Chaibineat air a' chùis.

Anns an fharsaingeachd, chan eil mòran duilgheadasan air a bhith agam anns an dàrna greis agam mar cheannard a' Phàrtaidh Nàiseanta, ann a bhith a' faighinn co-aontachd airson na ro-innleachd agam a dh'ionnsaigh neo-eisimeileachd. Cha robh e a-riamh mar sin. O chionn fhada, nuair a bha neo-eisimeileachd fad às, bhiodh strì is sabaid air feallsanachd a' phàrtaidh againn an àite adhartais.

Anns na 1990an chaidh iomadh colbh naidheachdan agus puing-ghnìomh aig Co-labhairtean SNP a stèidheachadh air a' bheachd gun robh mi a' cleachdadh fèin-riaghlaidh mar cheum air rathad a dh'ionnsaigh neo-eisimeileachd. Aig a' cheann thall chuir mi a' chùis air beulaibh Comhairle Nàiseanta an SNP gus an cuireadh am pàrtaidh roimhe gun dèanadh e iomairt airson BU CHÒIR/BU CHÒIR ann an reifreann na dà cheist ann an 1997.

Mar a dh'fhàs e na bu choltaiche gum b' urrainn don Phàrtaidh glèidheadh, 's ann a dh'fhàs misneachd ann an soirbheachadh na ro-innleachd leantainnich agam. A dh'aindeoin sin, tràth ann an 2012 bha mi a' sàrachadh cuid de na co-obraichean agam leis an taic leantainnich agam airson na treas ceist air a' phàipear bhòtaidh. Bha fiù 's Mìcheal Russell, Rùnaire an Fhoghlaim, agus a dheasaich an ro-innleachd leantainneach ceum air cheum cuide rium, a' moladh gun robh an t-àm ann gabhail ri reifreann BU CHÒIR/CHA BU CHÒIR. An dèidh èisteachd riutha aig bòrd a' Chaibineit, chuir mi iongnadh orra nuair a thuirt mi: 'Ceart, dèanamaid sin. BU CHÒIR is CHA BU CHÒIR a bhios ann, ma-thà.'

Dh'innis mi do mo cho-obraichean an uair sin gun cumadh sin oirnn ag iarraidh na treas roghainn a chionn 's gum fàgadh i sinn ann an suidheachadh nas treasa airson an t-àm a thaghadh agus bhòtaichean airson daoine aig sia bliadhna deug is seachd bliadhna deug – cùisean fìor chudromach fo smachd Riaghaltas na h-Alba. Bha fios agam gun toireadh riaghaltas Westminster an t-uabhas seachad is iad airson 'buaidh' na loidhne deirge aca a thaisbeanadh.

Mar sin, cha b' e seasamh barganachaidh a bh' anns an taic agam airson devo max air a' phàipear bhòtaidh an toiseach, ach nuair a b' e aig a' cheann thall bha e uabhasach soirbheachail.

Chaidh Aonta Dhùn Èideann a rèiteachadh eadar riaghaltasan na h-Alba agus na Rìoghachd Aonaichte. B' e an deicheamh earrainn fichead, an tè mu dheireadh, an earrainn a bu chudromaiche agus ris an do chuir rèitirean an Aonaidh an aghaidh gu dubh:

Co-obrachadh

30. Tha Riaghaltasan na h-Alba agus na Rìoghachd Aonaichte a' gealladh, tron Mheòrachan Tuigse eatarra fhèin agus eile, gun obraich iad còmhla air cùisean far a bheil ùidhean coitcheann eatarra agus airson conaltradh math agus spèis dha chèile a thaisbeanadh. 'S ann anns an spiorad sin a tha an dà riaghaltas air an t-aonta seo a thoirt gu buil. Tha iad a' dèanamh fiughair ri reifreann a tha laghail agus cothromach às an tig co-dhùnadh a tha soilleir agus còrdte. Tha an dà riaghaltas a' cur romhpa gun obraich iad còmhla gu cruthachail às bith dè an co-dhùnadh airson math muinntir na h-Alba agus a' chòrr den Rìoghachd Aonaichte.

Mar sin, nuair a thàinig Daibhidh Camshron a Thaigh an Naoimh Anndra air 15 An Dàmhair 2012 cuide ri a Rùnaire na h-Alba, Mìcheal Moore airson Aonta Dhùn Èideann a thoirt gu crìch cuide rium fhìn agus Nicola, chuir e ainm ri aonta anns an robh an dà thaobh den bharail gun do choilean iad an cuid amasan. 'S e sin an seòrsa aonta as fheàrr. Bha an roghainn BU CHÒIR/CHA BU CHÒIR aca a bheireadh, nam beachd fhèin, co-dhùnadh soilleir seachad do an taobh-san. Bha reifreann againn a reachdaich Pàrlamaid na h-Alba is a chaidh aontachadh le Westminster, a' stèidheachadh gu bràth a' phròiseis anns am b' urrainn do dh'Alba a saorsa a chosnadh.

Chaidh na beachdan a chuir mi an cèill aig a' choinneimh naidheachdan a dhealbhadh a dh'aona-ghnothach airson sàr-bhrosnachadh a chur air an iomairt BU CHÒIR bhon fhìor-thoiseach:

Tha aonta eachdraidheil Dhùn Èideann an-diugh a' comharrachadh toiseach na h-iomairt airson am miann sin (neo-eisimeileachd) a choilionadh. Anns an iomairt seo bidh sinn a' taisbeanadh na lèirsinn adhartaich, àrd-amasaich againn airson Alba a bhios soirbheachail, nas cothromaiche, adhartach agus neo-eisimeileachd – lèirsinn a bhuannaicheas an deasbad, nam bheachd-sa, agus a bheir bhòt BU CHÒIR gu buil as t-fhoghar 2014.

A rèir Aonta Dhùn Èideann dh'fhaoidte reifreann a chumail gu ruige deireadh na bliadhna 2014. A rèir nam pròiseasan ceart pàrlamaideach bhiodh eadar bliadhna agus bliadhna gu leth a dhìth airson an reifreann eagrachadh, ach ann an da-rìreabh dh'fhaodamaid a chumail àm sam bith ann an 2014.

B' e mo roghainn-sa gun cumadh sinn e na b' fhaide den bhliadhna an àite na bu thràithe. B' e sin a gheall mi dhomh fhìn anns an iomairt taghaidh. Cuideachd bha sinn air dheireadh sna cunntasan-bheachd – 's ma dh'fhaoidte nach robh sinn cho fada air dheireadh 's a bha na Tòraidhean a' creidsinn ach bha sinn fhathast air dheireadh.

Bha ùine a dhìth oirnn airson an iomairt a bheothachadh a bheireamaid bho na 30an ìosal gu nas àirde na an dara leth den t-sluagh, dùbhlan àibheiseach mòr. Ach bha fios againn bho na cunntasan-bheachd againn fhìn gun robh na h-àireamhan a dh'fhaodadh BU CHÒIR a thàladh aig 60 sa cheud ('dh'fhaodadh' a' ciallachadh àireamh dhaoine a chuir an cèill gum b' urrainn dhaibh bhòtadh BU CHÒIR ann an cuid a shuidheachaidhean).

Ach bha amannan ann, nam bheachd-sa, air falbh bho ghreadhnachas agus cudromachd an latha mhòir, nuair a chunnacas beagan de na bha an Camshronach a' cumail am falach. Bha comharraidhean ann gun robh a' chinnt a bh' aige aig deireadh 2011 a-nis caran stadach agus nach robh a cheanglaichean mas fhior le Alba stèidhichte air mòran idir.

Bha mi air beagan ùine phrìobhaideach iarraidh cuide ri Camshron ro shoighneadh an Aonta agus na dhèidh.

Bha an ùine ro làimh airson dèanamh cinnteach gum biodh coltas nàdarra air na dealbhan telebhisein nuair a thigeamaid a-steach don oifis agam. Feumaidh mi aideachadh gun do chuir mi seòmar air dòigh anns an robh am mapa de thoraidhean an taghaidh Albannaich ann an 2011 a bha làn buidhe crochaichte air a' bhalla air mo chùlaibh. Bha mi cuideachd air bòrd an Rùnaire Mhaireannaich a ghluasad a-steach don t-seòmar airson na coinneimh, ball àirneis a tha fada nas spaideile na bòrd a' Phrìomh Mhinisteir. Chaidh Camshron agus mi fhìn a-steach còmhla airson coinneachadh ris na sgiobaidhean againn agus sheall mi dha an dealbh agam le Iain Bellamy a bha air balla seòmar a' Phrìomh Mhinisteir ann an Taigh an Naoimh Anndra. Dh'innis mi dha gur e dealbh de chala Dhùn MhicDhuibh a bh' ann a bha faisg air an àite anns an do chuir a sheanair sgoil air bhonn ann an Hunndaidh.

'Seadh!' ars am Prìomhaire. 'Cha robh mi ann a-riamh.'

Air sgàth 's cho cudromach 's a bha cùisean an latha, chùm mi mo theanga is cha tuirt mi gun do chuir e iongnadh orm nach tàinig e a-steach air tadhal air àite a bha cho cudromach ann an eachdraidh a theaghlaich. Ach bha an còmhradh a bh' againn an dèidh soighneadh an Aonta agus an dèidh do chàch falbh na bu chudromaiche buileach gu poilitigeach.

Dh'fhaighnich am Prìomhaire dhìom cuin a bha sinn an dùil an reifreann a chumail. Thuirt mi as t-fhoghar 2014.

Fhreagair e fhèin: 'Ach chan fhàgadh sin ùine gu leòr ron ...' agus chuir e stad air fhèin.

Thuig mi anns an t-seantans nach deach crìochnachadh nach toireadh sin ùine gu leòr dhuinn airson neo-eisimeileachd a rèiteachadh ron taghadh choitcheann ann an 2015. Mar sin dheth, cha robh e cho cinnteach nach robh e air beachdachadh air dè dh'fhaodadh tachairt ann an Westminster nan rachadh an latha le BU CHÒIR.

Cha robh Westminster air cudromachd ceann-latha an reifreinn a mheas ro àrd. 'S toigh leis a h-uile duine gun tèid aire a thoirt dhaibh agus 's e bliadhna mhòr do dh'Alba a bhiodh ann an 2014 nuair a bhiodh aire an t-saoghail ga toirt oirre.

Cha robh Camshron air seo a thuigsinn. Bha e fhèin a' creidsinn gum biodh na tachartasan a' comharrachadh ceud bliadhna o thoiseach a' Chogaidh Mhòir na bu chudromaiche airson glòir an aonaidh a chumail an cuimhne nan Albannach.

Bha am beachd seo a' taisbeanadh a mhì-thuigse mhòr air feallsanachd nan Albannach. Tha Alba na dùthaich a bhios a' moladh an t-saighdeir ach a' seachnadh na còmhstri. Is coma leinn luchd-poileataigs a leithid Chamshroin a tha den bharail gum bu chòir dhuinn ceann-bliadhna lèirsgrios oillteil a' Chogaidh Mhòir a chomharrachadh gu glòrmhor mar a chomharraich sinn ceann-bliadhna daoimein na bànrigh.

Bha barrachd fala ga leigeil na glòir ga roinn anns a' Chogadh Mhòr.

Chuir Camshron cus suim ann am buaidh a' chogaidh gun feart a thoirt air obair na sìthe. Ann an 2014, thigeadh Geamannan a' Cho-fhlaitheis, Cupa Ryder, fiù 's duaisean MTC a dh'Alba ann am Bliadhna an Tilleadh Dhachaigh.* A bharrachd orra sin, bhiodh reifreann ann air fèin-riaghladh.

Uair 's gun robh ceann-latha air a stèidheachadh, b' e an dùbhlan a bu mhotha ciamar a rachadh an 20% a bharrachd a dhaoine a thàladh airson an reifreann a bhuannachadh.

Bha aon nì cinnteach. Chailleadh sinn gu h-àbhaisteach nan cuireamaid iomairt àbhaisteach air dòigh. B' e Churchill a thug an cunntas sa air Austen Chamberlain: Bhiodh e daonnan a' cluich a' gheama agus bhiodh e daonnan a' call.' B' fheudar dhuinn dèanamh cinnteach nach b' e an geama a-mhàin a bhitheamaid a' cluich.

Bha na feachdan mu ar coinneimh fìor fhuathasach.

Ged a bha sinn air riaghailtean maoineachaidh a chur an cèill air adhbharan cothromachd, rachadh fada a bharrachd a chosg air an taobh eile. Chaidh a' mhì-chothromachd ionmhasail a chur ceart gu ìre an dèidh an deagh fhortain a chaidh buileachadh air Chris agus Cailean Weir a bhuannaich an crannchur Euromillions ann an 2011. Tha na Weirs air dithis de na daoine as còire san dùthaich agus tha iad air a bhith nan nàiseantaich onorach o chionn fhada, a

---

* 'S e sreath thachartasan a bh' ann am bliadhnaichean an Tilleadh Dhachaigh ann an 2009 agus 2014 air an dealbhadh airson ùidh ann an Alba a bhrosnachadh air feadh an t-saoghail, gu h-àraid, ach chan ann a-mhàin, airson daoine le sinnsearan Albannach. Anns a' chiad bhliadhna chaidh 250 bliadhna bho rugadh Raibeart Burns a chomharrachadh agus chaidh Geamannan a' Cho-fhlaitheis agus Cupa Ryder a chumail san dàrna tè. Bha an dà bhliadhna air am meas glè shoirbheachail ann a bhith a' tàladh luchd-tadhail a bharrachd.

bha ro dheònach cuideachadh agus a' mhì-chothromachd a chur ceart.

Tha Chris agus Cailean airidh air am mòr-mholadh an dèidh nan ionnsaighean pearsanta a thug na meadhanan orra. Ann an saoghal faoin nan seann mheadhanan sgrìobhte, tha làn chead aca ionnsaigh a thoirt air dithis Albannach àbhaisteach a tha a' cur cuid den fhortan aca gu math an dùthcha fhad 's nach toir iad feart air gnìomhachasan mòra Lunnainn no buidhnean ionmhasail a mhaoinich an iomairt CHA BU CHÒIR. Nan robhar a' cumail ri na riaghailtean air tabhartasan iomairt, mar bu chòir, agus maoineachadh bho dhaoine nach robh air clàr an luchd-bhòtaidh an Alba air a thoirmeasg, cha bhiodh de dh'airgead aig sgioba CHA BU CHÒIR a phàigheadh na faraidhean tagsaidh aca.

Cha mhòr nach robh na seann mheadhanan gu lèir air taobh CHA BU CHÒIR. Ann an 2007, bhuannaich an SNP an taghadh nuair a bha an dà phàipear-naidheachd mòr a' strì an aghaidh a chèile airson cur sìos air a' phàrtaidh. Ach ghlèidh sinn an taghadh sin le 33% den bhòt. Bha 50% agus aon duine a dhìth airson an reifreann a ghlèidheadh.

Chan eil cumhachd nam pàipearan naidheachd a cheart cho làidir 's a bha i ann an 2007 ann a bhith a' toirt buaidh air taghaidhean, ach tha cùisean doirbh nuair a tha iad uile a' toirt ionnsaigh ort nan arm aonaichte. Bidh iad a' stiùireadh sgeul na h-iomairt a bhios a' toirt buaidh air craoladh, agus 's e sin meadhan a tha a' toirt buaidh air bhòtaichean fhathast.

Bha làn neart stàit na Rìoghachd Aonaichte na seasamh gu daingeann nar n-aghaidh. Thigeadh trì pàrtaidhean mòra Westminster còmhla airson dèiligeadh leis an dùbhlan seo a rèir am feallsanachd fhèin. Gu fortanach, bha na trì dhiubh strì an aghaidh a chèile feuch cò a bu mhì-thlachdmhoire, agus cha robh earbsa ann an siostam Westminster na bu lugha a-riamh. Cha b' e buannachd a bh' ann an aonadh nam pàrtaidhean anns an iomairt CHA BU CHÒIR: bu bheag air luchd-bhòtaidh Làbarach ann an Alba an ìomhaigh de Làbaraich Lunnainn agus Tòraidhean Lunnainn an guaillibh a chèile. 'S beag orra fhathast i.

Bha seo a' ciallachadh gum b' fheudar dhuinn a bhith air thoiseach air càch ann an saoghal nam meadhanan sòisealta agus iomairtean na sràide. Dh'fheumamaid measgachadh de dhaoine agus de bhuidhnean iomairt a bhrosnachadh a bhiodh eadar-mheasgte, aig am biodh saorsa, ach a chuireadh ris an iomairt mhòir. B' fheudar dhuinn leigeil le mìle dìthean a thighinn fo bhlàth.

A bharrachd air sin, bha iomadh buidheann buadhmhor agus adhartach ann an Alba a bha fàbharach a thaobh BU CHÒIR agus a bha na bu trice a' coimhead ri Taigh an Ròid an àite ri Westminster airson na h-amasan poilitigeach aca a choileanadh. Bha an treas roinn ann an Alba neo-thaobhach no taiceil, a rèir mòr-chuid, an dèidh seachd bliadhna de riaghaltas an SNP, agus bha na h-aonaidhean ciùird uabhasach mì-thoilichte leis an iomairt CHA BU CHÒIR, Nas Fheàrr Còmhla, agus uidh air n-uidh a' cur taic ri ar taobh-ne.

Mar sin dheth, an dèidh m' ainm a chur ri Aonta Dhùn Èideann aig deireadh 2012, cha robh cùisean cho dubhach 's a bha sinn a' sùileachadh aig an toiseach. Ma tha thu airson 's gun tèid an latha leat, feumaidh tu an argamaid as dòchasaiche a chur air adhart. Thug ceist an reifreann – Am bu chòir do dh'Alba a bhith na dùthaich neo-eisimeileach? – an cothrom seasmhach sin. Cha phiobraich thu daoine le eu-dòchas.

B' e foillseachadh a' Phàipeir Ghil air 26 An t-Samhain 2013 a' chiad phrìomh thachartas anns an iomairt. Chaidh an sgrìobhainn seo anns an robh 670 duilleagan a dhealbhadh airson neo-eisimeileachd a thaisbeanadh mar lèirsinn dhòchasach agus phrataigeach airson muinntir na h-Alba. Sheas am foillseachadh ri mion-sgrùdadh nam meadhanan agus chunnacas air na meadhanan-sòisealta gun robh an lèirsinn againn a' boillsgeadh tro cheò àbhaisteach an t-saoghail phoilitigich.

Fhad 's a bha mi a' coimhead air na beachdan air an oidhche sin fhèin air BBC air-loidhne, thug mi an aire do dh'facal a bh' aig Stevie Ceanadach à Mow Cop, baile beag ann an Staffordshire: 'Mar Albannach a tha a' fuireach ann an Sasainn aig a bheil bean agus clann Shasannach, tha mise nam Bhreatannach anns a' chiad dol a-mach. An-diugh, ge-tà, chì mi neach-poileataigs a' labhairt agus tha dòchas nam chridhe nach bi poileataigs na Rìoghachd Aontaichte stèidhichte air Westminster agus air an uidheam mhillte phoilitigeach a tha ga stiùireadh às bith dè am pàrtaidh a gheibh ar bhòtaichean. 'S fhada on a dh'fhairich mi dòchas no faireachdainn dhòchasach eile fhad 's a bha neach-poileataigs a' bruidhinn, ach tha làn fhios agam gum faic sinn ionnsaighean gun sgur de dh'eu-dòchas tarcaiseach on taobh CHA BU CHÒIR anns na 10 mìosan ri teachd.'

Cha do choinnich mi ri Mgr. Ceanadach a-riamh ach tha a bheachd-san na dheagh shamhla air an t-suidheachadh againn air stairsnich 2014. Bha sinn a' brosnachadh dhaoine le lèirsinn ùr. B' e an duilgheadas a bu mhotha gum b' fheudar dhuinn an lèirsinn a chumail suas an aghaidh an t-srutha 'de dh'eu-dòchas' ris an robh e an dùil.

B' e YouGov a chùm na cunntasan-bheachd a b' earbsaiche agus a bu chunbhalaiche, is iad a' cur na ceist a rachadh cleachdadh air na pàipearan bhòtaidh.

A rèir a' chiad chunntais-bheachd le YouGov anns an Lùnastal 2013, bha CHA BU CHÒIR air thoiseach le 30 puingean: 59-29. Ro dheireadh na bliadhna, an dèidh foillseachadh a' Phàipeir Ghil, cha robh iad 20 sa cheud air thoiseach: 52-33.

Fad an earraich agus as t-samhradh 2014 bha CHA BU CHÒIR fhathast eadar 14 agus 20 sa cheud air thoiseach ann an cunntasan-bheachd YouGov. Ach bha na daoine a bh' air a bhith clàraichte mar 'chan eil fhios agam' a' gluasad 2-1 a dh'ionnsaigh BU CHÒIR. Bha am buidheann sin clàraichte aig mu 15 sa cheud aig deireadh 2013, 10 sa cheud anns a' chiad leth de 2014 agus dìreach 5 sa cheud san Lùnastal 2014.

Cha robh coltas math air seasmhachd nan cunntasan-bheach anns a' chiad leth de 2014 ach dh'innis am barrachd sgrùdaidh an caochladh dhuinn.

Ann an sreath ionnsaighean ann am meadhan a' Ghearrain loisg feachdan an aonaidh an urchairean mòra. An toiseach, ann an co-chòrdadh le Danaidh Alexander agus Ed Balls, dhiùlt Seòras Osborne aonadh airgid fhad 's a nochd José Manuel Barroso, Ceann-suidhe a' Choimisein Eòrpaich, air *The Andrew Marr Show* air a' BhBC airson cur an cèill gum biodh e 'doirbh, no fiù 's do-dhèante' gum faigheadh Alba neo-eisimeileachd aonta nam ball-stàit don Aonadh Eòrpach.

Ach thuislich a' chiad ionnsaigh seo a dh'fheuch ri crìoch a chuir air an argamaid air a' chiad oidhirp. Bha coltas àrdanach air a' chiad urchair agus chuir an seann Phrìomh Mhinistear, Eanruig MacIllÌosa agus fiù 's Gòrdan Mac a' Bhruthainn fhèin, an teagamhan poblach is prìobhaideach an cèill air a' chuspair.

Bha an dàrna ionnsaigh na bu mhotha buileach air daoine a chreidsinn. Chaidh Sir Daibhidh Edward, a bha na bhritheamh aig Cùirt Eòrpach a' Cheartais agus a tha dìleas don aonadh (ged a tha e a' fàs nas seirbhe de phoileataigs ana-Eòrpach Westminster), gu dubh an aghaidh bheachdan Bharroso, is e a' fanaid air a' choimeas a rinn e eadar Alba agus A' Chosobho.

Cha robh an searmon le Osborne air an not no an òraid le Barroso air an Roinn Eòrpa math gu leòr. Chaidh an dealbhadh airson crìoch a chur air an deasbad ach cha do dhèirich cùisean mar a bha dùil. Gu dearbh, a thaobh an not, b' e an dearbh chaochladh a thachair. Agus nuair a thèid na h-urchairean mòra a loisgeadh ro tràth, is doirbh uaireannan na gunnachan ath-luchdachadh a-rithist.

Thàinig a' chiad ghluasad mòr a dh'ionnsaigh BU CHÒIR an dèidh foillseachadh a' Phàipeir Ghil. An dèidh sin, anns a' chiad sia mìosan de 2014, cha mhòr gun robh gluasad sam bith eadar eagal an taobh CHA BU CHÒIR agus dòchas an sgioba BU CHÒIR. Mar a dhlùthaich sinn ris na ceud latha mu dheireadh, 's ann a chaidh an iomairt a bheothachadh agus a chunnacas gluasad a dh'ionnsaigh BU CHÒIR.

'S ann mar sin a thachair an cath agus a chaidh an reifreann a cho-dhùnadh. 'S urrainnear blàr a bhuannachadh agus cogadh a chall, agus gu dearbh fhèin 's urrainnear reifreann a chall agus saorsa a bhuannachadh aig a' cheann thall. An dèidh bhòt an reifreinn, tha coltas air an taobh BU CHÒIR gur iadsan a bhuannaich agus air an taobh CHA BU CHÒIR gun do chaill iad fhèin. Chan ann gus an-dràsta a tha builean slàn reifreann na h-Alba air tòiseachadh a thighinn am follais.

*

'S tric a chluinneas sinn neach-poileataigs a' bruidhinn mar gur e inneal no fiù 's robot a th' ann agus mar gun deach a stèidheachadh le prògramanan air poileasaidhean is beachdan gan cur an sàs rò làimh na eanchainn agus aig nach eil de dh'fhaireachdainnean a gheibhear ann am beatha shlàn choileanta.

Tha mi fhìn a' creidsinn gur e an reifreann linn deamocratach na h-Alba, nuair a rinn i ath-sgrùdadh iomlan oirre fhèin. Nuair a thuig mòran dhaoine, aig a' cheart àm, gum faodadh iad a bhith cus na bu chudromaiche na bha iad a' saoilsinn a-riamh roimhe. B' e àm ùrachaidh a bh' ann, àm airson buaidh phoilitigeach. An àite a bhith ag èisteachd ri aithris na sìde, chaidh na daoine a-mach is thàinig iad gu co-dhùnadh air dè an seòrsa sìde a bhiodh ann.

Cha robh agam ri sealladh eile fhaighinn air an t-saoghal. Bha m' àrach òg air an aon fheallsanachd a bheothachadh annam fad mo bheatha. Bha mi a-riamh taingeil gun robh sin annam nam smior. Tha mòran dhaoine ann an Alba a-nis den aon bheachd.

Tha na stèidhean mòra neo-ghluasadach ann fhathast, nan cnapan-starra air slighe an adhartais – Westminster, comann stèidhichte nan Làbarach – ach tha na daoine a' faicinn gu bheil an crìonadh air tòiseachadh.

Tha mise an eiseamail m' eachdraidh teaghlaich airson mo phrionnsabalan. Thàinig mo phàrantan don aon bheachd air neo-eisimeileachd na h-Alba ach nan dòighean fhèin. A rèir m' athar, chaidh iompachadh fhèin ann an deasbad còmhla ri rannsaiche Làbarach air a stairsnich fhèin. Chuireadh a' cheist air m' athair ciamar a bhiodh e a' bhòtadh.

'Na Làbaraich,' fhreagair e an làrach nam bonn. 'Mar a rinn a-riamh.'

'Math fhèin,' arsa an rannsaiche mus do dh'fhaighnich dè an taobh a ghabhadh mo mhàthair.

'Chan eil dòchas ann dhìse,' arsa m' athair. 'Tòraidh a th' innte.'

'Coma leinn,' thuirt an Làbarach. 'Cho fad 's nach eil i a' bhòtadh airson na *Scottish Nose Pickers*!'

'Fuirich mionaid,' thuirt m' athair. 'Tha mo dheagh charaid san SNP.'

''S e nose pickers a th' annta uile,' arsa an rannsaiche.

M' athair: 'Chan e. Chan e idir!'

Rannsaiche: "'S e sin a th' annta.'

Chùm iad orra mar sin fad leth-uair an uaireadair – ach an uair sin, cha b' e caraid m' athair a-mhàin a bha an duine a' càineadh ach a h-uile duine ann an Alba.

Mu dheireadh thall, chuir m' athair, a bha a-riamh rag-mhuinealach, crìoch air a' chòmhraindh.

'A-nis, nuair a ràinig thu dh'innis mi dhut gum bithinn a' bhòtadh airson nan Làbarach mar a rinn mi anns a h-uile taghadh. Bidh mi a-nis a' bhòtadh airson a' Phàrtaidh Nàiseanta anns a h-uile taghadh. Tha mi airson 's gum bi cuimhne agad gur e sin a choisinn thu a-nochd.'

Tha an còmhradh seo – a tha mi a' smaoineachadh a thachair aig àm fo-thaghadh Lodainn an Iar ann an 1962 – air leth coltach ri beachd nan Làbarach anns an reifreann.

Chan ann a-mhàin gun robh iad ag iomairt cuide ris na Tòraidhean, 's ann air sàilleabh 's gun robh iad a' cur sìos air Alba cuide riutha cuideachd, an guaillibh a chèile, nan dlùth-charaidean.

Agus chan e buill an SNP a-mhàin a dh'fhàsas feargach nuair a chuireas cuideigin sìos air an dùthaich agad. Tha m' athair air bhòtadh airson an SNP fad leth-cheud bliadhna air sàilleabh a' chòmhraidh sin. Leth-cheud bliadhna! Agus tha am Pàrtaidh Làbarach den bheachd gun nigh iad an làmhan a-nis agus, thar nam mìosan ri teachd, gun gluais iad air adhart o na rinn iad.

Bha slighe mo mhàthar-sa, nach maireann, caran diofraichte agus na b' ùire – agus b' ann air gaol màthar a bha i stèidhichte an àite iompachaidh phoilitigeach, a dh'aindeoin gur bu bheag oirre feallsanachd Thatcher.

Anns a' chiad ghreis agam mar cheannard an SNP anns na 1990an bha mi a' cumail coinneimh naidheachd ann an Lunnainn nuair a thàinig e am follais gun robh am pàipear Làbarach, an *Daily Record*, ag amas orm le bhith a' foillseachadh gun robh mo mhàthair na Tòraidh. Mura tèid aige air a mhàthair iompachadh, carson a bu chòir do dhaoine feart a thoirt air? A leithid sin.

Bha fios agam gu nochdadh iad air an stairsnich agus thug mi rabhadh dhi air a' fòn. 'Fàg agam e,' thuirt i rium.

Nochd an *Record*, mar a bha dùil, airson a ceasnachadh mun taic aice do na Tòraidhean. 'Bha sin fìor,' arsa ise, 'ach tha sin uile seachad. Tha Mgr. Major na fhìor bhriseadh dùil agus feumaidh mi seo innse dhuibh, gum bi mi fhìn a-nis a' bhòtadh san dearbh dhòigh 's a bhios an duine agam – agus mo mhac – a' bhòtadh.' An uair sin, nuair a nochd *The Times* dh'innis i dhaibh gun robh i a' boltadh balla an taigh bhig is cha robh ùine aice airson bruidhinn riutha. Mu dheireadh thall dhiùlt i bruidhinn ris an Scotsman air sàilleabh 's gun robh i air an London *Times* a dhiùltadh mar-thà!

Aig a' cheart àm, shìos ann an Lunnainn, agus fad air falbh on ùpraid agus a' gabhail mòran dragh mun ionnsaigh a bha na pàipearan a' toirt air mo mhàthair bhochd, chuirinn fòn dhachaigh gus an cluinninn an naidheachd as ùire. Mu dheireadh thall, fhreagair m' athair. 'Èist, nach sguir thu fònadh, cha robh uiread spòrs aig do mhàthair bho àm a' Bhlitz!'

Sin agaibh e. Sin far an d' fhuair mi breith is m' àrach.

*

'S e seo an sgeul agamsa air na ceud latha mu dheireadh den reifreann.

Gu follaiseach 's e sgeul a thèid innse bhon taobh agam fhìn. Tha fada a bharrachd fios agam mun iomairt BU CHÒIR na th' agam air an iomairt CHA BU CHÒIR. Tha e cuideachd ag innse an sgeòil bho thaobh ceannard na h-iomairte.

Bha an iomairt BU CHÒIR eadar-mheasgte agus stèidhichte air an tuath a dh'aona-ghnothach. Cha do dh'fheuch mi ris a h-uile pàirt den iomairt againn a stiùireadh. Nan robh mi air sin fheuchainn, bhitheamaid air an cothrom a bu mhotha againn a mhilleadh: an comas a bh' againn air sluaghan mòra dhaoine a thional. Air a' chaochladh, dh'fheuch sinn ris an teachdaireachd agus na cuspairean againn a sgaoileadh le bhith a' cleachdadh nam mìltean a dhaoine agus a' faicinn na buaidh a bh' aca air muinntir na h-Alba.

Chan eil mi a' feuchainn ri dleastanasan stiùireadh na h-iomairte a sheachnadh. Is mi fhìn a-mhàin a bu choireach do na mearachdan (agus bha beagan dhiubh sin ann ceart gu leòr).

An dèanainn rud no dhà ann an dòigh eile nan robh an cothrom agam a-rithist? Dhèanainn, gu dearbh. Ach mar a chanadh mo sheanair, gheibhear eòlas anns na làithean a chaidh seachad ach feumar leigeil leotha a dhol seachad.

Mar sin, le bhith a' coimhead air an iomairt gu lèir, agus 's e sin an aon dòigh as urrainn dhut breithneachadh air a leithid, bha an iomairt a bu bhrosnachaile, a bu dhòchasaiche agus a bu radaigiche a-riamh ann am poileataigs dheamocratach againn. Choisinn i barrachd le goireasan na bu lugha na iomairt taghaidh sam bith anns an robh mi fhìn an sàs, no mum bheil fios agam. Tha mi uabhasach moiteil gun robh mi nam phàirt dhith.

Dhòmhsa dheth, b' iad sin na làithean geala agus b' e sin an iomairt gheal. Tha mi an dòchas gum biodh mo sheanair air a bhith moiteil asam.

Na Ceud Latha Air Fàire

Fhad 's a bha sinn a' teannadh air 100 latha iomairt an reifreinn, bha an t-àrd-ùrlar rèidh agus bha an teas poilitigeach ag èirigh.

Diardaoin 5 An t-Ògmhios 2014

Geama Top Trumps còmhla ri Ceann-suidhe nan Stàitean aonaichte. A' smaoineachadh gun do bhuannaich mi.

Tha mi dìreach an dèidh sgrùdadh britheimh air pròiseact nan tramaichean an Dùn Èideann fhoillseachadh. Tha làn dhùil agam gur e sin prìomh sgeulachd nan naidheachdan ann an Alba.

Cha mhòr nach eil am Prìomh-oifigear agam, Geoff Aberdein, gam chur nam thosd. Tha e a' leum a-steach don oifis agam ann am Pàrlamaid na h-Alba.

'Tha Obama a' cur a thaic ri CHA BU CHÒIR,' tha Geoff ag radh.

'Ach dè thuirt e?' tha mise faighneachd.

'Thuirt e CHA BU CHÒIR,' tha Geoff ag ràdh.

'Geoff, dè thuirt e agus càit an tuirt e e?'

'Bha e na sheasamh còmhla ri Camshron ann an coinneamh naidheachd agus thuirt e gur e caraid daingeann a bh' anns an Rìoghachd Aonaichte a bu chòir a bhith aonaichte ach gun robh e an urra ris na h-Albannaich.'

'Glè mhath,' tha mise a' freagairt.

'Ciamar as urrainn dha a bhith glè mhath?' tha Geoff a' faighneachd.

'Trì adhbharan – a h-aon – bha e na sheasamh ri taobh Chamshron. A dhà – 's toigh le Alba gu bheil daoine a' bruidhinn mu deidhinn. Agus a trì – nan cuireadh tu facal air na h-Albannaich, 's e 'rag' a chuireadh tu orra.'

Tha mi a' cumail orm: 'Mar sin, canaidh sinn fhìn, a h-aon: ghuidh Camshron air Obama airson a thaic. A dhà: b' fheudar do dh'Ameireaga strì is sabaid airson a saorsa far a bheil cothrom deamocratach againne. Agus a trì: gu dearbh 's ann an urra ris na h-Albannaich a tha e.'

'Rud sam bith eile?' tha Geoff a' faighneachd. 'Cuir IS URRAINN DHUINN ris,' agus plìonas orm.

A' fuireach anns a' Sofitel aig Heathrow gus an ruig mi Normandy airson latha cuimhneachaidh D-Day sa mhoch mhadainn thràth.

Dìnnear cuide ri Iain Bochanan, an t-oifigear tèarainteachd agam, agus Joe Griffin, am prìomh rùnaire prìobhaideach agam. Cuideachd tha Lorraine Kay, bhon oifis phrìobhaidich agam, a tha uabhasach math, agus a tha dìreach air tighinn às na Stàitean. Anns an fho-thaghadh ann an Sasainn tha na Tòraidhean a' glèidheadh, UKIP san dàrna àite agus na Lib-Deamaich a' call an airgid eàrlais aca. Tha mòran sna naidheachdan air na duilgheadasan leantainneach aig Nick Clegg.

Dihaoine 6 An t-Ògmhios

Tha mi air itealan RAF a' tilleadh bho thachartasan cuimhneachaidh D-Day ann an Normandy cuide ri Nick Clegg agus Ed Miliband. Tha e a' cur nam chuimhne geama a' bhalùn agus cò aca a thèid a phutadh far an itealain an toiseach. Saoilidh mi nach tèid duine aca. Tha feum air an dithis aca.

Tha e iomchaidh gur e latha fada a th' air a bhith ann ged nach e an Latha as Fhaide fhèin a th' ann. Bha mi air itealan tràth bho RAF Norholt cuide ri Clegg (gu math frogail, gu h-iongantach) agus Miliband (gu math laghach).

Tha e follaiseach gu bheil Nick a' feuchainn ri Ed a mhealladh – a' sealltainn gur coma leis caran is cleasan annasach nam fo-thaghaidhean. Tha Ed uabhasach modhail, a chionn 's nach eil dad ann a sheallas ciamar a 's urrainn do na Làbaraich riaghladh leotha fhèin.

Anns an t-saoghal phoilitigeach dè as fhiach dìmeas a dhèanamh air cuideigin gun adhbhar?

Tha mi ann am fìor dheagh shunnd (airson 7.00 sa mhadainn co-dhiù). Tha mi airson sealltainn gu bheil mi a' cumail rudeigin am falach ged a tha CHA BU CHÒIR 20 phuing air thoiseach anns na cunntasan-bheachd.

Tha Carwyn Jones, Prìomh Mhinistear na Cuimrigh agus Peadar Robinson, Prìomh Mhinistear Èirinn a Tuath ann cuideachd. Chan eil Máirtín McGuinness ann air adhbharan follaiseach.

Tha sinn air ar toirt a-null thairis air Caolas na Frainge ann an itealan BAe às an loingeas rìoghail a tha glè chofhurtail agus a mholainn do dhuine sam bith. Tha mi air nota a sgrìobhadh dhomh fhìn am fealla-dhà: 's ma dh'fhaoidte gum faigh sinn fear dhiubh seo ma thèid cùisean gu math – Scotforce One!

43

Tha iad a' tairgsinn bracaist bhlasta dhomh, ach tha e ro thràth dhomh fhathast. Co-dhiù, tha fhios gum bi am biadh nas fheàrr san Fhraing. Bha an turas againne na b' fhasa na turas muinntir nam paraisiutan air D-Day.

Chan fhada gus a bheil sinn a' ruighinn port-adhair Caen agus a' dèanamh air taigh an uachdarain far a bheil na h-aoighean air cruinneachadh airson na ciad sheirbheis eaglais den latha.

B' e coisrigeadh clag mòr ann an àrd-eaglais Bayeux prìomh thachartas na ciad sheirbheis. Choinnich mi ris a' chiad sheann shaighdear, fear à Southport, a tha a' faighneachd dhìom an e mise an duine a tha 'ag adhbharachadh nan trioblaidean'. Co-dhiù tha e ga ràdh le gean gàire na shùilean.

Fhad 's a bha sinn a' coiseachd eadar an àrd-eaglais agus an cladh airson na dàrna seirbheis, tha muinntir a' bhaile a' buaileadh am basan airson seann shaighdearan D-Day fhad 's a tha iad a' caismeachd seachad orra sa ghrèin. Àm tiamhaidh dha-rìreabh am measg iomadh àm duilich an-diugh.

Cha b' e mo ghliocas gun do dhiùlt mi beagan uachdair-grèine, agus gun fiù 's ad orm, tha a' ghrian aig a' chladh gam losgadh. Ach tha na còmhraidhean le cuid de na seann shaighdearan às a' Cho-fhlaitheas a tha ann an sunnd reachdmhor a' toirt togail don latha. Tha a h-uile duine aca air ad a thoirt ann leotha.

Choinnich mi ri Iain Millin, mac Uilleim Phìobaire, a bha anns an fhilm, *The Longest Day*, agus air an deach an ìomhaigh aig Tràigh a' Chlaidheimh a dhealbhadh. Tha John ag innse rud no dhà dhomh.

An toiseach, ged a tha e air a' phìob mhòr a thoirt leis cha phìobaire e ach gheall e do athair air leabaidh a bhàis gun seinneadh fear de chlann Mhillin a' phìob aig foillseachadh ìomhaigh Tràigh a' Chlaidheimh. Mar sin, chan urrainn dha ach 'Highland Laddie' a chluich, aon de na puirt a ghabh athair air D-Day.

Tha e cuideachd ag innse dhomh na thachair an dà-rìreabh air D-Day. Cha do chuir Millin e fhèin air adhart idir airson puirt fhèin-mharbhtach a chluich, ach nuair a dh'òrdaich Mac Shimidh, Ceann-feadhna nam Frisealach, gun cluicheadh e port, ghearain e is e a' tomhadh ri riaghailtean an Rìgh a bha airson stad a chur air bàs nam pìobairean aig àm cogaidh.

'À,' arsa Mac Shimidh, 'chan eil ann ach òrdughan oifis chogaidh nan Sasannach nach eil a' buntainn ri na h-Albannaich – cùm ort.' Lean Uilleam Pìobaire an t-òrdugh gu gaisgeil agus ged a bha a charaidean a' tuiteam mu thimcheall air thàr e fhèin às beò is slàn.

An ath-latha chuir iad a' cheist air gunnairean Gearmailteach a bha iad air glacadh: 'Carson nach do loisg sibh air a' phìobaire?'

'Bha e follaiseach gun robh eàs a rian,' fhreagair iad, 'agus chan eil e na chleachdadh aig a' Wehrmacht gun loisg sinn air daoine a tha air an ciall a chall.'

Mar sin dheth, cha do thachair a' chùis buileach mar a chaidh riochdachadh san fhilm ach 's e sgeul anabarrach math a th' ann. No nas fheàrr na am film, chanainn.

Tha na rinn Uilleam Pìobaire ri fhaicinn ann an taisbeanadh math a tha aig cridhe tachartasan comharrachaidh nam Frangach aig Tràigh a' Chlaidheimh. Gu mì-fhortanach, tha iad uair gu leth air dheireadh agus tha dusan seann shaighdear nan sreath airson coinneachadh ris na ceannardan stàite a dh'fheumas a thighinn a-steach gu slaodach gach duine mu seach.

Tha e dìreach uabhasach a bhith a' smaoineachadh gur e loisgeadh na grèine aig taisbeanadh cuimhneachaidh a leagas na seann laoich seo an dèidh dhaibh a thighinn beò à D-Day. 'S math gu bheil de ghliocas aig cuideigin a dhol a dh'fhaighinn sgàileanan dhaibh, ged a tha riochdaire telebhisein Frangach a' goid na botail uisge aca a chionn 's gu bheil iad a' milleadh na dealbhan as fheàrr aice.

45

Fhad 's a tha sinn a' feitheamh tha mi fhìn a' faighinn cothrom air facal fhaighinn air Rùnaire Stàite Ameireaga, Iain Kerry, a tha na shuidhe mum choinneimh.

Tha mi a' tòiseachadh le bhith a' moladh gum bu chòir dhomh – an dèidh aithris a' Chinn-suidhe-Iain a chur às a' chàcas Albannach – am buidheann ann an Congress a tha Seanadair Jim Webb air a thoirt còmhla airson cùisean Albannach a bhrosnachadh.

Tha e coltach gu bheil seo caran èibhinn agus tha e ag innse dhomh gu bheil 'latha mòr' againn air fàire agus gum b' fheudar dha 'sin' (aithris Obama) a ràdh 'aig a' char as lugha'.

Tha cùisean a' fàs uabhasach inntinneach nuair a tha Carwyn Jones a' tighinn a-nall airson dealbh fhaighinn agus tha an còmhradh a' tighinn gu crìch. 'S iad 'Gur math a thèid leibh' na faclan mu dheireadh aig Kerry.

An dèidh Tràigh a' Chlaidheimh, tha sinn air tilleadh a Chaen, far a bheil na h-itealain aig na cinn stàite a' fàgail an raoin-laighe ann an òrdugh teann a rèir cudromachd, Airforce One an toiseach. Tha sin a' ciallachadh gu bheil an duine gasta sin, Prionnsa Albert à Monaco, a' falbh ron Iar-phrìomhaire, Àrd-cheannard Choitcheann agus romham fhìn.

Tha sinn a' tilleadh air bòrd itealan còmhdhail Hercules. Tha an turas air ais car coltach ris a' phàirt sin aig deireadh an fhilm *Where Eagles Dare*, agus na h-oifigearan mòra, Ed, Nick, Carwyn agus mi fhìn nar suidhe le ar droman ri cnàmhan an itealain – agus mi fhìn a' meòrachadh air cò rachadh tilgeil far an itealain an toiseach.

Air ais a Northolt am priobadh na sùla mus tèid mi fhìn agus Joe air ais a dh'Obar Dheathain. Tha an criutha gasta agus airson na pàirt mu dheireadh seo den turas faodaidh mi fhìn suidhe sa chathair leuma ann an seòmar a' phoidhleat. Tha iad ag innse dhomh gun do rinn iad a' chuid mhòr den ùine itealaich aca ann an Afganastan, far an robh an Hercules air leth freagarrach: 's urrainn dha falbh air sgèith gu h-inghearach le luchd aotrom ann. Chan urrainn do dh'eucoirich losgadh ort an uair sin – cha chreid mi gu bheil freagairt nas fheàrr na sin ann.

A dh'aindeoin oidhirpean a' chriutha agus turas luath os cionn a' Chuain a Tuath a dh'Obar Dheathain, thathar a' cosg an uabhais ùine air an raon-laighe mus stad sinn agus an dèidh dhuinn teicheadh nar deann a dh'ionad-fèille Inbhir Uaraidh, chan eil sinn ga ruighinn gu 10.30f – luath gu leòr gus am faic daoine mi a' dèanamh oidhirp a bhith ann ach tha mi ro anmoch an òraid agam a thoirt seachad aig dìnnear *Taste of Grampian*.

'S bochd sin oir bha mi airson tòiseachadh leis an loidhne: 'Gabhaibh mo leisgeul gu bheil mi fadalach ach cha leigeadh Airforce One leis a' Hercules agam landadh D-Day aig port-adhair Caen fhàgail!'

Disathairne 7 An t-Ògmhios

Latha aig an taigh ag ullachadh airson rèis nan ceud latha.

Tha beagan ùine agam meòrachadh air tagraidhean a' Chamshronaich don a h-uile mac-màthar airson a chuideachadh an aghaidh neo-eisimeileachd agus air na daoine a tha cho gòrach 's gun do fhreagair iad e.

An dèidh 'bacadh' Obama, bha sinn air a bhith a' beachdachadh air cò eile a gheibheadh Camshron is a sgioba a rachadh nar n-aghaidh. Bha sinn air cunntasan fhaighinn gu bheil Oifis nan Dùthchannan Cèin ag aithris nar n-aghaidh agus bha sinn am beachd gun robh iad air faighneachd den a h-uile ceannard cudromachd dè am beachd air a' chùis. Tha sin leamh a chionn 's gur sinne a phàigheas na tuarastalan aca.

Ach 's e mo bheachd-sa gu bheil coltas math air suidheachadh BU CHÒIR agus 's e sin a dh'innseas mi do dh'Anndra Marr a-màireach.

Tha Anndra Neil ag radh air Twitter, a rèir coltais, nach fhaod Nicola a bhith air *The Politics Show* air sàilleabh 's gu bheil mi fhìn air prògram Marr – sealladh den fheallsanachd chealgaich a tha ri fhaicinn am pailteas aig a' BhBC. Feumaidh gu bheil sinn air ar cuid làitheil a chleachdadh ma tha aon neach-poileataigs bhon SNP air a bhith air prògram lìn mar-thà.

Didòmhnaich 8 An t-Ògmhios

A' cleachdadh an agallaimh air prògram Marr airson dùbhlan deasbaid eile a chur ron Phrìomhaire – Prìomh Mhinistear agus Prìomhaire. Tha fios agam nach dèan e e ach feumar an dùbhlan a chur roimhe co-dhiù.

Agallamh air an loidhne bho Thaigh-òsta Marcliffe, an taigh-òsta as fheàrr leam ann an Obar Dheathain. Gu dearbh, 's e an taigh-òsta ann an Obar Dheathain as fheàrr leis a h-uile duine.

Thug mise fear de na ciad sgeòil mhòra do dh'Anndra ann an saoghal nan naidheachdan.

Air ais ann an 1982 bha mi ann an teis-meadhan iomairt ghnìomhachais a' bhuidhinn SNP 79 Group,* agus bha British Leyland ann am Bathgate ann an staing aognaidh. Bha mi fhìn air

---

* Chaidh am buidheann SNP 79 Group a stèidheachadh an dèidh na ruaig anns an taghadh ann an 1979 agus a bha airson 's gun cuireadh an SNP prògram na làimh clì a chur air bhonn. An lùib nan iomairtean ann an 1981-82 chuir e taic ris an luchd-obrach is iad a' gabhail nam factaraidhean thairis ri linn nan dùnaidhean. Ged a dh'fhairtlich air an 79 Group bhon taobh a-staigh, bha buaidh mhòr mhaireannach aig a chuid bheachdan air leasachadh a' phàrtaidh agus shoirbhicheadh le iomadh ball a' bhuidhinn, an t-ùghdar nam measg, ann an àrd-dhreuchdan na dùthcha.

mòran rannsachaidh a dhèanamh air ciamar a bhathar a' toirt modalan thrucaichean às an fhactaraidh ann am Bathgate is iad ag ullachadh airson an obair a thoirt gu crìch agus an t-àite a dhùnadh.

Ach a chionn 's nach robh mi ach nam iar-eaconamair aig Banca Rìoghail na h-Alba, cha robh mi fhìn comasach air an sgeul a leigeil ma sgaoil. B' e am fuasgladh gun toirinn an sgeul do neach-naidheachd òg aig a' *Scotsman* – Anndra – a rinn sreath-naidheachd ann an trì pàirtean stèidhichte air an fhiosrachadh sin.

Mar phàirt den sgeul sin, thàinig Anndra gu 36 Ceàrnag Naoimh Anndra airson agallamh a dhèanamh leam. Air cùl a' bhùird bha lethbhreac agam ann am frèam den chiad eagran den iris *Radical Scotland*, anns an robh cartùn a mhìnich na thuirt an t-eòlaiche eachdraidh Tom Nairn: 'Bidh Alba saor nuair a thèid ministear mu dheireadh Eaglais na h-Alba a thachdadh leis an lethbhreac mu dheireadh den *Sunday Post!*'

Cha robh an dealbh den mhinistear mhaol iomagaineach ach am fealla-dhà.

An ceann sia bliadhna eile, nuair a bha mi ann an Westminster, bha mi a' dèanamh agallaimh le Eòghann MacAsgaill bhon *Guardian*, caraid dha Anndra, agus aig toiseach an agallaimh chuir e an cèill gur e eaconamair annasach a' Bhanca Rìoghail a bh' annam a chionn 's gun robh dealbh air cùl a' bhùird agam anns an robh pàipear-naidheachd a' tachdadh ministear Eaglais na h-Alba!

Air sàilleabh sin, sgaoil an Comann Tòraidheach ann am Banbh is Buchan brath-naidheachd gun robh mi airson ministearan a mharbhadh. Chuir am Press and Journal, a fhuair cha mhòr a h-uile dachaigh san sgìre agam mun àm sin, an t-amaideas seo air an duilleig-aghaidh aca.

Mar bhall a bha air ùr-thaghadh 's ma dh'fhaoidte gun robh mi dualtach a bhith tuilleadh is frionasach mu ghnothaichean mum phearsa fhèin, agus chuireadh cùis mhì-chliù an sàs, a chaidh stiùireadh le mo dheagh charaid agus an neach-lagha, Peadar Chiene, airson casg a chur air Tòraidhean na sgìre.

Tha seo na dheagh eisimpleir a sheallas nach ann an linn nam meadhanan-sòisealta a thòisich faoineas is amaideas an t-saoghail phoilitigich – tha e dìreach air a sgaoileadh nas luaithe agus nas fharsainge a-nis.

Diluain 9 An t-Ògmhios

'S e seo an latha a tha na meadhanan air comharrachadh airson ceud latha an reifreinn fhoillseachadh gu h-oifigeil agus tha e dìreach làn chothroman poilitigeach. Tha mi fhìn a' dèanamh nan cunntasan-bheachd agam fhìn ann am bàr aig club goilf – agus ga fhàgail leis a' bheachd gun urrainn dhuinn seo a dhèanamh *an dà-rìreabh*, a dh'aindeoin a' bheàirn.

Chuir Nicola cùisean air chois sa mhadainn le Caibineat anns an robh boireannaich a-mhàin agus seisean cheistean ann an Dùn Èideann. Tha mi fhìn a' làimhseachadh chùisean feasgar agus a' tilleadh a dh'Obar Dheathain airson agallamhan le Sky agus a' BhBC.

Tha mi a' dèanamh a' phìos le Sky aig Club Goilf Bàgh Neig ann an Obar Dheathain, cùrsa poblach le seallaidhean àlainn thar chala Obar Dheathain. Tha bleigeard air choireigin – fear de sgioba-glèidhidh a' chùrsa, tha mi air cluinntinn – air bratach an aonaidh a chrochadh air feansa feuch an nochd e air an telebhisean.

Ach tha na daoine anns an taigh-cluba gu mòr airson coinneachadh rium, agus an dèidh deoch no dhà chaidh ballrachd urramach a' chluba a bhuileachadh orm. Bu chòir dhomh a ràdh gu bheil muinntir a' chluba a' freagairt ris a' phrìomh bhuidheann dhaoine air a bheil BU CHÒIR ag amas – fireannaich mheadhan-aoiseach sa chlas-obrach – a dh'aindeoin sin tha na daoine seo air an iompachadh gu soirbh agus gu dealasach.

Tha mi ag innse do Geoff Aberdein air a' fòn an dèidh làimh, ged nach eil adhbhar dòchais ri fhaicinn sna cunntasan-bheachd, tha mi a' smaoineachadh gu bheil cothrom math againn an seo. Tha na sgeulachdan mu na 100 latha a' daingneachadh mo bheachd-sa gur e an taobh BU CHÒIR a gheibh buannachd mhòr às an astar a bhios a' sìor-fhàs nas luaithe fhad 's a ghluais sinn a-steach don iomairt cheart.

Dimàirt 10 An t-Ògmhios

Tha mi a' fònadh a-steach gu coinneamh iomairt BU CHÒIR a-nochd agus iad uile caran tùrsach. Tha e coltach gu bheil iad air cunntas-bheachd TNS fhaicinn a tha a' sealltainn nach eil mòran gluasaid air a bhith ann a dh'ionnsaigh BU CHÒIR.

Tha e a' cur iongnadh orm fhathast gu bheil luchd-poileataigs a' leigeil leis a' chunntas-bheachd as ùire buaidh cho mòr a thoirt orra, an àite a bhith a' cur earbsa sa mhothachadh phoilitigeach aca fhèin.

Tha e doirbh feuchainn ri am brosnachadh air a' fòn, ach tha mi fosgailte agus dìreach le mo chuid bheachdan; nach eil sinn ann no fiù 's faisg air, ach dh'fhaodadh rud sam bith tachairt fhathast. Chan eil sinn faisg air a bhith a' buannachadh ach 'S URRAINN DHUINN buannachadh agus feumaidh an sgioba am beachd sin a chreidsinn. Tha cuid den mhisneachd sin air tighinn bhon chunntas-bheachd mhì-fhoirmeil agam aig Club Goilf Bàgh Neig. Tha m' inntinn ag innse dhomh gu bheil cùisean a' dol gu math.

Diciadain 11 An t-Ògmhios

Dh'fhaodamaid a ràdh gun do chuir sinn Gunna ri ar cinn fhìn an-diugh.

Dh'fhuirich mi ann an Srath Eachainn airson co-labhairt Oil and Gas UK aig Ionad-taisbeanaidh Obar Dheathain. Tha an òraid a' còrdadh ris an èisteachd agus tha mi deiseil airson an luchd-naidheachd nuair a tha mi a' faighinn teachdaireachd iomagaineach bho Geoff Aberdein is e ag innse dhomh mu sgailc a tha sinn air a thoirt dhuinn fhìn.

Airson adhbhar air choireigin (nach eil soilleir idir), chuir an comhairliche sònraichte agam, Campbell Gunn, a tha gnàth-eòlach air an t-saoghal phoilitigeach, post-d don *Daily Telegraph* a leigeil innse dhaibh gun robh Clare Lally, 'a' mhàthair àbhaisteach' a nochd ann am foillseachadh na h-iomairt 100 latha aig Nas Fheàrr Còmhla, na ball den chaibineat dùbhlanach aig na Làbaraich agus gur h-i nighean an t-seann Phrobhaist Làbaraich Ghlaschu, Pat Lally.

Tha a' chiad phàirt ceart ach chan eil dath no blas na fìrinne san dàrna pàirt. Is aithne dhomh Clare gu pearsanta. 'S i màthair nighinn a tha ciorramach agus tha i aithnichte mar neach-cùraim air leth.

Cha bhiodh a' chùis sa air ceann a thogail aig àm àbhaisteach ach chan eil dad a dh'fhios agam dè thug air Campbell post-d a chur don *Daily Telegraph*.

Tha am pàipear sin ga fhaicinn fhèin mar stiùiriche nam meadhanan seann-fhasanta gun sgot a tha air cur roimhe an iomairt BU CHÒIR is a cuid obrach a chàineadh air a h-uile cothrom. Chan fhiach conaltradh a chumail leotha ma-thà no ùine a chosg orra no ar n-obair a mhìneachadh dhaibh, gun luaidh air ar smiogaid a stobadh a-mach is leigeil leotha dòrn a thilgeil oirre.

Mar a bhiodh dùil, tha an *Telegraph* a' filleadh a' phuist-d ghòraich aig Campbell agus sgeul mun droch-dhìol a tha Clare air fhaighinn air-loidhne còmhla airson ionnsaigh mas fhìor a chruthachadh. 'S e seo eisimpleir eile de na h-aithrisean air droch-dhìol leis an taobh BU CHÒIR no na 'cybernats' mar a theirear riutha. Tha e gun chiall, gun bhrìgh. Tha mi a' dèiligeadh ris na h-agallamhan telebhisein gu furasta. Tha iad air faighneachd dhìom mu J. K. Rowling cuideachd, a tha air millean not a thoirt do Nas Fheàrr Còmhla agus a tha air ionnsaighean air-loidhne fhulang cuideachd.

Tha e follaiseach a-nis gun tèid gnothach mòr air droch-dhìol air-loidhne a dhèanamh às na sgeulachdan air Clare agus J. K. agus chan eil dad as urrainn dhuinn a dhèanamh mu deidhinn. Tha gu leòr anns an sgeulachd a-nis a leigeas leatha leum far amaideas an *Telegraph* chun nam pàipearan is nam meadhanan eile.

Chan eil an ceangal le poileataigs cudromach tuilleadh. Bidh luchd-tàir an eadar-lìn a' faighinn spòrs às na ionnsaighean a thilgeas iad air duine sam bith sna naidheachdan mu rud sam bith. Chan eil ach Dr. Mark Shephard, Oilthigh Shrath Chluaidh, air rannsachadh poilitigeach a dhèanamh air a' chuspair seo agus a rèir co-dhùnaidhean aithisg eadar-amail, 's e an taobh BU CHÒIR a tha a' fulang cuid as motha an droch-dhìola air-loidhne.

Ach feumar a ràdh nach eil àite beusach ri lorg sa chùis sa: bidh na h-amadain seo, a tha a' faighinn spòrs ann a bhith a' toirt ionnsaigh air daoine falaichte air cùl sgàil an eadar-lìn, ag amas air co-luadar no cuspair sam bith. Cha bhi a' mhòr-chuid de na casaidean bhon iomairt CHA BU CHÒIR gar bualadh: tha iad air a bhith ro mheallta no ro ghòrach. 'S ma dh'fhaoidte gum bi seo.

Tha mi ag innse do Champbell gum feum e a leisgeulan a thoirt seachad sa bhad agus dèanamh soilleir nach robh e fhèin an sàs ann an ionnsaighean air-loidhne air duine sam bith a-riamh. Ach gu dearbh, chan eil dòigh air thalamh airson stad a chur air luchd-tàir an eadar-lìn.

Chan eil teagamh ann dè as adhbhar don ionnsaigh leis an *Daily Telegraph*. B' fhìor thoigh leotha ar fuadachadh far nam meadhanan-sòisealta far a bheil sinn nas làidire agus air ais do dh'iomairt àbhaistich a dh'fheumadh sinn call.

Gu h-annasach, tha an cunntas-bheachd as ùire le Survation anns a' phàipear Làbarach, the Daily Record, a' dearbhadh na faireachdainn a bh' agam mun àird fo bheil a' ghaoth – 46% airson BU CHÒIR, agus an SNP fada air thoiseach airson Taigh an Ròid. Nam bheachd fhìn tha an cunntas seo gar cur beagan air thoiseach air far a bheil BU CHÒIR an da-rìreabh ach tha e a' sealltainn gur ann leinne a tha an lùths.

Na Ceud Latha

Latha a h-Aon: Diardaoin 12 an t-Ògmhios

'S e 'Campbellgate' prìomh chuspair nan ceistean don Phrìomh Mhinistear agus tha mi gan tilgeil air ais cho math 's as urrainn dhomh. Fiù 's anns an t-saoghal chruaidh phoilitigeach tha rudeigin anns na ceistean an-diugh a tha mì-thlachdmhor. Tha na ceannardan dùbhlanach uile air a bhith eòlach air Campbell o chionn iomadh bliadhna. Chuir iad uile faclan gasta an cèill mu dheidhinn na bu thràithe den bhliadhna an dèidh dha a dhuais fhaighinn airson a chliù ann an saoghal nan naidheachdan. Tha fios aca uile gu bheil an *Telegraph* air an sgeul fhiaradh agus nach robh gnothach sam bith aig Campbell ri ionnsaighean air-loidhne. Ach sin iad uile a' toirt cunntas air mar gur e an Donas fhèin a th' ann agus airson 's gun cuir mi crìoch air a chùrsa-obrach agus a' bhròg mhaslach a thoirt dha!

Rinn Rut NicDhaibhidh fiù 's coimeas eadar Campbell agus Iain Rafferty, a bha na chomhairliche sònraichte do Dhòmhnall Mac an Deòir agus a chaill a dhreuchd airson sgeulachdan a chruthachadh, a rèir coltais, mu bhagairtean bàis an aghaidh Siùsaidh Deacon, Minsistear na Slàinte airson nan Làbarach. Chan eil càil a dhùil agam Campbell a chur às a dhreuchd. Tha an riaghaltas agam stèidhichte

55

air dìlseachd dom cho-obraichean. Fiù 's nuair a nì iad mearachdan ghòrach. Cha stiùirich an stiùiriche a shadas daoine air an t-sitig.

Tha mi a' fònadh gu Campbell aig 5.00f agus a' cur rabhaidh foirmeil sgrìobhte thuige, chan e sin ach an dàrna rabhadh do chomhairliche sònraichte ann an seachd bliadhna. Chaidh a' chiad rabhadh a thoirt do chuideigin bochd a dh'fhàg pàipearan Caibineit ann an taigh-seinnse. Tha na riaghailtean, a chaidh a sgrìobhadh an dèidh tuiteam Damian MhicGilleBhrìghde, neach-toinneimh Ghòrdain Brown (a leig a dhreuchd dheth nuair a chaidh a ghlacadh a' feuchainn ri fathannan meallta a sgaoileadh mu bheatha phrìobhaideach luchd-poilitigs Tòraidheach), air an dealbhadh gu dona agus gu cearbach. Tha coltas cothromach agus dligheach air an rabhadh seo.

Latha a Dhà: Dihaoine 13 An t-Ògmhios

'S e an cunntas-bheachd as àirde do BU CHÒIR gu ruige seo sgeul mòr an latha – agus coinneachadh ri Inspeactair Rebus fhèin.

A' cur na ro-innleachd ath-ghnìomhachaidh an gnìomh aig Greenfield Systems Ltd, ann an Dùn Phàrlain, a tha na phrìomh sholaraiche don chompanaidh bhusaichean, Alexander Dennis, anns an Eaglais Bhreac. 'S e sgrìobhainn uabhasach math a th' ann a chaidh a dhealbh leis an sgioba eaconamais againn agus a' chomhairliche shònraichte, Eòghann Crawford, a rinn obair mhath air.

'S e Eòghann mac Dhùghlais Crawford, nach maireann, a bha na bhall pàrlamaid SNP bho na 1970an a bha an dà chuid mìorbhaileach agus iomrallach, agus Joan Burnie, bànrigh nan *agony aunts* ann an Alba. Tha a theaghlach-san, 's dòcha, a' mìneachadh a' choltais car dubhach a tha an còmhnaidh air gnùis Eòghainn. Chanadh tu gun robh dòrainn air choireigin ga bhuaireadh fad an t-siubhail. 'S ma dh'fhaoidte gu bheil e ann airson peacaidhean poilitigeach a shlugadh – tha a choltas iomagaineach a' sàsachadh draghan buill eile an sgioba.

Co-dhiù bidh e inntinneach faicinn ciamar a thèid naidheachd mun sgrìobhainn chudromaich seo a sgaoileadh sna meadhanan an coimeas ris an fhaoineas mheallta mu na h-ionnsaighean lìn.

Air an rathad air ais a Thaigh Bhòid tha mi a' faighinn toraidhean a' chunntais-bheachd ùir againn fhìn le Panelbase agus BU CHÒIR aig 48% – an toradh as àirde againn san t-sreath. Tha mi a' moladh do Kevin Pringle gur dòcha gum b' fheàirrde sinn cunntas teann a leithid seo a sgaoileadh anns a' *Sunday Herald* agus an *Scottish Sun*. A-rithist, coltach ri toraidhean a' chunntais le Survation, chan eil mi den bheachd gu bheil cùisean a' cheart cho teann 's a tha an cunntas-bheachd seo ag ràdh, ach gu dearbh fhèin tha sinn anns an fharpais seo.

Tha an neach-ealain Gerard Burns a' tighinn a-steach le roghainn air dà dhealbh dhìom. 'S math leam am fear stèidhichte ann an Taigh Bhòid, a thèid cur don rùp charthannais rè Geamannan a' Cho-fhlaitheis. 'S e 14 airson 14 ainm na h-iomairt seo – tha e air 14 Albannaich a pheantadh agus thèid an t-airgead a thèid a thogail a dh'ionnsaigh 14 carthannasan eadar-dhealaichte. Thagh mi fhìn CLIC Sargent, an carthannas aillse chloinne, a bhios ag eagrachadh taic is cùram do theaghlaichean agus aig a bheil ionad mìorbhaileach ann am Preastabhaig, Siorrachd Àir.

'S e Gerard a rinn an dealbh The Rowan a tha crochaichte air balla m' oifis ann am Pàrlamaid na h-Alba agus tha air fear de na dealbhan as ainmeile san dùthaich a-nis. Bidh mi a' dèanamh agallamhan air beulaibh an deilbh seo fad an t-siubhail.

Ann an 1998 bha Gerard na neach-ealain agus na thidsear òg is bochd a fhuair coimisean air leth, an cothrom air fear de a dhealbhan a chrochadh ann an dachaigh shealbhach na pàrlamaid ùire ann an togalach an Àrd-sheanaidh air a' Mhùnnd. Chuir e a chridhe san obair agus pheant e dealbh de bhuidheann daoine a' giùlan crois mhòr na h-Alba agus baile mòr Ghlaschu air an cùlaibh. Tha an dealbh stèidhichte air dòchas agus tha an geug caorainn ann an làmh na caileige bige brèagha mar shamhla an dòchais sin. 'S e teaghlach a th' annta a tha a' siubhal a Hampden airson gèam ball-coise fhaicinn no a Cheàrnag Sheòrais airson cruinneachadh sìthe. Às bith càite, tha a' siubhal ann an dòchas.

Bha na samhlaidhean seo cus airson nan daoine aig an robh a' chumhachd ann am Pàrlamaid na h-Alba agus chuir iad litir thuige ag ràdh nach robh an tuilleadh feum aca air crois mhòr na h-Alba. A chionn 's gun do shad Gerard an litir sa bhine aig an àm, chan urrainn dhomh le cinnt an neach ainmeachadh a bha den bheachd gun robh bratach nàiseanta an neach-ealain ro mhòr airson na pàrlamaid nàiseanta. Ach tha amharas agam cò bu choireach!

Co-dhiù, an dèidh dha a bhith na thidsear òg bochd, chaidh e na neach-ealain cho soirbheachail 's a tha an Alba agus fèill mhòr air a shaothrach. Ann an 2007 an dèidh mo thaghadh mar Phrìomh Mhinistear, bha mi air *Morning Line* air Channel 4 aig àm Cupa Òir Inbhir Àir. Bha Ailean MacDhòmhnaill, leis a bheil cùrsa-each Inbhir Àir agus a tha uabhasach measail air Raibeart agus Gerard Burns, air *The Rowan* a shuidheachadh gus an robh crois mhòr na h-Alba a' boillsgeadh thar a' chùrsa mar bhogha-frois mòr Albannach. Dh'fhaighnich mi an uair sin mun dealbh agus chaidh an sgeul duilich innse dhomh mun pheantair òg bhochd sin a dh'fhulaing làimhseachadh suarach na Pàrlamaid.

'Uill,' arsa mise, 'thèid againn air sin a chur ceart air sàilleabh 's gu bheil mise ann an oifis ùr a-nis.' Agus mar a thachair cùisean, thug Gerard an dealbh don riaghaltas air iasad cho fada 's a bhios mi fhìn nam Phrìomh Mhinistear; bha an tabhartas sin còir is coibhneil, agus glic. Latha air choireigin, gheibh Gerard aon de na dealbhan as ainmeile san dùthaich air ais.

Thagh mi an dealbh a th' ann an Taigh Bhòid air sàilleabh 's gu bheil am fear eile, a tha stèidhichte air dealbh a bh' anns an *New York Times*, air a bheil coltas a chuireas am Fear-saoraidh na chuimhne. Tha Gerard còir air am fear bragail a thairgsinn dhomh ach chan fhaod mi gibhtean a ghabhail fhad 's a tha mi san dreuchd. Tha mi a' moladh dha gum bu chòir dha a thoirt don SNP no don iomairt BU CHÒIR far a bheil fèill mhòr air dealbhan den Fhear-saoraidh!

Nas fhaide den fheasgar tha mi a' gabhail dìnneir còmhla ri Ken Stott, a tha a' toirt a chreids' gur e neach-leantainn Hibs a th' ann nuair a tha e ann an riochd Inspeactair Rebus. Ach coltach rium fhìn tha Ken a' cur taic ri Hearts – tha e na Jambo agus na dhuine anabarrach inntinneach aig a bheil fìor eòlas air poileataigs.

'Ciamar a bhios tu a' toirt a chreids' ann an dòigh cho nàdarra gur e Hibee a th' ann an Rebus?' tha mise a' faighneachd.

'Their iad cleasachd ris!' tha Ken a' freagairt.

Latha a Trì: Disathairne 14 An t-Ògmhios

Tha mi an dòchas gum faic sinn gaisgich is ban-ghaisgich ùra Albannach a' tighinn am follais aig Geamannan a' Cho-fhlaitheis – mar a rinn fìor ghaisgeach m' òige aig na Geamannan ann an 1970, Lachaidh Stiùbhart. Tha mi a' coinneachadh ri Lachie agus iomadh laoch eile bho na Geamannan nuair a tha sinn a' cur fàilte air baton a' Cho-fhlaitheis aig Pàirc Meadowbank ann an Dùn Èideann.

'S urrainn dhomh innse dha an t-àite anns an robh mi fhìn nuair a rinn e a' chùis air an t-sàr lùth-chleasaiche Astràilianach Ron Clarke agus càch airson bonn òr a chosnadh do dh'Alba. B' e Disathairne a bh' ann is bha mi nam 'àidseant òg' (gille phàipeirean) airson *Edinburgh Evening News*. Thàinig 'an t-àrd-àidseant' againn (am boss agam) a thaigh mo charaid, Ailean Grannd, airson an t-airgead a chruinneachadh. Ach bha sinn uile a' coimhead air farpais dheireannach nan 10,000 meatair agus rinn e suidhe còmhla rinn.

'An robh thu a-riamh am beachd teicheadh?' dh'fhaighnich mi dheth, is mi a' cromadh mo chinn a dh'ionnsaigh nam bonn measgaichte den t-seann airgead a bh' air ùrlar nan Granndach.

B' e 'Còmhla ri bean cuideigin, tha thu a' ciallachadh?' an fhreagairt cheothach. Cha do choisinn àrd-àidseantan cliù a-riamh airson an cuid briathrachais.

Tha Lachaidh ag innse dhomh gum b' fheudar dhut ullachadh airson nan geamannan mòra nuair a dh'èireadh cothrom ach bha do bheatha làitheil fada fichead uair na bu chudromaiche – bha e fhèin ag obair na neach-teicnigeach deudach ann an Dùn Èideann. Bha caractar anns a' chomaig Hotspur nam òige air an robh Alf Tupper, 'ceatharnach an *track*'. Bhiodh Alf ag obair air làraichean togail, ag ithe suipeir èisg gu sgiobalta agus an uair sin a' toirt car às na lùth-chleasaichean mòra (Gearmailtich mòr no Ameireaganaich a bha caran làn dhiubh fhèin mar as àbhaist) anns na prìomh rèisean. 'S e Lachaidh Stiùbhart am fìor cheatharnach agus tha e ri mholadh airson sin.

An coimeas ri Lachaidh, cha mhòr nach robh Ron Clarke na lùth-chleasaiche proifeiseanta. Thuirt e an dèidh làimh nach robh fios aige cò bh' ann an Lachaidh nuair a chaidh e seachad air na dheann-ruith. 'S e gaisgeach Albannach a th' ann an Lachaidh. Tha sinn an dòchas gum bi barrachd dhiubh sin ann an Glaschu.

Tha sunnd math dha-rìreabh air a h-uile duine ann am Pàirc a' Cho-fhlaitheis. Teaghlaichean, brataichean na h-Alba agus spòrs am pailteas.

'S e seo an dàrna turas an t-seachdain sa a tha mi air brosnachadh mòr fhaireachdainn san t-sluagh is tha e a' toirt orm smaoineachadh gur ma dh'fhaoidte gu bheil barrachd den fhìrinn anns na beachdan a chlàraich Panelbase agus Survation na na comharraidhean a bu mhiosa le System Three, MORI no YouGov. No air sgàth dòigh-clàraidh nan cunntasan-bheachd gu bheil iad a' clàradh na dh'fhaodadh tachairt am measg dhaoine a tha nas fiosraich gu poilitigeach an coimeas ri na tha air tachairt mar-thà sa mhòr-shluagh.

'S e latha làn spòrs a th' ann agus tha mi an uair sin a' dèanamh air Fir Park, Tobar na Màthair, airson geama Cupa na Cruinne eadar boireannaich na h-Alba agus an t-Suain. Bha mi airson taic a chur ri boireannaich na h-Alba co-dhiù ach shaoil mi gun toireadh an geama seo deagh fhreagairt dhomh nuair a chuirte a' cheist orm an robh mi a' coimhead a' gheama eadar Sasainn is an Eadailt. O chionn ochd bliadhna rinn Jack MacConaill, a bha san dreuchd mus robh mi fhìn, gloic dheth fhèin nuair a chuir e taic ris na sgiobaidhean a bha an aghaidh Shasainn ann an Cupa na Cruinne. Cha b' e sin mo bharail sa a-riamh, ged a tha mi den bharail nach dèanadh e cron do BU CHÒIR idir nan robh farpais fhada shoirbheachail aig Sasainn.

Gu mì-fhortanach, tha mi a' smaoineachadh nach eil teansa air thalamh gum bi taisbeanadh mòr gràdh-dùthcha nan Sasannach ann. Tha droch loidhne dìona agus sreath meadhanach aosta aca. Tha an dòchas aca stèidhichte air na cluicheadairean òga math aca, ach chan eil an roghainn de shàr chluicheadairean Sasannach bho aon de na lìogan as fheàrr san t-saoghal ach beag.

Tha an geama eadar Alba is an t-Suain uabhasach spòrsail agus, le taic bhon 2000 luchd-leantainn èasgaidh, tha boireannaich na h-Alba a' toirt fìor cho-fharpais do sgioba nas fheàrr agus nas motha. 'S e sàr chluicheadair a th' ann an Ifeoma Dieke, àireamh 4 aig Alba – chan eil i uabhasach luath ach tha a' sìor-leughadh a' gheama, ann an stoidhle Dhaibhidh Weir, a bha a' cluich do Hearts, Everton, Rangers agus Alba. Tha mi an dòchas gum faigh mi cothrom coinneachadh rithe latha air choireigin – aig Cupa na Cruinne ann an Canada an ath-bhliadhna, ma tha sinn fortanach.

Air an rathad gu Fir Park chuala mi gu bheil BU CHÒIR aig 45%, agus air a dhol suas le trì puingean, ann an cunntas-bheachd ICM airson *Scotland on Sunday*, ach, mar a bhiodh dùil leis a' phàipear thruagh sin, 's e naidheachd mu theaghlaichean a tha a' dol a-mach air a chèile mun reifreann am prìomh sgeul aca. Abair sgudal suarach.

Tha a' mhòr-chuid (mu thrithead tiotal ann an Alba) de na pàipearan gu dubh an aghaidh neo-eisimeileachd a chionn 's gu bheil na buidhnean mheadhanan aca an Lunnainn a' meas gu bheil e gu math a' bhuidhinn a bhith na h-aghaidh. No co-dhiù tha iad a' smaoineachadh gu bheil neo-eisimeileachd an aghaidh math a' bhuidhinn. Ach tha an *Scotsman* agus am pàipear càirdeach *Scotland on Sunday* air slighe bhàsmhor.

Bha Anndra Neil uair a' stiùireadh *The European* mar phàipear an aghaidh na Roinn Eòrpa ach cha do mhair e fada. Mar sin, b' urrainn don *Scotsman* a thighinn beò às a staing, fiù 's soirbheachadh, le claonadh deasachaidh sam bith – làmh chlì, làmh dheas, Libearalach, Aidmheinich an t-Seachdaimh Latha, a rèir a mhiann fhèin.

Ach chan fhaod e a bhith mì-earbsach air ceist na dùthcha, agus 's e sin an dearbh rud a tha e ris. Tha aon rud cinnteach mun dòigh-obrach sin. Chan fhada gus nach fhaicear The Scotsman anns na bùithtean tuilleadh.

Air ais ann an Srath Eachainn tha mi a' tilleadh dhachaigh is a' faicinn an dàrna leth anns a bheil sgioba meadhanach Eadailteach a' dèanamh a' ghnothaich gu furasta air Sasainn. Mar a bha dùil agam, feumaidh BU CHÒIR piobrachadh a shiubhal ann an àiteigin eile!

Latha a Ceithir: Didòmhnaich 15 An t-Ògmhios

An-diugh tha mi a' faighinn cothrom air an rud as fheàrr leam ann am poileataigs a dhèanamh: bruidhinn ri daoine.

Tha mi a' gabhail pàirt anns a' phrògram fòn aig Cailean MacAoidh airson Bauer Radio a tha a' leigeil leam an t-slige phoilitigeach a bhriseadh fad tacain. Tha conaltradh den t-seòrsa sa air aon de na rudan as tlachdmhoire mun iomairt. Tha corra phuing ga thogail mun t-Seirbheis Shlàinte. Nì mi cinnteach gun dèilig m' oifis phrìobhaideach gu ceart leis na cùisean fa leth.

Tha an *Sunday Herald* agus *Scottish Sun on Sunday* a' sgaoileadh na deagh naidheachd mu theannachadh nan cunntasan-bheachd. Ach tha cuid mhòr de na pàipearan ri ath-sgrùdadh air na h-ionnsaighean-lìn na bu thràithe den t-seachdain mar gur e bunait na h-iomairt BU CHÒIR a th' annta. Gu h-annasach chan eil duine sam bith anns a' phrògram gu lèir airson bruidhinn mu 'cybernats' ach mun t-Seirbheis Shlàinte agus an eaconamaidh. Feumaidh an iomairt againn cumail ris a' chlàr-ghnothaich againn fhìn agus ris na dòighean againn fhìn airson an teachdaireachd a sgaoileadh. Chan fhaod sinn leigeil leis na seann mheadhanan cuspairean na h-iomairt ùire seo òrdachadh.

Latha a Còig: Diluain 16 An t-Ògmhios

Air mocheirigh a dhèanamh. Ceann-uidhe: Arcaibh. Tha sinn air Arcaibh a thaghadh airson *Our Islands Our Future* fhoillseachadh.

'S e Derek MacAoidh, Ministear Riaghaltais Ionadail, a tha air an co-rèiteachadh eadar Riaghaltas na h-Alba agus na trì comhairlean eileanach* a stiùireadh gu sgileil, agus tha am foillseachadh a' dol gu

---

* Comhairle Shealtainn, Comhairle Arcaibh agus Comhairle nan Eilean Siar.

math. Chaidh an sgrìobhainn agus am pròiseas ro-làimh a thoirt gu buil airson taic airson neo-eisimeileachd a bhrosnachadh anns na h-eileanan le bhith a' toirt seachad earbsalachd (agus an fhìrinn) nach bu chòir dhuinn co-dhùnaidhean ionadail a ghlèidheadh ann an Dùn Èideann ach a sgaoileadh do na coimhearsnachdan air feadh na h-Alba. Tha e cudromachd don iomairt neo-eisimeileachd gum faigh sinn taic anns a h-uile ceàrnaidh de dh'Alba.

A' tadhal air Sgoil Ghràmair Baile na h-Eaglaise air an turas. 'S e 'sgoil don àm ri teachd' a th' innte agus tha an luchd-obrach agus na sgoilearan a' drùidheadh orm gu mòr.

Bidh na sgoiltean ùra air feadh na h-Alba nam fìor bhun-stèidh don dùthaich. Gu dearbh chaidh an dealbhadh san dòigh cheudna – mar eisimpleir, air a' chiad sealladh, tha Sgoil Baile na h-Eaglaise uabhasach coltach ri Àrd-sgoil Lasswade ann am Meadhan Lodainn – agus 's fheàirrde i sin. Chaidh còrr is 460 sgoiltean ùra a thogail no ath-nuadhachadh bho 2007 (cha mhòr a' chòigeamh cuid de na sgoiltean gu lèir) an coimeas ri dìreach 328 anns na ciad ochd bliadhna den phàrlamaid. Chaidh seo a dhèanamh a dh'aindeoin a' ghearraidh mhòir anns an ionmhas chalpa agus tha a' bhuaidh a th' air a bhith aig deagh eagrachadh is innleachdas air dìth maoineachaidh ri mholadh.

Latha a Sia: Dimàirt 17 An t-Ògmhios

Tha draghan orm gun adhbharaich Vladimir Putin duilgheadasan dhomh – ach tha Sasannach a tha a' gairm taic BU CHÒIR gam bhrosnachadh.

Bha sinn ann an Arcaibh fhathast agus bha Donna Heddle, a bha na tagraiche SNP ann an Arcaibh is a tha pòsta aig neach-gairm na comhairle, air coinneamh lòin a chur air dòigh gun mòran rabhaidh

– agus tha ceathrad neach a' nochdadh. Tha fear à Nottingham bho thùs ag innse dhomh gu bheil e fhèin is a bhean taingeil a h-uile latha gur ann an Arcaibh a tha iad a-nis. Tha esan gu daingeann air taobh BU CHÒIR ach bu mhath leis barrachd dhaoine le a bhlas cainnt aige fhèin a chluinntinn a' bruidhinn às leth neo-eisimeileachd.

'S e an fhìrinn a th' aige!

Thachair seo an dèidh na ciad choinneimh a-riamh den Chaibineat a chaidh cumail ann an sgoil don àm ri teachd. Bha an aithisg air Coimisean air Losgadh-cuirp Phàistean ri fhoillseachadh. Bha an aithisg seo a' leantainn na cùise anns an deach dust phàistean a chur air chùl aig Mortonhall Crematorium ann an Dùn Èideann gun fhios do na pàrantan. Bha mi fhìn air gealltainn do na pàrantan gum bithinn-sa a' stiùireadh a' Chaibineit is gun dèanamaid beachdachadh air an aithisg. Bha mi mionnaichte gun cumainn ri m' fhacal agus bha mi nam chathraiche air a' choinneimh Chaibineit air Skype bho Sgoil Baile na h-Eaglaise fhad 's a bha mo cho-obraichean ann an Dùn Èideann. Gnothach ùr-nòsach bho sgoil airson an àm ri teachd.

Tha mi a' feuchainn ris a' chùis dhuilich seo a thoirt air adhart le bhith a' togail air sàr obair an t-seann Mhorair Thagraidh, Elish Angiolini. Tha Elish, mar bu dual dhi, air obair ionmholta a dhèanamh air a' chùis agus air earbsa nam pàrantan a chosnadh, an dèidh don ghnothach aig Mortonhall a thighinn am follais, far an robh cion co-fhaireachdainn is neo-choileanadh dhleastanasan a bha uabhasach. Mas urrainn dhuinn an sgrùdadh aice thar na dùthcha a chur an gnìomh, 's ma dh'fhaoidte gun tèid againn air molaidhean Bonomy a chur an sàs agus am fiosrachadh, am mìneachadh is an leisgeul fhaighinn a tha na pàrantan airidh air an dèidh mar a dhèilig na h-ùghdarrasan riutha.

Nan rachadh seo a chur an gnìomh, b' urrainnear rannsachadh poblach a sheachnadh, as ainneamh mìneachadh riarachail a lìbhrigeadh do dhaoine an coimeas ri prìomh sgrùdaidhean air poileasaidh. Ach bidh rannsachadh poblach a' solarachadh feòil is sùgh airson sannt nan companaidhean lagha carach a shàsachadh.

Putin, ma-thà. Shiubhail mi air ais air an itealan a Dhùn Èideann airson coinneamh leis a' Choimhearsnachd Ucràineach. Tha mi an dùil gur e còmhradh doirbh a bhios ann a chionn 's gun do ghabh cuid mìothlachd às an agallamh a rinn mi cuide ri Alasdair Caimbeul airson GQ na bu thràithe den bhliadhna.

Anns an agallamh, ghlac an Caimbeulach mi 's mi ag ràdh gun robh 'meas mòr' agam air Vladimir Putin. Ach 's ann a bha mise a' breithneachadh air ach cha b' ann mar sin a chaidh aithris sna meadhanan. Co-dhiù cha robh còir sam bith agam dragh a bhith orm. Chaidh an t-agallamh gu math is dh'fhàg sinn e nar deagh charaidean.

Latha a Seachd: Diciadain 18 An t-Ògmhios

'S ann air sgàth an leanna a thàinig mi. Chan eil mi ga òl ach a' sgaoileadh naidheachdan air dithis bhalach innleachdach à Baile nam Frisealach, Seumas Watt agus Màrtainn Dickie, a tha a' fastadh nan ceudan de dhaoine sa chompanaidh aca, BrewDog, a tha a' dèanamh is a' reic fìor leanntan math dha-rìreabh.

Tha iad a' dèanamh taisbeanaidh aig Fòram Eaconamach na h-Alba agus tha mi a' faighinn a-mach gu bheil bàr aca ann an São Paulo, Braisil.

Abair dòigh mhath airson am fòram a chur air chois. An toiseach tha mi ag ràdh gur math gu bheil Alba ga riochdachadh aig Cupa na Cruinne agus gu bheil e na chofhurtachd gun urrainn do luchd-leantainn den a h-uile dùthaich – gun iomradh air tè shònraichte – sòlas a lorg anns na sàr leanntan a tha iad a' tarraing a-nis ann an Eilean Bhuchain, Siorrachd Obar Dheathain!

Fhuair mi gàire bhon èisteachd cuideachd nuair a rinn mi aithris air an tadhal a rinn mi air factaraidh Coca-Cola ann an Cille Bhrìghde an Ear a bha a' comharrachadh leth-cheud bliadhna bho chaidh a stèidheachadh. Am measg nan nithean ionmholta a tha an t-ionad sin air a thoirt gu buil, tha iad os cionn solarachadh nam botal cuimhneachaidh a bhios Coca-Cola a' dèanamh airson Cupa na Cruinne agus nan Geamannan Oilimpigeach. Agus air sgàth àrd-oifigear Coca-Cola, Jim Fox, rinn iad botal sònraichte airson Bliadhna an Tilleadh Dhachaigh ann an 2009 nuair a b' e Raibeart Burns a' chiad neach a-riamh a nochd air a' bhotal ainmeil.

Ann an cuideachd prìomh oifigearan na companaidh b' e fear den luchd-obrach, Iain McCafferty a thug mi mu thimcheall an ionaid àibheisich ann an carbad goilf.

Fhad 's a bha sinn a' dol seachad air sreath bhotal Cupa na Cruinne, thuirt Iain: 'Mar a tha fios agad, is sinn fhìn ann an Cille Bhrìghde an Ear a bhios a' dèanamh nam botal sònraichte. Tha fios agad cuideachd gun do chuir Alba roimhpe am bliadhna gun a bhith a' gabhail pàirt ann an Cupa na Cruinne ann am Braisil. Ach tha sinn cho fialaidh an seo ann an Cille Bhrìghde an Ear gum bi sinn fhathast a' solarachadh nam botal airson a' chòrr den Chruinne.'

An uair sin thuirt fear de dhaoine mòra Coca-Cola rium: 'A bheil sin ceart? Chuir sibh romhaibh nach rachadh sibh ann? An robh sibh a' togail gearain?'

'Canaidh sinn gur e aoir Cille Bhrìghde an Ear a th' ann,' fhreagair mi.

Latha a h-Ochd: Diardaoin 19 An t-Ògmhios

Tha boile air a h-uile duine a thaobh cosgaisean stèidheachaidh nan structaran riaghaltais ann an Alba neo-eisimeileachd.

Tha an t-Àrd-ollamh Pàdraig Dunleavy, à London School of Economics, agus Oifis an Ionmhais air a bhith an amhaichean a chèile o chionn beagan làithean an dèidh dhaibh a ràdh gun cosgadh e £2.7 billean agus iad a' cur an cèill gu bheil am figear stèidhichte air rannsachadh Dunleavy.

Tha Pàdraig air deagh ainm a chosnadh agus cha bu chòir do dhuine droch chliù a chur air a chuid obrach. Chuir an cèill ann am blog sa bhad gun robh na figearan aca 'gu h-iongantach ceàrr' agus gun robh iad air am fiosrachadh aige 'a riochdachadh gu dona'. Chuir e às an leth gun robh iad ceàrr a dhà uiread dheug. Tha an Rùnaire Maireannach Oifis an Ionmhais air aideachadh fiù 's gun robh e a' sgaoileadh bhrathan carach.

Tha ceannard nan Tòraidhean, Rut NicDhaibhidh, agus Willie Rennie bho na Libearalaich Dheamocratach gam fhìor cheasnachadh air na cosgaisean seo aig Ceistean don Phrìomh Mhinistear. Tha a' cho-ionnsaigh aca a' fairtlich orra ge-tà nuair a tha mi a' gairm gu bheil mi air coinneachadh ris an Àrd-ollamh Dunleavy mar-thà airson còmhradh mionaideach a chumail air a chuid rannsachaidh.

Cha bu chòir gun cuireadh seo iongnadh orra air sàilleabh 's gun tug mi iomradh air coinneamh a leithid seo o chionn cola-deug – aig Ceistean don Phrìomh Mhinistear.

A rèir coltais chan eil dòigh nas fhèarr air nìtheigin a chumail dìomhair na a bhith ga ghairm anns a' phàrlamaid!

Air adhart don New Club ann an Dùn Èideann an uair sin an dèidh do Pheadar Vink, am fear gasta sin a tha gu daingeann air an taobh dheas, iarraidh orm òraid a thoirt seachad don bhuidheann dhìnnearach a tha air taobh nam margaidhean saora, the Tuesday Club – air Diardaoin. Tha Peadar làn-chinnteach às a' bheachd, ma gheibh sinn an t-sanasachd cheart, gun tèid agam air margaichean-saor eile a thàladh a chuireadh taic ri neo-eisimeileachd.

'S e tachartas a chumar fada nar cuimhne ach chan ann air sàilleabh mar a tha mi air margaichean-saor òga a thàladh. Ach air sgàth seinneadair òg Ameireaganach, Morgan Carberry, a tha a' gabhail 'Caledonia' agus Caisteal Dhùn Èideann air a cùlaibh tro uinneag seòmar-bidhe an New Club. Bidh 'Caledonia' daonnan a' cur deòir nam shùil ach bheireadh sgeul Morgan air duine sam bith caoineadh.

Bha i air tighinn a dh'Alba air Sgoilearachd Marshall, mar phàirt de phrògram rannsachaidh iar-cheumnach a chuir an seann Phrìomh Mhinistear, Eanraig MacIllÌosa an sàs. Tha i air ceumnachadh bhon Chonservatoire Rìoghail ach a-nis tha i gu bhith air a tilgeil às an dùthaich a chionn 's gun do sgar i fhèin is a cèile beagan làithean an dèidh dhi cead-còmhnaidh fhaighinn. Chan eil mise a' tuigsinn idir ciamar a tha e gu math na dùthcha nach bi am boireannach òg seo a tha tuigseach is tàlantach a' fuireach còmhla rinn. Gu dearbh, 's e sin as adhbhar gu bheil cruaidh-fheum againn air poileasaidh imriche dhuinn fhìn airson na dùthcha againn fhìn.

Latha a Naoi: Dihaoine 20 An t-Ògmhios

Cha mhòr nach e Mark Carney, Riaghladair Banca Shasainn, an t-aon oifigeach poblach ann an Lunnainn a tha a' cluich a' gheama seo a rèir nan riaghailtean.

Tha còmhradh prìobhaideach againn air a' fòn ann am meadhan mo thadhail do phròiseact anabarrach math airson giùlain ath-stiùireadh san òigridh – mus tèid mi gu coinneamh de Chaibineat na h-Òigridh.

'S e duine dìreach, stòlda a th' ann am Mark. Tha mi ag ràdh ris gun teannaich na cunntasan-bheachd agus gu bheil dòigh ann a thachdas mì-sheasmhachd san roinn ionmhais mus tachair i ma tha e fhèin a' cur brath an cèill a leithid 'Às bith dè thachras, tha an gnothach fo mo làn-smachd-sa'. Cha bhiodh ann an sin ach an fhìrinn. Às bith dè an toradh, bidh an t-ùghdarras sin aig a' Bhanca airson co-dhiù dà bhliadhna ri teachd. Tha e a' gealltainn gum beachdaich e air a' chùis agus thèid mi an urras gum beachdaich.

Tha Caibineat na h-Òigridh a' tachairt ann an Ionad Taisbeanaidh is Co-labhairt na h-Alba ann an Glaschu agus tha an òraid is an taisbeanadh agam a' lasadh, a' boillsgeadh nan teintean poilitigeach a thathar a' beothachadh an-dràsta.

Tha rudeigin a thuirt Dòmhnall Stiùbhart, nach maireann, a bha na Bhall Pàrlamaid sna h-Eileanan Siar, a' cur an àite far a bheil sinn a-nis an cèill gu math. Thuirt e nach robh teine an fhraoich phoilitigich 'na fhalaisgear ach na thàmh'.

Na goilfearan ann an Obar Dheathain, na teaghlaichean aig Meadowbank, na doine òga seo ann an Glaschu. Chan eil am fraoch na fhalaisgear fhathast ach thathar ga bhrodadh a-nis.

Bha Dòmhnall Stiùbhart uair gun fhiughair os cionn buidhinn de aon BP deug ann an suidheachadh cudromach an dèidh an taghaidh theann anns an Dàmhair 1974. Chaidh neach-naidheachd an *Times* a chur a-mach a dhèanamh agallamh leis a' ghiobal seo à cùl na cruaich-mhòna agus bha e follaiseach nach robh e air a dhòigh gun deach an obair shuarach seo a chur roimhe.

Ann an guth mòrchuiseach dh'fhaighnich e de Dhòmhnall: 'Seadh, a Mhaighstir Stiùbhairt, tha ur gràisg-ne a' creidsinn an da-rìreabh ann an neo-eisimeileachd na h-Alba?'

'Chan eil,' arsa Dòmhnall, is e a' deoghal a phìoba.

'Uill, a Mhaighstir Stiùbhairt, tha sibh a' creidsinn ann am pàrlamaid air choireigin do dh'Alba?'

'Chan eil,' arsa Dòmhnall, is e ga deoghal fhathast.

'Uill, a Mhaighstir Stiùbhairt, tha sibh a' creidsinn gum bi barrachd cumhachd aig Alba?'

'Chan eil,' arsa Dòmhnall, a' crathadh a chinn.

'Uill,' arsa an neach-naidheachd is a' fàs feargach, 'dè fo ghrian anns a bheil sibh a' creidsinn, a Mhaighstir Stiùbhairt?'

'SMACHD AIR AN T-SAOGHAL GU LÈIR,' arsa an Leòdhasach gu grinn gasta!

An dèidh Caibineat na h-Òigridh tha mi a' dèanamh air Inbhir Narainn a choinneachadh ri Moira agus sinn a' cur seachad latha no dhà aig Caisteal Stiùbhairt faisg air Inbhir Nis. Tha mi a' cur romham gum faigh mi cothrom teicheadh co-dhiù trì tursan gu cùrsaichean goilf anns an iomairt reifreinn.

Cumaidh seo mi caran ciallach anns a' chiad dol a-mach agus mo chuideam fo smachd air choireigin. Feumaidh mi oidhirp a dhèanamh airson cumail ris an 5-2 diet.

Tha Moira uabhasach math mar chomhairliche ag innse dhomh dè tha tachairt an dà-rìreabh san dùthaich. Tha i air a bhith ag innse dhomh bhon earrach gu bheil an fharpais a' teannachadh. Ron a sin cha robh i air mòran a ràdh idir, a dh'fhàg mi car iomagaineach.

Tha Moira a' gabhail lòin còmhla ris na boireannaich ann am Baile Thurra – aig Celebrations, a tha na ghnothach mòr sa bhaile, far an urrainn dhut rud sam bith a cheannach. Tha e coltach ri bùth san t-seann nòs ged nach eil e idir seann-fhasanta agus bidh e a' tarraing an uabhais a dhaoine. Bidh daoine a' tighinn don bhaile a dh'aona-ghnothach airson tadhal air agus tha seo a' toirt deagh bhuaidh don chòrr den phrìomh shràid.

'S e buidheann air leth measgaichte a th' ann – mnathan thuathanach, banaltraman, màthraichean òga is a leithid – agus bidh iad a' coinneachadh airson taisbeanaidhean fasain do charthannasan agus mar sin air adhart. Tha Moira a' tomhas bheachdan an t-sluaigh ann.

Tha sinn a' bruidhinn mu na beachdan as ùire aig dìnnear anns an taigh-bidhe, The Classroom, ann an Inbhir Narainn.

Tha mi a' tachairt ri buidheann de ghoilfearan Ameireaganach a tha ann an deagh shunnd is ri dibhearsan an dèidh cluich aig Nairn Western. Tha fear dhiubh ag innse dhomh gu bheil e air a bhith a' dèanamh nan cunntasan-bheachd aige fhèin fhad 's a tha e a' cluich cùrsaichean ainmeil na h-Alba.

Da rèir fhèin, bidh a h-uile duine ann an Cill Rìmhinn a' bhòtadh CHA BU CHÒIR agus a h-uile duine ann an Inbhir Narainn a' bhòtadh BU CHÒIR.

Tha e a' moladh gum bu chòir dhomh a bhith ann an Cill Rìmhinn!

Latha a Deich: Disathairne 21 An t-Ògmhios

Tha na ceudan a' nochdadh airson fosgladh oifigeil na h-oifis ùire aig BU CHÒIR Alba ann an Inbhir Nis. 'S e sluagh iongantach mòr a th' ann ged a chaidh a chur air dòigh air-loidhne ann am beagan uairean a thìde.

Tha mise a' gearradh an ribein ann an cuideachd an t-sàr-sheinneadair Julie Fowlis – guth seinn an fhilm Disney *Brave* – agus còmhla ris an duine ghasta sin Iain MacDhonnchaidh, a bha na phrìomh neach-naidheachd aig Telebhisein Grampian.

Tha an goilf gam ghairm agus tha sinn a' siubhal a chùrsa Caisteal Stiùbhairt. Chan eil mi a' cluich ro dhona agus tha a' chuairt co-ionnan. Chaidh mi timcheall a' chùrsa ann an 88, a tha math gu leòr dhomh na làithean sa. Tha mi a-nis 29 buillean air falbh bhom aois fhèin.

Tha mi a' gabhail deoch bheag aig cùrsa Nairn Western, far an robh iad a' fosgladh an ionaid letheach-slighe aca fhèin – chan ann airson devo max, ach tèarmann uisge-beatha airson na daoine a tha feumach air beagan fois (no airson a chur às an cuimhne gu lèir) an dèidh ciad naoi tuill a' chùrsa.

An dèidh a ruighinn, tha mi a' cumail fòn co-labhairteach airson dearbhadh gu bheil sinn ullaichte airson freagairt ri aithisg Phàdraig Dunleavy air cosgaisean riaghaltais airson an *Sunday Post*. Tha an còmhradh a' dol gu math, dìreach mar a thèid an aithisg.

Tha Moira gam thoirt a-mach gu biadh do Mustard Seed ann an Inbhir Nis, a tha air fear de na taighean-bidhe as fheàrr leatha.

Latha a h-Aon Deug: Didòmhnaich 22 An t-Ògmhios

Tha mi air ais air a' chùrsa an-diugh – ach 's e Pàdraig Dunleavy a tha a' faighinn toll an aon bhuille is a' fàgail Oifis an Ionmhais san t-sloc ghainmheach.

Tha an aithisg aige san *Sunday Post* air a dhol gu math dhuinn agus gu fìor dhona do riaghaltas na Rìoghachd Aonaichte. Tha a thuairmse air cosgaisean stèidheachaidh an dèidh neo-eisimeileachd mu £200 millean – ann an saoghal eile an coimeas ri tuairmsean mheallta Oifis an Ionmhais a tha mas fhìor stèidhichte air rannsachadh Phàdraig.

Na bu thràithe den latha, anns a' ghrèin aig Caisteal Stiùbhairt, bha mi air èisteachd ris a' phrògram ùr phoilitigeach air a' BhBC air a bheil Anndra MacUilleim agus neach-taic nan Làbarach.

Tha Anndra, a bha na BPA, air fear de na daoine as eirmseach agus as tarraingiche gu poilitigeach 's a tha againn ann an Alba, ach chan

eil am prògram seo math gu leòr idir. Chan e taobhachd a' BhBC a th'
ann a-nis ach cho cearbach 's a tha am prògram. Tha coltas air gu
bheil iad air dà mhionaid a chosg air cruth a' phrògraim agus gun
trèanadh sam bith a thoirt don bhoireannach air taobh CHA BU
CHÒIR. Bha mi den bharail nach robh e uabhasach cothromach
dhìse.

Air ais air a' chùrsa far a bheil mi a' cluich fada nas fheàrr na bha
mi, is air a dhol mu thimcheall ann an 84 (42-42) agus mi a' glèidheadh
4 agus 3. Chan eil mi ach 25 buillean air falbh bhom aois a-nis!

Ach a dh'aindeoin cho math 's a tha mi a' cluich, tha aithisg
Dunleavy a' cluich nas fheàrr buileach. A' tilleadh a Shrath Eachainn
air feasgar àlainn samhraidh.

Latha a Dhà Dheug: Diluain 23 An t-Ògmhios

Tha mi a' cur mar fhiachaibh orm gun cuir sinn an comas mòr
turasachd a tha an lùib rathad-iarainn nan Crìochan air chois.

A' fuireach aig Taigh-òsta Abaid Dryburgh a chionn 's gu bheil e
faisg air stèisean ùr Tweedbank, a tha na cheann-crìche rèile nan
Crìochan agus air a bheil an tadhal a-màireach stèidhichte.

Tha e air a bhith doirbh feuchainn ri tuigse cheart a thoirt do na
h-oifigich againn air na comasan taisgte eaconamach an lùib
turasachd rèile.

A chionn 's gu bheil suidheachadh eaconamach na loidhne air a
bhith dùbhlanach, tha Còmhdhail na h-Alba airidh air a'
cho-ghàirdeachas mhòr a rinn iad leotha fhèin airson cumail ris a'
chlàr-ama agus an rèile fhosgladh sa bhliadhna ri teachd. Bidh a'
phrìomh loidhne riatanach, gu dearbh fhèin, airson leasachadh
eaconamach na sgìre agus soirbhichidh leatha a thaobh
luchd-siubhail mar an ceudna.

Agus mar as motha de rannsachadh a tha mi a' dèanamh air a' chùis, 's ann a tha mi nas mionnaichte gur e aon de phrìomh rathaidean-iarainn na Roinn Eòrpa do luchd-turais a bhios ann an 'Loidhne Waverley do na Crìochan. Tha an fheallsanachd soilleir. Tha rèilichean turasachd soirbheachail eile ann an Alba a leithid Rathad-iarainn nan Eilean ach feumaidh a' mhòr-chuid a dhaoine latha a chosg faighinn ann, latha eile a chosg aig a' cheann-uidhe agus an treas latha a chosg a' tilleadh.

Feumaidh sinne iongantasan nan carbadan-smùid a thairgsinn, chan ann gach treas Didòmhnaich, ach trì tursan san latha as t-samhradh. Tha Iain Camshron, an sionnach airgid – a bha na thuathanach chaorach cho math 's a bha san Roinn Eòrpa, agus a tha a-nis ro-dhealasach mu na h-einnseanan smùid – air fios a leigeil gum biodh e deònach agus aon de dh'einnseanan mòra na linne, *The Union of South Africa*, a chur gu feum air an rèile. Tha Iain air innse dhomh ge-tà gum biodh feum aig carbad-smùid mòr air clàr-tionndaidh aig a' cheann-chrìche.

An coimeas ri Rathad-iarainn nan Eilean, cha toir an turas a-nuas do na Crìochan ach leth-latha bhon stèisean as trainge ann am prìomh-bhaile na h-Alba. Tha còig millean neach a' tadhal air Dùn Èideann a h-uile bliadhna. Tha còrr is millean a' tadhal air Caisteal Dhùn Èideann. Carson nach urrainn do leth-chuid de na daoine sin dèanamh air na Crìochan airson a' cheàrnaidh eireachdail sin den dùthaich againn fhaicinn? Ma tha neach-turais sa chumantas a' cosg £200 air gnothaichean malairteach is cultarail aig ceann na rèile bidh sinn air £100 millean a chruthachadh do dh'eaconamaidh nan Crìochan.

Ach tha mi airson Stèisean Tweedbank fhaicinn mi fhìn feuch an tèid againn air clàr-tionndaidh a thogail. Tha mi a' fònadh don Chomhairliche Daibhidh Parker, ceannard Comhairle nan Crìochan, aig a bheil an deagh bheachd gum b' urrainn dhuinn dachaigh ùr a lorg airson Grèis-bhrat Mhòr na h-Alba ann an Tweedbank. Abair brosnachadh a bheireadh i do Rèile nan Crìochan.

Tha a' Ghrèis-bhrat Mhòr – a tha na pròiseact coimhearsnachd thar na dùthcha ann am fighe – air na sluaghan mòra a thàladh air a turas air feadh na h-Alba sa bhliadhna a dh'fhalbh. Ràinig mi a' Phàrlamaid air Diardaoin air choireigin agus shìn an ciutha a-mach an doras agus mu thimcheall an togalaich. Bha mi a' smaoineachadh gum b' e Ceistean don Phrìomh Mhinistear a b' adhbhar gun tàinig iad. Ach 's ann a bha iad ann airson a' Ghrèis-bhrat Mhòr fhaicinn.

Latha a Trì Deug: Dimàirt 24 An t-Ògmhios

'S ann an-diugh fhèin a tha mi a' cur romham stiùireadh nas treasa a thoirt don iomairt.

A' tòiseachadh sa chamhanaich thràth aig stèisean Tweedbank còmhla ri Daibhidh Parker. Cuiridh sinn am beachd seo mun Ghrèis-bhrat air chois gus an urrainn dhuinn a ghairm ron ùine purdah* san Lùnastal.

Tha sinn air aontachadh gun cùm sinn ri purdah ron reifreann, mar a dh'aontaich riaghaltas Westminster, aig a bheil droch chliù airson cumail ri am bòidean. Tha mi a' tuigsinn nach eil purdah reachdail agus nach cùm iad fhèin ris. Ach tha mi fhìn agus Nicola air tighinn don bheachd gu bheil sinne nas ullaichte agus nas stèidhichte na riaghaltas Westminster agus mar sin cuiridh an t-àm purdah barrachd chnapan-starra romhpasan na romhainne.

---

* 'S e purdah a' ghreis ùine ro thaghadh nuair a tha riaghaltas, ged a tha e a' riaghladh fhathast, ag aontachadh nach tèid an còrr iomairtean poilitigeach a chur an sàs.

An uair sin tha sinn a' cumail oirnn gu iomairt taigheadais le sealbh-measgaichte làmh ris a' Gheal Àth. Tha mi toilichte fhaicinn a chionn 's gu bheil mi den bharail gun tig barrachd chothroman den a h-uile seòrsa do na Crìochan an cois na rèile ùire – agus tha e uabhasach cudromach nach eil a h-uile iomairt taigheadais ag amas air luchd-obrach Dhùn Èideann le tuarastalan mòra ach air muinntir nan Crìochan cuideachd.

Tha an Caibineat air a chumail ann an Talla Bhictoria àlainn ann an Salcraig. Mura tèid agad air bruidhinn an sin cha tèid agad air bruidhinn idir. Tha an tachartas a' dol gu math. 'S e na Crìochan an t-àite as dorra ann an Alba do BU CHÒIR agus tha mi mionnaichte gum faigh an luchd-iomairt èasgaidh againn anns na Crìochan, a leithid mo phiuthar as òige Gail agus a nigheannan Karen agus Christina, ar làn-taic.

An uair sin, tadhal sgiobalta air Spark, companaidh dealain stèidhichte ann an Salcraig agus a tha a' fastadh 200 luchd-obrach anns an ionad ghoireasan aca. Tha iad a' liubhairt sheirbheisean do luchd-gabhaltais agus tha an t-seirbheis aca a tha a' tairgsinn phrìsean nas ìsle do luchd-gabhaltais a' sealltainn dè cho ceàrr 's a tha rù-rà riaghladh nam margaidhean dealain, a bu chòir a bhith ag amas air prìsean ìsleachadh.

Air an t-slighe a Chill Mhèarnaig, far am bi mi a' rùsgadh na ciad sgrath aig a' cholaiste ùir, tha mi a' stad ann an Dùn Èideann far a bheil mi sa chathair aig coinneamh iomairte.

Chan eil an sunnd ro mhath, agus nam bheachd fhìn tha seo leamh air sàilleabh 's gu bheil sinn a' dol gu math. Tha mi a' cur romham gum feum mi stiùireadh nas treasa a thoirt don iomairt.

Bho chaidh a chur air chois tha duilgheadasan air a bhith aig BU CHÒIR a tha na iomairt ioma-phàrtaidh. Ann an 2012 thagh mi

Blair Jenkins mar Àrd-oifigear. Thagh e fhèin an uair sin caochladh dhaoine airson diofar roinnean a stiùireadh. Bha Blair na cheannard naidheachdan aig BBC Alba agus an dèidh a dhleastanasan mar cheannard coimisean craolaidh Riaghaltas na h-Alba a choileanadh gu h-anabarrach math. Tha e air a bhith a cheart cho math a' coileanadh a dhleastanasan mar phrìomh neach-labhairt BU CHÒIR.

Ach tha e air a bhith nas dùbhlanaiche a' feuchainn ri coltas aonaichte pàrtaidh phoilitigich a chur air buidheann a tha cho eadar-mheasgte. Tha cuid a rudan air obrachadh gu math, a leithid stèidheachadh nam buidhnean choimhearsnachdan, nan coinneamhan poblach air feadh na dùthcha, susbaint nam meadhanan sòisealta agus taic nan daoine ainmeil a chuir an seann Chomhairliche Sònraichte dhomh, Jennifer Dempsie, air dòigh. Ach 's ma dh'fhaoidte gun robh e an dàn do bhuidheann ioma-phàrtaidh a leithid BU CHÒIR gum biodh e doirbh, fiù 's le mòran taic, amasan ro-innleachdail agus aonaichte a liubhairt.

'S e an stiùireadh ro-innleachdail sin – an comas air co-dhùnaidhean a dhèanamh air slighe na h-iomairt agus an cur an gnìomh – a bhios a' buannachadh thaghaidhean agus reifreannan.

Tha mi air tighinn don cho-dhùnadh gun gluais mi na coinneamhan gu Diardaoin, agus tha sin a' dèanamh barrachd ciall gus an tèid sinn le sruth iomairteach na seachdain, agus tha mi air iarraidh air fiosrachadh earbsach bhon starsnaich agus air-loidhne, gus an tèid againn air co-dhùnaidhean ro-innleachdail a ghabhail aig na coinneamhan stèidhichte air an fhiosrachadh as ùire.

Tha mi a' fuireach aig taigh-òsta a' chùrsa-rèis ann an Inbhir Àir. Fhad 's a tha mi a' gabhail dìnnear còmhla ri luchd-taic BU CHÒIR Marie agus Drew Macklin, tha mi a' cluinntinn na naidheachd duilich gu bheil Daibhidh Mac an Tàilleir bho UEFA air bàsachadh.

Bha mi air teaghlach Dhaibhidh a chuideachadh Disathairne sa chaidh agus a thoirt air ais don Western Infirmary ann an Glaschu, an dèidh dha fàs tinn air a shaor-làithean anns an Tuirc.

Bha Daibhidh air fear de na rianairean a b' fheàrr a-riamh ann an Alba. Ghabh mi dìnnear còmhla ris ann an Taigh Bhòid o chionn beagan mhìosan agus bha e an impis a thaic a chur ri BU CHÒIR. 'S e call uabhasach mòr a th' ann don iomairt agus do dh'Alba.

Latha a Ceithir Deug: Diciadain 25 An t-Ògmhios

Tha mi a' tòiseachadh a bhith a' smaoineachadh gur e seo an strì a bha an dàn dhomh fad mo bheatha. Agus 's iad na daoine ris am bi mi a' coinneachadh air feadh na dùthcha as adhbhar – a leithid an t-sluaigh ghasta a thàinig a Cholaiste Chill Mheàrnaig airson a' chiad sgrath a rùsgadh.

Bha mi air aontachadh ri agallamh a dhèanamh air beulaibh luchd-èisteachd còmhla ri Derek Bateman a bha na neach-naidheachd aig a' BhBC ann an dòigh shaoirsneil – coltach ri Desert Island Discs ach às aonais nan diosgan.

Ach 's e doimhneachd nan ceistean bhon èisteachd, an fheallsanachd acasan, a tha a' bualadh orm. Tha a h-uile duine a' dèanamh deiseil airson a' chath a bhios romhainn.

'S iad seo an luchd-èisteachd as fhiosraiche ris an do bhruidhinn mi a-riamh. Chaidh ceistean a sparradh orm a leithid 'Faic na tha sgrìobhte air duilleag 26 den Phàipear Gheal …' 'S e poileataigs cheasnachail a tha seo aig ìre adhartach, deamocrasaidh an gnìomh. Às bith dè thachras 's ann a tha sinn a' dèiligeadh ri daoine atharraichte a-nis.

Nas fhaide den latha bha an t-àm ann ullachadh airson Ceistean don Phrìomh Mhinistear mus robh dìnnear chruthachail ann còmhla ris an t-sàr-neach-gnìomhachais Albannach (agus bràthair don t-seann BP Làbarach, Mohammad Sarwar) Mgr. Mohammad Pervaiz Ramzan, a mhic Amaan agus Nabeel agus a mhac-cèile, Rahan.

'S e daoine fìor thuigseach, brosnachail a th' annta agus uabhasach taitneach, gu h-àraid an coimeas ris na daoine leth-choma is na burraidhean anns an CBI ann an Alba, a' mhòr-chuid dhiubh aig nach robh gnìomhachas a-riamh is nach aithnicheadh neach-gnìomhachais nan seasadh e fo a shròn.

Tha cothrom aca obair chudromach a dhèanamh às leth na h-iomairt agus às leth na dùthcha san àm ri teachd. Tha sinn a' dol gu Ondine, a tha air fear de na taighean-bidhe èisg as fheàrr ann an Alba, fo stiùir an t-sàr-chòcaire ainmeil Roy Brett. Tha mi den bheachd nach fhuilear do mo charaidean Muslamach làn am broinn ithe mus tòisich Ramadan.

Latha a Còig Deug: Diardaoin 26 An t-Ògmhios

Bha mo chas-lighiche ag obair air ìnean m' òrdagan – agus sheall e beagan de a lèirsinn gheur dhomh.

'S fhada bho chuir mi eòlas air Leslie Grannd (choimhead e ri ìnean mo mhàthar cuideachd). Bidh Leslie a' cabadaich le euslaintich agus le a charaidean a bhios a' sreap nam monaidhean.

Chan eil mòran suim ga chur air an dà bhuidheann mar choimhearsnachdan poilitigeach – mar a nìthear le dràibhearan tagsaidh, ach bidh iad ann an suidheachadh a dh'adhbharaicheas còmhraidhean.

Tha Leslie a' dearbhadh a' bheachd a bh' agamsa: tha BU CHÒIR a' gluasad shuas air na monaidhean ud thall, ach chan eil cùisean a cheart cho dòchasach am measg cailleachan nan droch chasan anns an Eaglais Bhric.

Tha Ceistean don Phrìomh Mhinistear a' cur deireadh na bliadhna sgoile nam chuimhne, soraidh slàn do na seòid.

Latha a Sia Deug: Dihaoine 27 An t-Ògmhios

Tha mi air coinneachadh ri Morgan Carberry a-rithist – agus ga fiathachadh a thighinn a Chaisteal Dhùn Èideann gus an seinn i do na Sìnich.

Tha e coltach gum feum an sgoilear Fulbright seo an dùthaich fhàgail fhathast. Tha mi air aontachadh gun tèid mi an urras air Morgan na cùis le Ministear Oifis na Dùthcha air a bheil ainm iomchaidh, Seumas Brokenshire, ach tha mi air moladh dhi gum b' fheàirrde a cùis beagan sanasachd. Gu dearbh fhèin, 's ma dh'fhaoidte gur e sanasachd an aon chothrom airson taic a thoirt dhi às aonais neo-eisimeileachd agus poileasaidh chiallach air imrich.

Air eagal 's gur e taisbeanadh a th' ann anns am bi i a' fàgail soraidh slàn leinn, tha i air aontachadh gun gabh i òran no dha airson buidheann maoineachaidh Sìneach a tha stèidhichte air a' chompanaidh mhòr chumhachd, Petrochina.

Tha an oidhche a' dol glè mhath agus ro dheireadh na h-oidhche tha meòrachanan co-obrachaidh luach £5 billean air aontachadh (ged a tha e fìor gur iomadh mearachd a th' ann eadar cuach is bilean tha diofar ann cuideachd eadar meòrachan co-obrachaidh aontachadh agus maoineachadh dearbhte a chur an cèill). Co-dhiù no co-dheth 's math as fhiach obair na h-oidhche.

Tha Morgan, a ghabh a cuid òran gu grinn, ach aig a bheil guth mòr airson seòmair bheag, na glòraidh ann an Talla Mòr a' chaisteil agus tha i a' tarraing aire a h-uile duine le taisbeanadh eireachdail a tha a' cur deur ann an sùilean a h-uile duine an làthair.

Latha a Seachd Deug: Disathairne 28 An t-Ògmhios

Fàilte bhlàth ga cur orm fhìn an-diugh – agus fàilte fhionnar air a' Chamshronach.

Tha an dithis againn ann an Sruighlea airson Latha nam Feachdan Armaichte a chomharrachadh, a bha na bheachd-smaoin aig Gòrdan Brown o chionn beagan bhliadhnaichean is e a' feuchainn ri an ìomhaigh Bhreatannach a dhaingneachadh.

Am-bliadhna, tha an riaghaltas Tòraidheach le taic an caraidean Làbarach ann an Comhairle Shruighlea air cur romhpa an latha seo a chumail air an dearbh dheireadh-seachdain 's a thathar a' comharrachadh 700 bliadhna aig Allt a' Bhonnaich bhon a thug Raibeart Brus buaidh ainmeil air arm rìgh Shasainn.

Tha na comhairlichean òga agam (agus cuid den fheadhainn nach eil buileach cho òg) caran draghail mu Allt a' Bhonnaich a chionn 's gu bheil e a' taisbeanadh 'na h-ìomhaigh cheàrr' airson nuadh nàiseantachd Albannach, nam beachd-san. Chan eil mi a' dol leotha.

Feumaidh gu bheil d' anam marbh mura h-eil seasamh a' Bhrusaich agus fheachdan gad bhrosnachadh – agus gun toinisg mura faicte na coimeasan leis an strì phoilitigich againn fhìn.

Bha am Brusach air feuchainn ri rèiteachadh a dhèanamh le Eideard a dhèanamh e na iar-rìgh fon rìgh Shasannach agus nuair a thugadh air ar-a-mach a dhèanamh, sheachain e cath a' bhlàir mhòir a chionn 's gun robh e deimhinn às a bheachd gun glèidheadh e Alba, gach caisteal mu seach, gach baile mu seach. Ach bha a bhràthair rag-mhuinealach air suidheachadh a chruthachadh far an tachradh an cath air Latha Leth an t-Samhraidh 1314.

Bha mi fhìn air feuchainn ri rèiteachadh a dhèanamh le Camshron, agus ris a' Phàrlamaid agus an dùthaich a thoirt air adhart, gach cumhachd mu seach, gach comas mu seach. Ach cha robh e air a bhith nam chomas aonta dhaoine is bhuidhnean sìobhalta gu leòr fhaighinn an dèidh an taghaidh an 2011 air moladh devo max agus 's ann às a seo a dhèirich an suidheachadh anns an rachadh cath a chur air 18 An t-Sultain 2014.

Tha sinn fhìn, coltach ris a' Bhrusach, a' cur an aghaidh feachd uile-chumhachdach. Tha sinn fhìn, coltach ris a' Bhrusach, an impis a dhol an sàs ann an cath nach do rèitich sinn fhìn, agus coltach ris a' Bhrusach, feumaidh sinn cur romhainn gun tèid an latha leinn.

Co-dhiù, air Latha nam Feachdan Armaichte chan eil an latha a' dol le riaghaltas na Rìoghachd Aonaichte. Tha cleasan poilitigeach Chamshron cho follaiseach 's a ghabhas is a' fàilligeadh air gu dona.

Ged nach eil muinntir an latha armailtich a' cur furain orm gu h-aona-ghuthach, tha e blàth gu leòr. Tha fàilteachadh a' Chamshronaich glè fhionnar.

Carson nach biodh e fionnar? 'S e teaghlaichean Albannach a' chlas-obraich air latha-saor a th' ann a' chuid as motha den t-sluagh sa agus 's e uachdaran Tòraidheach air turas latha a dh'Alba a th' ann an Camshron.

Air ais aig Allt a' Bhonnaich, far a bheilear a' strì ri dèiligeadh ris an t-sluagh mhòr a tha air nochdadh, tha iad a' cur fàilte mhòr bhlàth orm gu h-aona-ghuthach.

Tha Dougie MacillEathain a' cur crìoch ghasta air an latha.

Latha a h-Ochd Deug: Didòmhnaich 29 An t-Ògmhios

Tha fàilte bhlàth ga cur orm nuair a tha Moira gam thoirt a-nuas do bhùth gàirneilearachd san sgìre.

Cha do ràinig sinn an taigh gu uairean tràth na maidne.

Tha an *Sunday Herald* air sgeulachd laghach fhoillseachadh air Morgan, anns a bheil dealbh math a tha a' sealltainn a' bhoireannaich bheothail, thàlantaich a thathar an impis tilgeil às an dùthaich againn. Theirear gu bheil sgeul anns a h-uile dealbh agus tha an dealbh seo a' taisbeanadh na tha ceàrr ann am poileasaidh imrich amaideach na Rìoghachd Aonaichte.

Air ar n-adhart gu tè de na bùithtean gàirneilearachd as fheàrr le Moira, White Lodge, faisg air Baile Thurra, far a bheil i air cur roimhpe gun cosg i barrachd airgid air a' chur-seachad as fheàrr leatha. 'S gann gum bi ùine agam ri chosg air a cur-seachadan, mar sin tha mi a' dol ann gu togarrach, fiù 's nuair a tha sinn air iuchraichean a' chàir a chall ann an tè de na cairtean lusan agus a' cosg còrr is leth-uair an uaireadair gan lorg.

A-rithist tha ùidh mhòr agam ann am beachd nan daoine a tha a' dèiligeadh rium mar gur e rionnag mòr ciùil a th' annam. Bhuineadh sinnsearan Elvis Presley do Lòn a' Mhàigh agus tha baton Geamannan a' Cho-fhlaitheis air a bhith air chuairt san sgìre ach 's iongantach a' chùis ann am Baile Thurra gu bheil gràisg air nochdadh mar a rinn iad an-diugh. Gu h-àraid ann am bùth gàirneilearachd.

Bha beachd math aig muinntir na sgìre orm a-riamh, gu sònraichte ann am Baile Thurra. Ach barrachd fianais ann a h-uile latha a-nis – Colaiste Chill Mheàrnaig no Latha nam Feachdan Armaichte, mar eisimpleir – far a bheil beachd dhaoine ag innse dhomh gu bheil rudeigin san t-sluagh a' dùsgadh.

Às bith dè tha a' tachairt, chan eil na cunntasan-bheachd ga chlàradh oir an dèidh dhaibh gluasad air ar son, tha iad a-nis caran seasmhach. Chan eil sin a' ciallachadh nach eil an t-atharrachadh a' tachairt, ach nach eilear ga chlàradh no gu bheil e fhathast ri thighinn.

Latha a Naoi Deug: Diluain 30 An t-Ògmhios

Air ais a Thaigh Bhòid airson na Seachdain Rìoghail. Tha mi air fear de na seann àrd-ollamhan agam a lorg gus an cuidich e mi le beagan ceartais bhorb ann an eachdraidh.

Tha mi air faighneachd de Bruce Lenman an cuir e a bheachd-san air Murt na h-Apainn an cèill. Tha athchuinge air a cur air beulaibh na Pàrlamaid – le Caimbeulach, abair e! – a' sireadh maitheanais Rìoghail do Sheumas Stiùbhart.

Bidh fios aig luchd-leughaidh Raibeart Louis Stevenson gun robh Ailean Breac Stiùbhart (air an robh sloinneadh rìoghail) fo amharas gun do mharbh e an Sionnach Ruadh anns an Apainn. Tha sinn cinnteach gu h-eachdraidheil gun deach oide, Seumas Stiùbhart, a dhìteadh le luchd-deuchainn Caimbeulach agus, air eagal 's gun toireadh iad fhèin am breithneachadh ceàrr seachad, bha am brìtheamh na cheann-cinnidh Caimbeulach cuideachd.

Bithear a' diùltadh chùisean a leithid seo, mar as àbhaist, air eagal 's gun tig duilgheadasan eile nan cois agus gun tèid droch eiseimpleir a stèidheachadh. Ach tha mi air cur romham gun toir am Morair Tagraidh toinisgeil, Frank Mulholland, sùil air a' chùis mus tig sinn gu co-dhùnadh.

'S gann gum faigh sinn cothrom nar beatha air cùis eachdraidheil a tha fada ceàrr a chur ceart. Mar sin tha mi air beachd fiosrach iarraidh air an àrd-ollamh eachdraidh a bh' agam.

Agus fhad 's a tha sinn a' toirt iomradh air eachdraidh, tha e coltach gun robh briseadh-dùil mòr aig an *Scotsman* a chionn 's gun robh fèill mhòr air an tachartas aig Allt a' Bhonnaich agus thàinig iad don cho-dhùnadh gun stèidhicheadh iad am prìomh sgeul aca air na ciuthan fada airson faighinn a-steach.

Tha mi a' fònadh an deasaiche, Iain Stiùbhart, a tha na dhuine gasta nam bharail-sa. Ach tha sin a' dèanamh slighe fhèin-mharbhtach a' phàipeir nas dorra a thuigsinn. Saoil a bheil e comasach gu bheil na tha air fhàgail de luchd-leughaidh a phàipeir airson na tha math mun dùthaich aca fhaicinn seach na tha dona?

Airson an fhìrinn innse, tha e coltach gu bheil Iain air fhìor-shàrachadh leis a' chùis.

Latha Fichead: Dimàirt 1 An t-Iuchar

A' coinneachadh ris a' Bhànrigh agus a' bruidhinn air Normandy agus Latha nam Feachdan Armaichte. 'S math gur dòcha gur e seo a' chiad choinneamh eadarainn anns nach do dhèirich còmhradh mu na h-eich aice a chionn 's nach do ghlèidh Estimate Cupa Òir Ascot mar a ghlèidh e an-uiridh e.

Ach feumar a ràdh gu bheil comas aig a' Bhànrigh dèiligeadh ri buaidh no truaighe anns an aon dòigh shèimh. Tha fhios gur e a h-eòlas fad iomadh bliadhna mar bhànrigh as adhbhar – no 's ma dh'fhaoidte gur e a h-eòlas fad iomadh bliadhna le a cuid eich as adhbhar.

Tha a' ghrian a' deàrrsadh air Pàrtaidh a' Ghàrraidh, an coimeas ris an-uiridh nuair a bha dìle uisge ann. Mar is trice, ged nach robh i comasach am-bliadhna, bidh dìnnear againn do dh'aoighean air ais aig Tagh Bhòid. An-uiridh dhiùlt manaidsear dàna ball-coise na h-Alba, Gòrdan Strachan am bus fhàgail a chionn 's gun robh an t-sìde cho garbh.

Latha Fichead 's a h-Aon: Diciadain 2 An t-Iuchar

Bha a' Bhean-phòsta Salmond deimhinn den bheachd gun rachamaid air turas a Thaigh Dhùn Phrìs, faisg air Cumnag, airson fosgladh mòr nan gàrraidhean leis a' Bhànrigh.

Feumaidh gur e cèile poilitigeach an dreuchd as miosa san t-saoghal – chan eil ann dhaibh ach na draghan is an sàrachadh is gun a bhith a' cosnadh dad den chliù.

Tha Moira air a h-uile sgath fhulang fad còrr is seachd bliadhna le onair agus foighidinn. Mar sin nuair a bha cothrom ann airson m' obair-sa a dhèanamh còmhla ris na tha a' còrdadh rithe fhèin, rinn mi na b' urrainn dhomh airson a chur air dòigh. Tha Taigh Dhùn Phrìs a' taitneadh rithe agus tha dealbhadh mòr nan gàrraidhean le Diùc Baile Bhòid* a' fìor chòrdadh rithe.

B' e aon de na ciad cho-dhùnaidhean agam mar Phrìomh Mhinistear gun cuirinn taic ris a' bheachd a bh' aig Teàrlach airson an taigh àibheiseach seo agus na bha na bhroinn a shàbhaladh. Bha mi airson cuideachadh a thoirt do bheachd àrd-amasach ceart gu leòr ach, feumaidh mi ràdh, bha mi airson puing dheamocratach a chur an cèill don t-seirbheis shìobhalta a bha gu dubh na aghaidh. B' e cothrom tràth a bh' ann dhomh an dàimh cheart a stèidheachadh eadar ministearan agus oifigearan catharra.

Co-dhiù, 's math as fhiach fulangas Diùc Baile Bhòid leis mar a tha sreath leasachaidhean iongantach a' tighinn gu buil a-nis ann an sgìre Chumnag.

Mas math mo chuimhne, air ais ann an 2007, chaidh mi ann an cuideachd a' Phrionnsa airson an naidheachd a ghairm. Bha sluagh mòr air tighinn còmhla air beulaibh Talla Baile Chumnag. Bha ùidh

---

* 'S e Diùc Baile Bhòid tiotal oifigeil Prionnsa Theàrlaich ann an Alba.

aig Teàrlach anns na h-adhbharan a thug air daoine a thighinn ann agus dè am fios a bh' aca air na planaichean aige.

Fhreagair mi fhìn: 'Is cinnteach nach eil fios aca DÈ tha a' tachairt ach is math leotha gu bheil RUDEIGIN a' tachairt ann an Cumnag!'

Tha latha math a' tighinn gu crìch leis an naidheachd dhuilich gun do chaill Anndra Moireach aig Wimbledon. Feumaidh Moira a bratach Albannach a chur an dàrna taobh airson bliadhna eile.*

Latha Fichead 's a Dhà: Diardaoin 2 An t-Iuchar

Deasbad le Àrd-stiùiriche a' BhBC, Tony Hall, air an rathad a Dhùn Èideann.

Tha na draghan a th' agam mu dhòighean-obrach a' BhBC air an reifreann a' sìor dhol am meud. A rèir mar a tha mi ag eagrachadh a' phlana againn airson an reifreinn, tha mi cinnteach gum bi na pàipearan-naidheachd gu tur taobhach ach gum bi telebhisean cothromach, co-dhiù rè an ama iomairt.

Ach tha am BBC ann an Alba a' fulang air sgàth dìth luchd-naidheachd dìreach mar a tha lìonra a' BhBC fulang air sgàth cus dhiubh. Dh'fhoillsich An t-Àrd-ollamh Iain Robasdan, Oilthigh na h-Alba an Iar, mion-sgrùdadh na bu thràithe den bhliadhna agus thàinig e don cho-dhùnadh gu bheil taobhachd shoilleir an sàs ann an craoladh. Lorg e cùisean taobhachd ann an naidheachdan STV cuideachd ach chan e sin mo bharail-sa.

Nam bharail-sa, a chionn 's nach eil na goireasan naidheachd aca

---

* Ann an 2013, anns a' bhogsa rìoghail aig Wimbledon, thug Moira bratach na h-Alba às a baga-làimhe airson a thaisbeanadh ri linn buaidh a' Mhoirich. Dh'adhbharaich seo ùpraid sna naidheachdan, ach bha Moira air an dearbh bhratach a ghlèidheadh agus i an dùil gun dèanadh i an nì ceudna am-bliadhna.

a leigeas leotha mòran sgeulachdan a rannsachadh air an ceann fhèin, tha am BBC an crochadh air aithrisean anns na meadhanan clò a tha gu tur mì-chothromach. Bidh iad an uair sin a' feuchainn ri gleans 'cothromach' a chur air an aithris le bhith a' toirt cead don taobh BU CHÒIR an ionnsaigh as ùire a fhreagairt.

Tha mi a' feuchainn ri cùisean a chumail rèidh leis an Àrd-stiùiriche, is mi an crochadh air a' bheachd gum bi esan, mar neach-naidheachd iomraiteach, a' tuigsinn nan draghan agam gu bheil dìth obair naidheachd cheart ga dèanamh aig 'a' chraoladair nàiseanta' againn. Bha mu 1500 neach air cruinneachadh gu h-obann air beulaibh oifisean a' BhBC ann an Glaschu airson gearain mun taobhachd ann an obair naidheachd a' BhBC. Tha mi a' cur an cèill gum biodh sluagh a leithid sin thar na Rìoghachd Aonaichte cho mòr ri 15,000 neach. Nam biodh grunn dhaoine a leithid sin a' togail fianais air beulaibh Broadcasting House ann an Lunnainn bhiodh am BBC ann am fìor èiginn a' feuchainn ri tuigsinn carson a bha cuid mhòr den dùthaich air an t-earbsa aca ann an craoladair seirbheis phoblach a chall.

Tha draghan anns an sgioba BU CHÒIR fhathast agus na prìomh chunntasan-bheachd a' sealltainn nach eil sinn air mòran adhartais a bharrachd a dhèanamh. A rèir coltais tha fiù 's an sgioba iomairt againn fhìn a' creidsinn na tha an cunntas-bheachd as ùire ag innse dhaibh, a dh'aindeoin nan stòrasan fiosrachaidh a bu chòir a bhith aig daoine bhon luchd-aithne aca fhèin.

Tha mi a' feuchainn a dh'aona-ghnothach ri spiorad 2011 a chur an sàs a-rithist nuair a rinn sinn oidhirp shoirbheachail air beinn mhòr phoilitigeach a leithid seo a dhìreadh. Tha comharran math ann a-nochd agus cuideam as ùire ga chur air na prìomh chùisean a leithid na seirbheis slàinte agus sinn a' cur romhainn gun cuir sinn ar cùl ris a' chlàr-gnothaich a tha an taobh eile air a chur an sàs.

Tha an naidheachd mhath a-nochd ag innse gu bheil an *Scottish Sun* a' gluasad gar n-ionnsaigh an dèidh coinneimh ann an Lunnainn agus a dh'aindeoin oidhirpean an t-seann deasaiche an Alba, Daibhidh Dinsmore, a tha gu daingeann air taobh an aonaidh, a tha den bheachd nach fhaigh BU CHÒIR ach 40 sa cheud den bhòt aig a' char as àirde. Tha e ceàrr.

Latha Fichead 's a Trì: Dihaoine 4 An t-Iuchar

Latha Saorsa (do dh'Aimearaga!) aig cuirm còmhla ri m' athair airson HMS *Queen Elizabeth*, an soitheach giùlain-itealanan as ùire aig an Rìoghachd Aonaichte, a chur air bhog. Agus tha mi a' cuimhneachadh an sgeòil gur e paidhleat Gearmailteach bhon Dàrna Cogadh as coireach gu bheil mi fhìn beò idir.

Tha an turas a Ros Saoithe làn chuimhneachain do m' athair. Am measg na tha an làthair, 's dòcha gur esan an aon duine air an deach losgadh air soitheach giùlain (ach airson a bhith cothromach, tha sinn nar suidhe air cùlaibh Prionnsa Philip, a bha an sàs sa chogadh anns na h-aon chathan 's a bha m' athair anns a' Mhuir Mheadhanach). Bha m' athair na fho-oifigear air an t-soitheach ghiùlain luath HMS *Indomitable* nuair chaidh a cliathaich a tolladh le bomair Junkers rè landadh Sicily ann an 1943. 'S e bacadh mòr a bh' ann a chionn 's nach robh ach dà shoitheach giùlain mòr anns a' chabhlach gu lèir. Ach thàinig furtachd do m' athair is a chompanaich agus cha deach an long fodha ach rinn iad an gnothach air Gibraltar a ruighinn.

Lean an deagh fhortan nuair a fhuair iad an naidheachd gum biodh *Indomitable* a' dèanamh air Norfolk, Virginia. Ach bha e coltach gun robh an deagh fhortan a' tighinn gu crìch nuair a chaidh am buidheann èadhair aige ath-shuidheachadh air soitheach giùlain coimheadach HMS *Hunter*, seann shoitheach-bathair air an deach deic itealan a stobadh.

Ach cha tàinig an sgeul gu crìch an sin mar a dh'fhaodadh – agus cha tàinig mo sgeul fhìn gu crìch an sin mar an ceudna. Bhathar a' sgrùdadh criutha *Indomitable* airson TB air dhaibh a thighinn air tìr sna Stàitean – agus chaidh an galar a lorg nam measg. Rinn an Nèibhidh, le mòr-èifeachdas, an aon deuchainn air a' chriutha a bh' oirre roimhe. Bha an galar nochdte air deuchainn m' athar agus, da rèir fhèin, chaidh a dhraghadh far pàirc ball-coise aig leth-ùine nuair a bha e ri cluich don Nèibhidh ann am Beul Feirste.

Anns na làithean ud cha mhòr nach robh TB na bhinn-bhàis, agus chuir e an ath dhà bhliadhna seachad ann an ospadalan a' toirt, air fìor èiginn, a' char às a' bhàs. Mar sin mura robh an Junkers air *Indomitable* a tholladh, cha bhiodh deuchainn TB air a dèanamh air a' chriutha, cha bhiodh an galar a bh' air m' athair air fhaicinn, bhiodh e air bàsachadh agus cha bhithinn fhìn nam Phrìomh Mhinistear na h-Alba – cha bhithinn idir ann. Dh'fhaodadh tu a ràdh gu bheil an reifreann seo a' tachairt air sgàth paidhleit Ghearmailteach!

Tha an latha a' fìor-chòrdadh ri m' athair, is e ri cluich is mire, ag altachadh do na h-àrd-mharaichean is a' tairgsinn a chuid seirbheis mar mharaiche giùlanair nuair a tha e a' faighinn a-mach gun robh trì uiread an luchd-criutha air *Indomitable* na tha air *Queen Elizabeth*.

'Tha mi a' cluinntinn gu bheil sibh gann de mharaichean,' tha e ag innse do dh'àrd-oifigear air choireigin. Tha e a' cumail a bheachd as fheàrr den latha airson òraid ghòrach a' Phrìomh Mhorair na Mara a tha a' bruidhinn air linn Ealasaid ùr.

'Nach do dh'innis thu dhomh nach robh itealain sam bith air an long seo?' tha e ag ràdh, is a' gnogadh a chinn a dh'ionnsaigh sròn itealain a tha a' crochadh seachad air ceann na deic itealain.

"S e modail a th' ann,' tha mi a' mìneachadh, a chionn 's gu bheil fios agam gu bheil an Cabhlach Rìoghail air na mìltean a notaichean a chosg air modailean itealanan a thogail airson coltas nas fheàrr a chur air a' chuirm, air sàilleabh 's nach eil an t-airgead aca a leigeadh leotha na h-itealanan fìor a cheannach. Tha an aon fhacal aig m' athair ag innse mòran.

Chan urrainn dha ach 'Dè!' a radh.

Tha an tachartas a' dol gu math. Tha cuid anns na naidheachdan ag ràdh an dèidh làimh gun robh cuid san èisteachd gam chàineadh nuair a nochd an dealbh dhìom air an sgrion mhòr. Feumaidh gur e càineadh leth-choma a bh' ann nach b' urrainn do dhuine sam bith a chluinntinn far an robh sinne nar suidhe. Agus a rèir coltais bha càineadh lag den aon seòrsa ann nuair a nochd dealbhan den Chamshronach. Airson an fhìrinn innse, chuir mi seachad beagan ùine a' soighneadh m' ainm-sgrìobhte airson luchd-obrach Babcock às a h-uile ceàrnaidh den rìoghachd a bha an làthair.

A dh'aindeoin adhbhar is nàdar an t-sluaigh seo bha latha math againn, agus tha mi a' toirt m' athar a Ghleann na h-Eaglais airson tì feasgair airson crìoch laghach a chur air an latha. Thug mi an aire nach robh e airson fàgail agus, air sàilleabh 's nach eil mòran làithean a leithid seo air fhàgail dha a thaobh na tha na chuimhne, chaidh an latha seo anabarrach math.

P.S. Rinn mi agallamh rèidio air an loidhne bho Thaigh Bhòid tràth sa mhadainn cuide ri Seumas Naughtie – nam aodach-oidhche. Tha mi a' cur na chuimhne gun do chuir e an cèill an-dè nach òrdaicheadh an Cabhlach Rìoghail longan bho ghàrraidhean-iarainn ann an Alba an dèidh neo-eisimeileachd, mar gur e an fhìrinn stèidhichte a bh' aige. Tha mise ag innse dha, mas urrainn don Nèibhidh tancairean òrdanachadh bho Chorea a

Deas, 's ma dh'fhaoidte gu bheil cothrom ann gun òrdaicheadh iad longan-cogaidh bho Abhainn Chluaidh!

Latha Fichead 's a Ceithir: Disathairne 5 An t-Iuchar

'S ma dh'fhaoidte gum bi an gnothach seo caran truagh, shaoil mi. A rèir prògram na co-fharpais bha agam ri Cupa Ryder agus baton Geamannan a' Cho-fhlaitheis a chur an aithne a chèile.

Ach tha cùisean a' dol gu math agus am baton a' ruighinn Cùrsa an Righ aig Gleann na h-Eaglais air paraisiut far a bheil grunn dhaoine ann airson fàilte a chur air agus an uair sin tha an goilfear Albannach cliùiteach a tha air duais *Major* a ghlèidheadh, Catrìona Matthew, ga ghiùlan don taigh-òsta.

Feumar a ràdh gu bheil a h-uile sgath aig Gleann na h-Eaglais ag obrachadh mar bu chòir, fiù 's na caran is cleasan.

Bidh mi a' dèanamh fiamh-ghàire leam fhìn a h-uile turas a bhios mi a' tadhal air Taigh Dormie ri taobh nan raointean goilf. Air do làimh chlì air an t-slighe a-steach tha preasa-taisbeanaidh spaideil anns a bheil putter airgid Cupa Ryder air a ghlèidheadh. Bidh gach club a tha a' cumail na farpais a' toirt a' chamain luachmhoir seo don ath chlub don tèid an fharpais – mar sin bheir sinn fhìn e do Hazeltine National, Minnesota, anns an t-Sultain. 'S e am putter fhèin a tha glèidhte sa phreas an da-rìreabh, ach bidh cuid den luchd-coimhead telebhisein a' gabhail iongnadh nach eil a choltas co-ionnan ris an fhear a chunnacas air prògram beò bhon chuirm chrìochnachaidh ann am Medinah, Illinois, anns an Dàmhair 2012.

Tha adhbhar sìmplidh ann. Nuair a bha a' chuirm an impis tòiseachadh, chaidh innse don luchd-eagrachaidh, a bha cho gasta 's a bha iad a-riamh ged a bha an sgioba aca air an cupa a chall ann an dòigh ris nach robh iad an dùil, gun robh uiread luchd-dìona mu thimcheall a' chamain agus air sgàth 's nach robh saor nam measg, cha b' urrainn dhaibh a thoirt a-nuas far balla an taighe-club. Chuir a' chùis seo a' chomataidh troimh chèile, mar sin bha iad ro thoilichte nuair a thuirt mi fhìn 'Na gabhaibh dragh, cleachdaidh sinn am putter airgid againn fhìn.'

Bha Hamish Steedman a tha a' dèanamh chaman goilf don chompanaidh chaman as sine san t-saoghal, St Andrews Golf Company, còmhla rinn anns a' phàillean Albannach. Gu fortanach, a thuilleadh air na camain traidiseanta aca dèante de dh'fhiodh hickory, bha iad air a bhith a' taisbeanadh dreach putter sònraichte dèante de dh'airgead cruaidh fad na seachdaine.

Mar sin, b' e an dreach seo an àite a' chamain airgid cheart a dh'fhoillsich mi air beulaibh luchd-èisteachd beò de 600 millean neach.

An dèidh na cuirme, dh'aontaich sinn gu lèir nach toireamaid iomradh air a' ghnothach bheag charach seo. Ach gu dearbh, nuair a thill iad a Chill Rìmhinn bha làn chead aig an luchd-chaman dàna an caman aca fhèin a thaisbeanadh mar 'putter Cupa Ryder' agus na dealbhan ann dheth mar fhianais. Tha an nì eireachdail seo, a th' air a sgeadachadh, gu h-iomchaidh, le Alexandrite, ri cheannach air $60,000. Thèid am putter eile a chur a Hazeltine – ma bhios saor againn airson a thoirt às a' phreas!

Tha sinn a' fàgail Cupa Ryder agus a' leantainn baton nan Geamannan a Dhrochaid Alain ann an Siorrachd Shruighlea, far an tèid a thoirt do champa trèanaidh sgioba lùth-chleasaichean na h-Alba.

Tha sinn air an sgioba Albannach as fheàrr a-riamh a thrusadh, anns a bheil treud de 310 lùth-chleasaichean, agus tha mi a' coinneachadh ri grunnan math dhiubh, a leithid a' bhuill as òige – an snàmhadair Erraid Davies à Sealtainn – agus a màthair.

Tha an t-àite seo fìor iomchaidh – fo sgàil tùr Uilleim Uallais. Tha e a' toirt orm òraid bhrosnachail a dhèanamh don sgioba fhèin agus an sgiobannan taic, anns a bheil na teaghlaichean aca. Tha an t-àite air bhoil. Tha a h-uile duine uabhasach moiteil às an tiotan bheag sin agus tha caithream is bualadh bhasan na dhèidh gar bodhradh.

Tha sgilean an luchd-carachd is luchd-judo boireann òg a' còrdadh rium gu sònraichte. Abair gu bheil iad fhèin deiseil is deònach. Mar a theireadh Diùc Wellington nam biodh e an seo: 'Chan eil fhios agam dè nì iad air na sgiobannan eile ach gu sealladh ormsa tha iad a' cur an eagail orm fhìn!'

A' tilleadh dhachaigh taobh Ghleann na h-Eaglais.

Latha Fichead 's a Còig: Didòmhnaich 6 An t-Iuchar

A' faighinn beagan fois an-diugh a' coimhead nan each air an telebhisean. Chan eilear a' dùr-cheasnachadh Alistair Darling [ceannard na h-iomairt CHA BU CHÒIR] idir air *The Politics Show* – ach tha coltas teth, draghail is caran troimh-chèile air fhathast.

Is toigh leam Anndra Neil, àrd-cheasnaiche a' BhBC, a dh'aindeoin beachd na mòr-chuid air. A thuilleadh air a bhith na chompanach laghach is fìor ghlic, 's toigh leam gu bheil a thaobhachd follaiseach an coimeas ris a' mhòr-chuid de mheur Lunnainn a bhios a' feuchainn ri am mì-chothromachd a chumail am falach.

Latha Fichead 's a Sia: Diluain 7 An t-Iuchar

Gam ullachadh fhèin airson Aberdeen Asset Scottish Open aig raon àlainn Royal Aberdeen ann am Baile Ghobhainn agus tha brath fòn air m' aire a fhuair mi o chionn trì bliadhna bho Sheòras O'Grady, duine àraid bhon Chuairt Eòrpaich. Bha e draghail gun robh iad an impis maoineachadh airson Barclays Scottish Open a chall agus bha e ag iarraidh orm a thighinn don latha mu dheireadh den fharpais aig Caisteal Stiùbhairt, a bha air tuil nan tuil fhulang.

Chuir mi a' mhòr-chuid den Didòmhnaich sin seachad a' bruidhinn ri Àrd-oifigear Barclays, Bob Diamond agus nuair nach robh sinn a' bruidhinn air goilf, chòrd e ris fhèin a bhith a' bruidhinn air Bob Diamond.

Bha muinntir sgìre Caisteal Stiùbhairt air taic a bha mìorbhaileach a thoirt seachad ri linn na tuil is iad ag iarraidh air tuathanaich an àite freagairt ris an tachartas, a leithid seo nach fhacas o chionn mìle bliadhna, agus dèiligeadh ris a' mhaoim-thalmhainn a bha air an raon grinn seo a chòmhdachadh. Agus feuch, bha goilf ann agus fiù 's bogha-froise air an latha mu dheireadh.

Chuir mi fhìn an cèill, ann an dòigh dhrùidhteach, nam bheachd fhìn, gum biodh e cothromach, an dèidh oidhirpean mòra muinntir na sgìre feuchainn ris a' cho-fharpais a shàbhaladh, leigeil le taobh tuath na h-Alba farpais mòr-chuairt a chumail a-rithist. Anns an dealachadh thuirt Bob ri Seòras agus rium fhìn: 'Chì mi sibh an ath-bhliadhna.'

An ceann beagan sheachdainean, chuir e às don mhaoineachadh. Agus an ceann bliadhna eile, chuir sgainneal ionmhais às do Bob.

Leis gun robh a' cho-fharpais ann an cunnart a-nis, dh'fhòn mi gu 10 companaidhean mòra feuch an dèanadh iad beachdachadh air maoineachadh a thabhann. Cha b' e foghair a' chaomhnaidh ann an 2014 an t-am as fhèarr airson a leithid a dhèanamh. Ach ged a bha sinn ann an staing aig an àm, 's math gun do thachair cùisean mar a thachair. Nam biodh Barclays air cumail orra lem maoineachadh, anns a' cho-fharpais ann an 2012, cha bhiodh duine sam bith airson an aoigheachd chorporra a chleachdadh a chionn 's gun robh a' phrìomh chompanaidh mhaoineachaidh an sàs ann an sgainneal Forex. Is dìomhair obair an Tighearna gu dearbh.

Co-dhiù, b' e Màrtainn Gilbert aig Aberdeen Asset Management an aon duine a bha dàna gu leòr airson an cothrom maoineachaidh a ghabhail. Anns na trì bliadhnaichean mu dheireadh tha an fharpais air a dhol am feabhas agus chan fhada gus am bi i na dàrna farpais goilf mhachrach as motha san t-saoghal. Agus 's i an aon fharpais air a' chuairt Eòrpaich, a bharrachd air an Open fhèin, a tha ga chraoladh air telebhisean lìonra Ameireaganach.

Nan cuirinn brath do na companaidhean sin an-diugh, 's ma dh'fhaoidte gun glacadh ochd dhiubh an cothrom maoineachadh a chur an sàs. Ach tha Aberdeen Asset a' sùileachadh ri ceangal a dhèanamh leis an fharpais gu 2020 agus tha iad airidh air.

Latha Fichead 's a Seachd: Dimàirt 8 An t-Iuchar

Tha na Canèidianaich a' nochdadh le planaichean a dh'fhaodadh beagan faochaidh a thoirt do mhargaidh thrang nan taighean-òsta ann an Obar Dheathain. Tha mi a' coinneachadh riutha airson taisbeanadh nam planaichean aca anns a bheil taigh-òsta Sandman le 220 seòmar is 4 rionnagan anns a' bhaile. 'S e fìor dheagh naidheachd a th' ann – ach cha lìon e an toll a dh'fhàgas dùnadh taigh-òsta Marcliffe ann am Bad Fodail, an dèidh do Stewart Spence a dhreuchd a leigeil dheth.

Ann an dòigh tha am Marclife coltach ri Rick's Bar ann an Casablanca agus 's e Stewart Humphrey Bogart. Bidh a h-uile mac-màthar ann: eadar urracha mòra na h-ola a' faighinn leigheis bhon oidhche a-raoir, agus leadaidhean aig lòn, agus eadar coinneamhan dìomhair feasgar agus na cuirmean as fheàrr agus as spaideile san dùthaich air an oidhche. Agus Stewart Spence os cionn a h-uile sìon mar as fheàrr leis fhèin.

Air ar n-adhart a Royal Aberdeen airson lòin cuide ri caipteanan sgiobannan nam fear is nam ban airson bruidhinn air obair phoblach is naidheachdan anns an fharpais goilf as motha ann an eachdraidh a' bhaile. Tha an gnothach caran connspaideach a chionn 's gur e clubannan a tha cha mhòr aon-ghnèitheach a th' ann an Royal Aberdeen agus Aberdeen Ladies. Ach tha làn-chead cluiche aig na dhà air an raon-mhachrach, tha na dhà a' cleachdadh nan goireasan agus a' co-eagrachadh dleastanasan mòra nam ball san fharpais, an coimeas ris an t-suidheachadh eadar-dhealaichte aig Muirfield, far am faod fir a-mhàin cluich. Tha mi a' smaoineachadh san fharsaingeachd gu bheil an luchd-naidheachd taiceil gu leòr 's nach tèid iad an sàs ann an donas sam bith.

A' tilleadh don Marcliffe airson dìnneir cuide ri Geoff Aberdein agus an *Scottish Sun*. Tha an deasaiche, Gòrdan Smart a' sìor-fhàs nas dòchasaiche gum faigh e cead airson bratach a phàipeir a chrochadh air crann BU CHÒIR.

Latha Fichead 's a h-Ochd: Diciadain 9 An t-Iuchar

Nam phàirt de Sgioba Mickelson an-diugh – a' strì ri gèile cuide ris a' ghoilfear iomraiteach sin, Phil.

An toiseach, a' cur na maidne seachad aig tachartas Club Golf aig raon Murcar ann an Obar Dheathain còmhla ri ceithir ceud neach òga dealasach agus a' chluicheadair laghach Ameireaganach, Ricky Fowler agus grunnan chluicheadairean proifeiseanta Albannach. Tha fear a bhuineas don taobh an ear-thuath agus a ghlèidh an Open nam measg, Paul Lawrie, agus fear anns a bheil dòchas muinntir na h-Alba aig Cupa Ryder, Stephen Gallacher.

Chaidh Club Golf a dhealbhadh an toiseach nuair a rinn Alba tagradh airson Cupa Ryder fo stiùir an t-seann Phrìomh Mhinisteir,

Eanraig MacIllÌosa, agus tha mi fhìn air am beachd a neartachadh is a leasachadh. Gu sìmplidh, tha e fa-near gun tèid caman goilf a chur an làmhan a h-uile duine san dùthaich a tha naoi bliadhna a dh'aois. Ma thèid an latha leinn, 's e a tha fa-near dhuinn ach gum bi cluicheadairean Albannach thar chàich ann an saoghal a' ghoilf an ceann deich no còig bliadhna deug.

Cha do ràinig sinn a h-uile sgoil fhathast ach am-bliadhna cha mhòr nach do ràinig sinn 85%. Anns na beagan bhliadhnaichean mu dheireadh tha sinn air aithne 350,000 neach òg a chur air a' gheama. Gu dearbh, a thuilleadh air a bhith na gheama, 's e dòigh-beatha a th' ann an goilf far an dèilig thu le soirbheachadh is fàilligeadh – agus 's tu fhèin an aon duine as urrainn dhut meallladh.

Tha Murcar, an cùrsa ri taobh Royal Aberdeen, air fàilte bhlàth a chur oirnn agus am measg nan rudan as tlachdmhoire mun iomairt reifreinn seo tha mise air càrn chuiridhean fhaighinn airson geamannan goilf a chluich. Às bith dè thachras san reifreann tha deagh bhliadhna romham ann an 2015.

Anns an fharpais pro-am, tha mi (a-rithist) an cuideachd Mickelson. 'S e sàr-dhuine a th' ann an 'Lefty', agus air sgàth ùidh is fhialaidheachd, tha e fhèin thar chàich air an Scottish Open a stèidheachadh mar phrìomh fharpais ùr na Roinn Eòrpa anns a bheil an luchd-farpais as fheàrr taobh a-muigh an Open fhèin.

A dh'aindeoin àrd-inbhe Mickelson, cha robh e ag iarraidh airgid airson nochdadh, agus air sàilleabh sin dh'fhaodamaid iarrtasan airgid eile a dhiùltadh agus am maoineachadh gu lèir le Aberdeen Asset agus Riaghaltas na h-Alba a chleachdadh airson an fharpais, an duais airgid is an taic a leasachadh an lùib Club Golf agus ghoireasan airson an luchd-ceannaich.

Tha mi ag iarraidh air Ted Bishop aig PGA Aimearaga agus Stewart Spence leis a bheil am Marcliffe cluiche anns an sgioba cheathrair againn – Sgioba Mickelson. Tha Stewart ann mar chomharra air na tha e air cur ri baile Obar Dheathain thar iomadh bliadhna, agus tha e a' cleachdadh an eòlais aige mun sgìre mar bhall Royal Aberdeen gu sìor-èifeachdach. Tha gaillean ann is gaoth mhòr bho chlì gu deas air a' chiad naoi tuill is cha mhòr gun urrainn dhuinn cumail oirnn a' cluich. Ach tha Stewart a' cluich mar a dh'òrdaich Dia fhathast … cas bhacach ann no às.

Cha mhòr gu bheil Ted is mi fhìn a' dèanamh a' ghnothaich air a' chiad naoi, ach tha a' ghaoth fìor-dhùbhlanach do Phil is a ghille-giùlain, Bones. Ged a tha seo a' ciallachadh nach faicear Sgioba Mickelson aig bàrr bòrd nan cluicheadairean, tha uabhasach taitneach cluich còmhla ri Phil oir tha an dùbhlan a' còrdadh ris gu mòr. Bidh na cluicheadairean mòra eile gearanach air sgàth na gaoithe neartmhoir no nan leuman mosach a nì am ball ach bidh Phil a' gabhail ri mì-cheartas nan raointean-machrach gu toileach. 'S e an t-eòlas sin a ghlèidh an Scottish Open agus an Open fhèin dha san aon bhliadhna agus a tha ann an cridhe aon de na goilfearan nàdarra as fheàrr a bh' ann a-riamh.

Air an toll mu dheireadh, tha Phil a' comharrachadh sluic-ghainmhich a tha air ùr-shuidheachadh a rèir ball a' chluba – 's dòcha mun bhliadhna 1950 ma tha sinn a' bruidhinn air machair Baile Ghobhainn!

Tha Phil ag ràdh: 'Cha toigh leam an sloc sin. Chan eil e a' freagradh ris a' chùrsa. 'S tu fhèin am Prìomh Mhinistear. Ma dh'òrdaicheas tu gun tèid a lìonadh, canaidh mise gu poblach gu bheil mi airson neo-eisimeileachd.'

'Dèante,' tha mise a' freagairt, is sinn a' bualadh dhòrnan.

'A Phrìomh Mhinisteir, chan eil thu gam thuigsinn,' tha e ag radh. 'Feumaidh tu a lìonadh ron mhadainn mus tòisich an fharpais.'

'Thuig mi thu glan a' chiad turas,' tha mi fhìn ag ràdh, mus buail sinn dòrnan a-rithist.

Latha Fichead 's a Naoi: Diardaoin 10 An t-Iuchar

'S e gnothach cudromach a th' ann an goilf. Gu dearbh, 's urrainn dhut gnothachas glè chudromach a dhèanamh ann an geama goilf.

Tha Geoff Aberdein air a bhith a' gabhail dragh gu bheil mi a' nochdadh aig farpaisean goilf air sàilleabh 's gu bheil an *Daily Telegraph* air a bhith glacte le sgeul Cupa Ryder 2012 ann am Medina. Na bheachd-san, bidh iad gam shàrachadh airson a bhith a' cluich goilf an àite a bhith a' dèiligeadh ri mo dhleastanasan. Tha mi air mìneachadh uair is uair nach eil e gu diofar dè nì sinn. Nam bithinn-sa a' coiseachd air uisge chuireadh às mo leth gun robh mi a' fanaid air Crìosd. Ach tha Geoff airson 's gun tèid againn air an t-seachdain agam ann an Obar Dheathain a dhìon agus tha e a' feuchainn ri seallainn gur e gnìomhachas goilf gnìomhachas na h-Alba.

Mar sin, tha an luchd-oifis prìobhaideach agam air a bhith caran ro dhealasach a' cur beachdan Geoff an gnìomh is iad air ceathrad 's a ceithir coinneamhan gnìomhachais a chur air dòigh an t-seachdain sa. 'S e farpais mhòr golf an seòmar-bùird as fheàrr – bidh a h-uile duine a' tighinn agus a h-uile duine airson coinneachadh riut.

Tha sinn a' tòiseachadh an-diugh le fosgladh P2D a tha na chompanaidh ola glè inntinneach. O chionn iomadh linn bhiodh na Sìnich a' pàigheadh dhotairean nuair a bhiodh iad slàn fallainn. Tha a' chompanaidh ro-dhìonach seo ag obair a rèir a' bheachd sin air pìoban ola is gas.

An uair sin air ais 'don t-seòmar-bùird' airson coinneimh le BrewDog. Tha mi a' cur nan gillean gasta seo às a' Bhruaich an aithne

Mhàrtainn Gilbert aig Aberdeen Asset, a tha a' gabhail iongnadh an toiseach carson a tha mi ag iarraidh air coinneachadh ris na gioballan seo. Tha e an uair sin a' sparradh sreath cheistean ionmhasail air Màrtainn Dickie aig BrewDog, a tha gam freagairt le liut; 's i an fhreagairt as fheàrr gun robh 4,000 neach aig a' choinneimh bhliadhnail aca, nach eil iad air earrann steallach a phàigheadh a-riamh agus gur ann leotha fhèin a tha 78 sa cheud den chompanaidh aca fhathast.

'Modal maoineachaidh math,' tha Gilbert ag ràdh.

Air ais aig a' ghoilf, tha cuairt uabhasach math aig Rory Mcilroy ann an sìde dhoirbh ('s fhiach e geall a chur air an t-seachdain sa tighinn). Tha sinn a' dèanamh air coinneamh de Bhòrd Chomhairleachaidh na Cumhachd airson beachdachadh air prìomh aithisgean air na thachras anns na margaidhean cumhachd agus gnìomhachas na h-ola.

Tha an latha a' tighinn gu crìch leis an naidheachd mhath anns an Daily Record: BU CHÒIR air 47 sa cheud agus an SNP fada air thoiseach ann an cunntas nam pàrtaidhean. Tha mi den bharail gu bheil na figearan aig Survation ro àrd dhuinn fhathast. Co-dhiù 's e cunntas-bheachd fìor bhrosnachail a th' ann.

Latha Trithead: Dihaoine 11 An t-Iuchar

Tha beagan còmhstri air telebhisean eadar mi fhìn agus Danny Alexander mun ola. Tha e a' cur nam chuimhne dè cho fada 's a tha sinn air a bhith a' deasbad luach an òir dhuibh.

Do Sheòmraichean Malairt Obar Dheathain an tòiseach airson taisbeanaidh air an reifreann. Tha na Seòmraichean air a bhith uabhasach cothromach is neo-thaobhach tron deasbad agus 's e coinneamh air leth math a tha seo.

Tha mi a' tachairt ri seann charaid sgoile a tha an seo a chionn 's gu bheil e airson BU CHÒIR a bhòtadh ach tha draghan air mu na 'leisgeadairean' ann an Glaschu. Tha mi ag innse dha gur dòcha gu bheil muinntir Ghlaschu a' gabhail dragh mu mhuinntir bheairteach Obar Dheathain coltach ris fhèin!

Tha an deasbad le Alexander a' tachairt an dèidh ro-aithris na h-ola le Oifis Chunntasachd a' Bhuidseit airson nan Trithead bliadhna a tha romhainn. Bha seo inntinneach a chionn 's nach b' urrainn dhaibh ro-aithris earbsach a thoirt gu buil sna trì bliadhnaichean mu dheireadh.

O chionn Trithead bliadhna bha mi fhìn an sàs ann an ro-aithris luach na h-ola is chuir mi siostam a' Bhanca Rìoghail an sàs a tha air a chleachdadh gus an latha an-diugh. Sgrìobh mi fhìn agus an Dr Jim Walker aig am Fraser of Allander Institute am pàipear a bu chudromaiche air builean ionmhasail prìs ola an aona-dolair ann an 1986 agus mhìnich sinn carson a rachadh a' phrìs agus an gnìomhachas am follais. Aig an àm sin bha Oifis an Ionmhais a' creidsinn (no thuirt iad gur e sin a bha iad a' creidsinn) gum biodh an gnìomhachas a' sgròbadh a' bharaill mu dheireadh mun bhliadhna 2000, agus bhiodh iomadh bliadhna ann fhathast mus tòisicheadh Danny Alexander air an aon dreuchd anns an robh e a-riamh mar phrìomh oifigear naidheachdan aig Pàirc Nàiseanta a' Mhonaidh Ruaidh.

Anns na seann làithean ud bhithinn ag aithris sgeulachd a tha iomchaidh fhathast. Tha Albert Einstein a' nochdadh aig geata an Naoimh Pheadair agus a' cur obair rianachd nèimh ann an staing. Tha Peadar ag innse do Ghabriel agus don Tighearna Uile-cumhachdach nach eil mòran san t-sluagh naomh a tha a cheart cho fiosrach 's a tha Einstein a thaobh companais agus còmhraidh. Bidh nèamh air irioslachadh gu lèir mura dèanar rudeigin mu dheidhinn gu luath.

Tha iad a' fastadh nan ainglean as glice ann an nèamh mar chompanaich an duine mhòir – ainglean aig a bheil IQ de 159, 160 (an IQ aig Einstein fhèin) agus aingeal aig a bheil IQ de 161 nach robh aig duine beò a-riamh.

Tha Einstein a' bruidhinn ri gach aingeal mu seach a' tòiseachadh leis an treas aingeal as glice: 'Tha e math coinneachadh riut, leasaichidh sinn teòirig na dàimheachd agam còmhla.' An uair sin ris an dàrna aingeal as glice: 'Tha e math coinneachadh riut, nì sinn obair còmhla air brìgh a' chruthachaidh.'

Mu dheireadh tha e a' tionndadh is a' coimhead air an aingeal a tha nas glice na e fhèin, an t-aingeal as glice ann an nèamh agus an nì as glice ann an nèamh no anns a' chruinne gu lèir agus a' faighneachd dhith: 'Dè a' phris a bhios air an ola an ath-sheachdain?'

'S e cnag na cùise nach eil fios aig duine dè a' phrìs a bhios air an ola sa gheàrr-ùine, ach anns an fhad-ùine cumaidh a' phrìs san fharsaingeach ri cosgais baraill ionadach. 'S e as cudromaiche mu bheairteas ola dè co lìonmhor 's a tha na goireasan a ghabhas toirt às uisgeachan na h-Alba san fhad-ùine, a tha Oil and Gas UK a' tomhas aig 24 billean baraill, aig a' char as ìsle.

Tha na naidheachdan a' cosg barrachd ùine air riamalach Danny na tha iad air beachdan An Oll. Dhòmhnaill MhicAoidh, fear aig a bheil eòlas air a' chuspair. Tha MacAoidh, a sgrìobh an leabhar cliùiteach, *The Political Economy of North Sea Oil*, a' diùltadh cunntas dubhach Oifis an Ionmhais/OBR mun àm ri teachd is e ag ràdh: 'Chan eil toll dubh ann ach òr dubh a dhìth.'

Latha Trithead 's a h-Aon: Disathairne 12 An t-Iuchar

Am bu chòir dhomh sodal a dhèanamh ris 'An Dòmhnall' no slaic a thoirt dha? No am b' fheàirrde mi a sheachnadh uile gu lèir?

Tha brathan nàimhdeil mur deidhinn sna pàipearan a' toirt buaidh air dòigh-smuain an luchd-naidheachd as fheàrr aig BBC Lunnainn. Eadar na coinneamhan air an raon-goilf, tha mi a' dèanamh agallaimh le Iain Pienaar airson 5 Live. 'S toigh leam Iain, a tha cho cothromach 's a ghabhas, ach tha blas nan naidheachdan mi-chothromach eile a' sgeadachadh a cheistean: mar eisimpleir, àrdachadh le dà phuing do BU CHÒIR air aithris mar gur e ìsleachadh a bh' ann. Tha na meadhanan an Lunnainn san fharsaingeachd den bheachd gun caill sinn, agus gun caill sinn gu dona. Tha iad ceàrr.

Ged nach ann an Lunnainn a-mhàin a tha na meadhanan taobhach. Sa Herald, tha an naidheachd gu bheil Sir Daibhidh Edward – a bha na bhritheamh ann an Cùirt a' Cheartais de na Coimhearsnachdan Eòrpach – air taobh CHA BU CHÒIR air a h-aithris mar gur e duilgheadas bàsmhor do BU CHÒIR a tha air tachairt. Ach chaidh barrachd cudrom a chur air na beachdan reusanta is brosnachail aig Sir David mu shuidheachadh na h-Alba anns an Aonadh Eòrpach a chionn 's gun robh e a-riamh air taobh CHA BU CHÒIR.

Tha na dealbhan telebhisein àlainn bho Royal Aberdeen a' leantainn agus baile mòr na h-ola is a' ghas, an dùthaich Bhuchanach agus cladach Siorrachd Obair Dheathain gan taisbeanadh don t-saoghal mhòr. Tha mi fhìn nam aoigh a' bruidhinn air an t-sruth eadar-nàiseanta còmhla ri Dougie Donnelly. Tha fear de na dealbhan telebhisein a' sealltainn treubh leumadairean a' stiùireadh bàta bathair a-mach à cala Obar Dheathain.

Tha mise ag ràdh: 'Chuir iad sia mìosan seachad gan trèanadh agus sia mìosan eile a' peantadh suaicheantas Aberdeen Asset air na droman aca!'

Tha mi an cuideachd Phil Mickelson a-rithist, is sinn nar n-aoighean an turas seo aig pàrtaidh co-là-breith Mhàrtainn Gilbert. A dh'aindeoin an teagaisg a thug mi dha Phil na bu thràithe san t-seachdain, cha ghlèidh e an fharpais am-bliadhna – ach tha e a-nis gu mòr airson neo-eisimeileachd na h-Alba.

Tha e cuideachd airson còrdadh a dhèanamh eadar mi fhìn agus Dòmhnall Trump, air a bheil Phil measail, ach ris nach eil e ag aontachadh air cuspairean a leithid cumhachd gaoithe mhara. A rèir nan naidheachdan chaidh Salmond agus Trump a-mach air a-chèile air sgàth nam molaidhean airson tuathanas gaoithe deuchainneach a thogail ann am Bàgh Obar Dheathain. Nam bheachd fhìn, agus a thaobh an reifreinn, 's dòcha gu bheil barrachd buannachd an cois strì le Mgr Trump na bhiodh ann an rèiteachadh.

Co-dhiù, cha chòrdadh e ris a' Mhorair Thagraidh nam bruidhninn-sa ri cuideigin a tha a' dìteadh Riaghaltas na h-Alba an-dràsta – ged a tha An Dòmhnall a' call an-dràsta agus a' call gu dona.

Latha Trithead 's a Dhà: Didòmhnaich 13 An t-Iuchar

Tha mi a' gairm gu h-oifigeil gur ann anns A' Ghualainn a bhios an ath Scottish Open – ach tha eagal orm gun do dh'fhoillsich mi an naidheachd dhìomhair o chionn seachdain no dhà.

Chan eil e na iongnadh do mhuinntir nan naidheachdan nuair a tha an cùrsa ga ainmeachadh, air sàilleabh 's gun robh mi fhìn agus Màrtainn Gilbert air cluich air a' chùrsa-mhachrach air leth sin ann an Lodainn an Ear beagan sheachdainean air ais. 'S e an t-àite as fheàrr airson an fharpais a chumail gun teagamh – 's e club coimhearsnachd a th' ann nach eil co-cheangailte ann an dòigh sam bith ri leth-bhreith ghnèitheach agus aig a bheil roinn òigridh a tha a' sìor-dhol am meud. Tha raon tradaiseanta anabarrach math ann anns a bheil sealladh mara cho àlainn 's a chì thu an Alba.

Tha mi cinnteach gu bheil beagan brùthaidh air a bhith ga chur air Màrtainn airson an fharpais a thoirt nas fhaisge air Renaissance, an raon ùr eireachdail faisg air Bearaig a Tuath, ach a chionn 's gu bheil ballrachd teaghlaich a' cosg mu £100,000 cha bhiodh e a' taisbeanadh na teachdaireachd againn gu bheil goilf na h-Alba fosgailte don a h-uile duine.

Tha mi a' coileanadh na h-ochd coinneamhan gnìomhachais mu dheireadh agam agus tha an fharpais a' tighinn gu crìch leis na sluaghan as motha a bha a-riamh ann, le buannaiche airidh agus le farpais mhath aig na h-Albannaich, Stephen Gallacher, Marc Warren agus Scott Jamieson.

A' comharrachadh deireadh na farpais le dìnnear ann an taigh-òsta Marcliffe. Rinn an sgioba agam fìor mhath fad seachdain mhath ach claoidhteach. Agus cha mhòr nach eil mi air mathanas a thoirt dhaibh airson an clàr-ama a lìonadh le coinneamhan gnìomhachais.

Latha Trithead 's a Trì: Diluain 14 An t-Iuchar

Chan eil an goilf seachad buileach. Air ais 'don t-seòmar-bùird' airson na trì coinneamhan mu dheireadh agam a choilionadh anns na geamannan ceathrair aig Royal Aberdeen. Tha mi ann an sgioba cuide ris a' chluicheadair as fheàrr anns a' cheathrar, Ian Donnelly aig Babcock Energy and Marine Services MD. Eadar an dithis againn tha sinn fuireach air thoiseach airson an geama a ghlèidheadh trì agus aon ann an sìde dhoirbh.

Chan eil mi fhìn a' cluich cho dona ged a b' urrainn dhomh piseach a thoirt air a' chluich agam fhathast. Tha mi a' gabhail cothrom ceist a chur air Iain mun sgeul anns a' *Sunday Times* gun do 'dh'amais Babcock air Salmond.' Tha e ag ràdh nach eil fhios aige mun chùis agus a' cur coire air na meadhanan.

'S e brùthadh ministearan an Dìona a tha ag adhbharachadh nan draghan a th' air a' chompanaidh dìona, mar a dh'fhoillsich an sàr-neach-naidheachd, Mure Dickie anns a' *Financial Times* anns a' Ghearran a chaidh.

Tha sin caran neònach a chionn 's gun robh *Dispatches* air Channel 4 an t-seachdain a chaidh a' dèanamh a-mach gu bheil Riaghaltas na h-Alba ri làmhachas-làidir is iad a' cleachdadh bheachdan seann Àrd-oifigear umhail Comann an Uisge-beatha, Gavin Hewitt. Tha seo fìor annasach air sàilleabh 's nach ann air neo-eisimeileachd a bha an strì againn leis a' Chomann bonntaichte ach air bun-phrìs deoch làidir, a tha iad air a bhith a' bacadh tro chùisean lagh a dh'aindeoin nan sochairean soilleir slàinte is sòisealta na lùib.

Latha Trithead 's a Ceithir: Dimàirt 15 An t-Iuchar

Tha na h-aontaidhean a dh'fhaodadh a bhith ann leis a' chompanaidh chumhachd Shìneach, Petrochina, a' dol air adhart fhathast – agus tha mi a' siubhal a Lunnainn a choinneachadh ri stiùiriche companaidh Mgr Bingjun Si airson a' chiad turais bhon dìnnear againn ann an Caisteal Dhùn Èideann. Tha an litir chàirdeil a fhuair mi bho Phrìomhaire Li Keqiang, a tha ag iarraidh gun toir na Sìnich an tuilleadh ionmhais seachad ann an Alba, a' drùidheadh air.

Thàinig Li Keqiang a dh'Alba Mar Iar-phrìomhaire Shìna ann an 2011 is e ag ullachadh airson tè de na dreuchdan as cumhachdaiche san t-saoghal. Chuir e òraid ealanta, a chòrd ris na bha an làthair gu mòr, air chois aig cuirm mhòr ann an talla mòr a' chaisteil leis na faclan: 'Tha e mìorbhaileach a bhith an seo ann an Alba – tìr an innleachdais.'

Chùm an oidhche a' dol gu uairean tràth na maidne agus bhuail Còmhlan-pìoba Poileas Lodainn is nan Crìochan an ratreut anns an Talla Mhòr fhèin. Rinn an Iar-phrìomhaire an uair sin nòs na cuaiche an dèidh dha eòlas a thaisbeanadh aig blasad uisge-beatha. Chòrd an oidhche ris a h-uile duine agus sheall an t-Iar-phrìomhaire taobh fàbharach den cheannardas Shìneach.

An ath-oidhche bha Li aig cuirm fhoirmeil nan tàidhean-geala air aoigheachd Rùnaire nan Dùthchannan Cèin aig Taigh Lancaster. Anns a' chiad leth de òraid dh'innis an t-Iar-phrìomhaire don èisteachd dè cho math 's a tha Alba – thog e a ghlainne an uair sin airson a dheoch-shlàinte dhealasach is thuirt e 'Slàinte Mhath'. Chaidh faclan Li an iomrall air a' mhòr-chuid den luchd-èisteachd. Bha an Rùnaire Maireannach againn, a bha an làthair aig an dìnnear, air a dhòigh glan.

Tha mi caran draghail mu na figearan cion-cosnaidh a thèid an sgaoileadh a-màireach a chionn 's gu bheil àrdachadh beag ann. Ach an dèidh beagan sgrùdaidh tha iad a' sealltainn gu bheil daoine a' sìor-thilleadh don mhargaidh obrach, gu bheil cosnaidhean a' dol am meud gu luath agus – nas fheàrr buileach – tha GDP na h-Alba air tilleadh don ìre a bh' ann ro staing an ionmhais, cairteal bliadhna air thoiseach air a' chòrr den Rìoghachd Aonaichte. Tha seo a' dol an aghaidh beachd an t-Seansalair gun toireadh fiù 's pròiseas an reifreinn droch bhuaidh air eaconamaidh na h-Alba.

Latha Trithead 's a Còig: Diciadain 16 An t-Iuchar

Coinneamh bracaist còmhla ris an duine bheachdail sin, am Morair Dafydd Wigley, a tha na neach-poileataigs cho soirbheachail 's a th' ann an eachdraidh Plaid Cymru. 'S ma dh'fhaoidte nach eil coltas ro iomraiteach air sin air a' chiad sealladh ach 's e sàr-neach-poileataigs a th' ann an Dafydd agus chan urrainnear stad a chur air. Chan urrainn dhut ach a bhith measail air.

Tha mi ag innse do Dafydd gun tèid againn air an reifreann a bhuannachadh, ach chan eil e gam chreidsinn agus tha barrachd ùidh aige anns a' phlana agam ma chailleas sinn. 'S e an duilgheadas a th' ann le Dafydd gu bheil e a' smaoineachadh gu bheil mi fhìn cho seòlta ris fhèin – gur e mo mhiann-sa gun toir mi air Camshron devo-max a thoirt dhuinn. Tha mi ag innse dha nuair a tha cuideigin a' cur geall dà-àite air rèis, gu bheil iad an dòchas gun glèidh an t-each aca fhathast.

Nuair a bha mi nam thagraiche òg ann an 1987, bha Dafydd ag iomairt air mo shon aig companaidh innleadaireachd ann an Ceann Phàdraig. Fhad 's a choisich sinn mu thimcheall ùrlar na factaraidh, thuirt e: 'Bruidhnidh mi fhìn ris na manaidsearan, bruidhinn fhèin leis an luchd-obrach … agus tha mi a' ciallachadh a h-uile duine aca. A h-uile mac màthar aca!'

Lean mi òrdugh Dafydd agus bhruidhinn mi ris a h-uile innleadair air cùl a h-uile inneil gus an deach mi seachad air neach-obrach mu 30 troigh os mo chionn a bha a peantadh shuas air àrd-chabhsair.

'Thalla is bruidhinn ris-san,' dh'òrdaich Dafydd. Mar sin dhìrich mi am fàradh gus an do ràinig mi am peantair air an do chuir mi iongnadh. 'Is mise Ailig Salmond,' thuirt mi is mi a' gabhail m' anail. 'Am bhòt thu air mo shon?'

''S mi nach bhòt,' fhreagair am peantair agus an dèidh dha am briseadh-dùil fhaicinn air mo ghnùis, thuirt e: 'Chan urrainn dhomh, a charaid. 'S ann à Obar Dheathain a tha mi. Ach nam b' ann à Ceann Phàdraig a bha mi, tha fhios gum bithinn craicte gu leòr airson bhòtadh do ghloic ded leithid-sa!'

Nas fhaide den latha tha mi a' coinneachadh ris an Àrd-oifigear ùr aig Diageo, Ivan Menzies, a tha na dhuine gasta gu leòr agus aig a bheil ùidh mhòr san reifreann. Tha e ag innse dhomh nach bi iad a' reic Gleann na h-Eaglais, no co-dhiù chan eil iad a' sùileachadh gun reic iad e, agus tha fhios nach eil an dà bheachd sin co-ionnan. Tha e coltach gu bheil e measail air a' bheachd agam gun cùm sinn farpais shònraichte airson togail air stèidheachadh na h-oighreachd luachmhoir aca ann an teis-meadhan saoghal a' ghoilf an dèidh na Sultaine.

Tha e cuideachd dèidheil gu leòr air a' bheachd gun tèid taic a chumail ri leasachadh spòrs is gnìomhachais ann an Cill Mheàrnaig – far an robh an seann fhactaraidh Johnnie Walker – aig a' chomhairle ionadail. Tha sinn ag aontachadh nach bruidhinn sinn air bun-phris deoch-làidir a chionn 's gu bheil an gnothach anns na cùirtean fhathast.

Tha mì-chòrdadh ag èirigh anns a' choinneimh nuair a tha mi a' cur na ceist air, carson a tha an seann Rùnaire aig Comann an Uisge-bheatha, Gavin Hewitt, a' dèanamh a-mach gu bheil Riaghaltas na h-Alba ri làmhachas-làidir. Tha e soilleir nach eil dad a dh'fhios aig Ivan cò air a bheil mi a-mach, ach air ar slighe a-mach tha fear de a cho-obraichean a' cagarsaich: 'Chan e sinne. Riaghaltas Bhreatainn. Bha Gavin ag obair aig Oifis nan Dùthchannan Cèin.'

Lòn anns a' bhaile aig Aberdeen Asset, far a bheil Màrtainn Gilbert air fìor mheasgachadh de dhaoine a chruinneachadh. Tha a' choinneamh soirbheachail agus tha beagan taic is bàidh ann dhuinn am measg cuid de na daoine as iomraitiche ann an saoghal ionmhais baile mòr Lunnainn.

A' ruighinn Liverpool an dèidh turais trèana gu deas. Tha mi a' dèanamh a' ghnothaich air (air an treas oidhirp) cumail ri latha diet. An dèidh cumail gu dlùth ris an diet 5-2 agam (a' gabhail nas lugha na 600 calaraidh aon latha, dà latha àbhaisteach, latha eile air 600 calaraidh, agus trì làithean àbhaisteach mus tòisichinn a-rithist) tha mi air còrr is dà chloich a chuideam a chall, ach tha e a' sìor-fhàs nas dorra dhomh cumail ris rè na h-iomairt. Tha cuid san oifis phrìobhaidich agam ag ràdh gu bheil làn fhios aca gur e latha diet a th' ann a chionn 's gu bheil mi cho gruamach. Tha cuid eile ag ràdh nach eil iad a' faicinn diofair sam bith annam. Chan eil fhios agam cò am beachd as fheàrr aca!

Latha Trithead 's a Sia: Diardaoin 17 An t-Iuchar

A' coinneachadh ri Peadar Kilfoyle, duine gasta a tha na fhìor Làbarach is na bhall airson Liverpool Walton fad còrr is fichead bliadhna. Tha sgaradh beachd air tighinn eadar Peadar agus na Làbaraich gu nàiseanta, agus ann an Liverpool gu sònraichte, agus tha e a' cur ainm ri bhòt BU CHÒIR ann an Alba.

Tha sinn a' gabhail a' bhàta-aiseig thar abhainn Mersey còmhla ri Brian Mac an Tàilleir aig a' BhBC, aig a bheil ùidh anns an taic seo ann an Liverpool airson neo-eisimeileachd. Tha am meas mòr a th' aig daoine air an aiseig air Peadar a' dhearbhadh gur e ball pàrlamaid math a th' ann. Tha na daoine a' cur fàilte bhlàth orm fhìn, mar as àbhaist, ann an Liverpool. Tha mi a' coimhead air an agallamh eadar Brian is Peadar. Tha iad cho coltach ri chèile.

Tha cuimhne agam nuair a bha mi air *Question Time* ann an Liverpool anns an iomairt taghaidh ann an 2011. Thug mi ionnsaigh air na trì pàrtaidhean Westminster mun t-seirbheis slàinte a chòrd ris an èisteachd glan. Nuair a bha deireadh a' phrògraim air fàire, thuirt Èirinneach à Liverpool gum bu chòir dhomh a bhith nam àrd-bhàillidh a' bhaile, a dh'adhbharaich bualadh mòr nam basan.

Smaoinich mi rium fhìn 'abair thusa dòigh mhath air prògram a thoirt gu crìch' nuair a thug an neach-èisteachd ionnsaigh, aig a' cheart àm 's a bha Daibhidh Dimbleby a' toirt a' phrògraim gu crìch, air Club Ball-coise Liverpool agus mar a bhios iad a' dèiligeadh ris na daoine a tha a' fuireach air Rathad Anfield. Choisich e a-nuas don phannal airson a' phuing a mhìneachadh. An ceann greis dh'iarr sinn air tilleadh do a shuidheachan air a' ghealladh (a chùm mi fhìn) gun èisteadh sinn ri a bheachdan an dèidh a' phrògraim.

Ach bha an geas air a bhriseadh an uair sin agus choisich cuideigin eile a-nuas le bratach mhòr airson slaic a thoirt air Ryanair agus shuidh e air beulaibh a' phannail. An dèidh dhuinn mìneachadh nach rachadh gearan seach gearain a chraoladh agus gu dearbh gun robh dàil sa chraoladh a dh'aona-ghnothach airson dèiligeadh ri a leithid, chaidh an ùpraid a thoirt gu crìch gu socair.

Ach air sàilleabh na h-othail seo cha deach m' ainmeachadh mar àrd-bhàillidh baile mòr Liverpool a chraoladh a-riamh. 'S bochd sin oir bhithinn air a bhith fada na b' fheàrr na an t-àrd-bhàillidh Làbarach a th' ann an-dràsta, Joe Anderson, a thuirt gun robh e a' smaoineachadh gun robh Peadar Kilfoyle marbh nuair a nochd e ann an naidheachdan an reifrinn. Fhreagair Peadar gum b' fheàrr leis gun robh daoine den bheachd gun robh e marbh an àite a bhith beò air èiginn agus marbh san eanchainn am broinn Pàrtaidh Làbarach a' bhaile.

An dèidh an agallaimh tha mi aig lòn *Financial Times* mar phàirt den fhèis ghnìomhachais eadar-nàiseanta aca. Tha mi a' cumail orm le mo bheachd gun atharraich neo-eisimeileachd a' chridhe eaconamaich gu tur agus gum bi sin gu math nan eileanan seo.

Air ais ann an Dùn Èideann tha mi anns a' chathair aig coinneamh iomairt agus a' faicinn gu bheil am brosnachadh agam air obrachadh.

Tha a' choinneamh a' cumail ris a' chruth àbhaisteach far a bheil an cunntas-bheachd as ùire a' toirt cus buaidh air sunnd nan daoine. Ach an turas sa, 's ann a tha an naidheachd math – tha cunntas TNS a' sealltainn gu bheil àireamh mhòr de luchd-bhòtaidh Làbarach a' gluasad a dh'ionnsaigh BU CHÒIR. Agus, a thuilleadh air sin, tha barrachd caidreachais nam measg.

Tha mi a' cur sgioba deasbaid airson nan deasbadan telebhisein a tha romhainn anns a bheil na seann bhuill phàrlamaid Albannach, Anndra MacUilleim agus Donnchadh Hamilton.

Tha naidheachd fìor dhuilich a' nochdadh gun deach losgadh air itealan Malaidheach anns an Ucràin agus tha e coltach gur e reubaltaich air taobh Ruisia as coireach. Bidh an naidheachd seo agus an gàbhadh èiginneach ann an Gaza air feadh nam meadhanan airson nan làithean ri teachd.

Tha Mcilroy a' cluich gu math anns an Open ach chan eil sin na iongnadh an dèidh mar a bha e a' cluich ann an Obar Dheathain. Tha coltas math air na chur mi air a' gheall airson Mickelson, Mcilroy agus Gallacher.

Latha Trithead 's a Seachd: Dihaoine 18 An t-Iuchar

Tha mi a' cur romham gun leig mi dhìom dreuchd a' Phrìomh Mhinisteir mura tèid latha an reifreinn leinn.

Cha do dh'innis mi sin don Iar-phrìomh Mhinistear agam, Nicola, gus an-diugh fhèin. Chan eil fhios aig duine ach aig Moira agus Geoff Aberdein. Cha robh an còmhradh seo stèidhichte air call ris a bheil fiughair againn, ach air a' chaochladh, tha mi ga ràdh aig an aon àm 's a tha mi a' cur cuideim air a' bhuaidh a dh'fhaodadh a bhith againn.

Tha mi ann an Glaschu aig a' choinneimh mu dheireadh den Bhuidheann Ro-innleachdail, a' chomataidh a tha os cionn nan Geamannan. Ach tha e a' toirt cothrom dhomh a dhol a chèilidh air Nicola aig an taigh airson còmhraidh shaor-chridheach. Bidh sinn a' coinneachadh ri chèile cha mhòr a h-uile latha obrach ach 's gann gum faigh sinn cothrom cabadaich leinn fhìn. Tha sinn a' bruidhinn air ciamar a tha an iomairt a' dol.

'S e boireannach òg iongantach a th' innte. Cha do thachair mi a-riamh ri neach-poileataigs aig an robh làmh cho cinnteach air uiread sgilean poilitigeach aig aois cho òg agus 's gann gum faca mi duine sam bith a dh'obraich cho math fo uallach.

Air ais ann an 2004, an dèidh dhomh tilleadh airson am pàrtaidh a stiùireadh, dh'fhaighnich mi de Nicola an seasadh i còmhla rium mar cho-thagraiche. Bha i a' call san fharpais, chan ann air sàilleabh dìth eòlais phoilitigeach ach dìth eòlas obrach. Shaoil mi nach b' e ruith ach leum a dhèanadh i is gun glacadh i an cothrom an làrach nam bonn. An àite sin mheòraich i fad latha is oidhche is dh'fhàg i mi a' feitheamh. Saoilidh mi gun robh i fhèin den bharail aig an àm gun do ghabh mi san t-sròn e. Cha do ghabh. 'S ann gam bhrosnachadh a bha i.

Tha an com-pàirteachadh againn air a bhith fìor shoirbheachail fad deich bliadhna – agus às bith dè thachras bidh Nicola fìor chumhachdach fad iomadh bliadhna eile.

Tha mi ag innse dhi gun urrainn dhuinn buannachadh agus a-nis gu bheil na ciad chomharran earbsach againn gu bheil na h-iomairtean ionadail is eadar-lìn againn a' tòiseachadh air daoine a tharraing gu BU CHÒIR. Ach feumaidh sinn cridhe na h-iomairt a thoirt air falbh bho bhith a' feuchainn ris an ath ionnsaigh CHA BU CHÒIR a mhùchadh agus fios a sgaoileadh air na cothroman obrach is slàinte an cois neo-eisimeileachd.

Tha i a' dol leam air na dhà agus ag ràdh gu bheil sunnd baile Ghlaschu uabhasach dòchasach. Ach, tha mi ag innse dhi cuideachd gum bu chòir dhomh fhìn uallach sam bith a ghabhail os làimh ma chailleas sinn, gus an tèid aig a' phàrtaidh gluasad air adhart airson nas urrainn dhuinn a dhèanamh às an t-suidheachadh. Tha an co-dhùnadh agam an crochadh air an t-suidheachadh aig an àm. Tha Nicola ag innse dhomh, mar bu dual dhi, gum feum sinn ar n-aire a chumail air glèidheadh an reifreinn agus sgur den bhleadraigeadh air rudeigin nach tachair co-dhiù.

Na bu tràithe den latha bha seisean dealbhan ann an Kelvingrove còmhla ris na bobhlairean trìbilte Pagastànach – no an dà thrian dhiubh a shiubhail na trì mìltean bho Rathad Battlefield ann an Glaschu airson pàirt a ghabhail sa bhobhladh. Tha Chico Mohammed agus Ali Shan Muzahir os cionn an taigh-bidhe Alishan. 'S e bobhlairean math a th' annta agus iad a' riochdachadh dùthaich am breith aig an tachartas spòrs as motha a bh' ann an Alba a-riamh.

Chuir mi eòlas air Chico agus Ali o chionn iomadh bliadhna agus, nuair nach eil mi a' cumail ri diet, bidh mi tric is minig a' tadhal air an Alishan. Tha iad air bhioran gun deach an taghadh ach chan eil treas bobhlair an sgioba à Pagastan air nochdadh fhathast is chan eil iad eòlach air. Tha mise ag innse dhaibh gun gabh mi fhìn àite-san mura nochd e. Tha na lèintean Pagastànach is na fèilidhean a' tighinn riutha gu mòr.

Tha coinneamh a' Bhuidhinn Ro-innleachdail a' tachairt anns a' Hydro, agus feumaidh gur e seo an t-ionad goireis a fhuair luach as fheàrr an airgid ann an eachdraidh gnìomhachas na togalach. Tha e air a chuid den mhaoineachadh a chosnadh mar-thà an dèidh iomadh consart fìor mhòr agus bidh e an teis-meadhan iomairtean eaconamaidh aoigheachd bhaile mòr Ghlaschu.

Tha mi fhìn a' cur an cèill gu bheil mi a' toirt buinn òir do na geamannan againn fiù 's mus tòisich an tachartas. Thig soirbheachadh mòr nan cois do dh'Alba, thar nam prìomh thachartasan spòrs o chionn ghoirid. Tha sinn an dùil gun tèid na Geamannan a chumail fon bhuidseat agus thèid na tha math ann an Glaschu is ann an Alba a thaisbeanadh anns a h-uile cothrom. Tha an t-amas neo-oifigeil againn nas dòchasaiche buileach. Tha sinn airson 's gun tèid Geamannan a' Cho-fhlaitheis a stèidheachadh as ùr mar aon de na prìomh thachartasan spòrs san t-saoghal.

Bha glèidheadh nan Geamannan ann an Sri Lanka air aon de na ciad dleastanasan a bh' agam mar Phrìomh Mhinistear. Ruith sinn an iomairt mar gur e iomairt taghaidh a bh' innte, agus 's e sin a bh' innte. B' e prìomh bhaile Nigeria, Abuja, a bha nar n-aghaidh agus a rèir mhòran b' iadsan a bu choltaiche a ghlèidheadh. Cha robh an tagradh aca uabhasach rianail ach bha mòran airgid aca agus cha deach na Geamannan a chumail ann an Afraga a-riamh. 'S e seo tagradh cudromach Afraganach. B' iad Steven Purcell agus Louise Martin na prìomh chom-pàirtichean agam san tagradh Albannach.

Bha Steven uabhasach sgileil agus na cheannard Làbarach air Comhairle Baile Glaschu. Bhiodh Steven air ceannardas ùr a shealltainn do na Làbaraich ann an Alba, gun teagamh sam bith, mura robh e air a dhol bhuaithe ann an 2011.

Gu fortanach, tha Louise Martin a cheart cho làidir 's a bha i agus 's ma dh'fhaoidte gur i an riochdaire air a bheil am meas as motha ann an Caidreachas a' Cho-fhlaitheis gu lèir. B' e Louise a chuir sinn an aithne nan daoine a thug am prìomh fhiosrachadh dhuinn a leig leinn an gnothach a dhèanamh air an iomairt thàlaidh aig Abuja is sinn a' strì ri sgeulachdan mu dhuaisean airgid sgioba Nigeria a chumail às na meadhanan. Bha fios againn gum b' urrainn dhuinn glèidheadh agus glèidheadh gu math air sàilleabh neart an tagraidh agus miann nan riochdairean airson na Geamannan a chumail ann an àite a bhiodh a' lìbhrigeadh nan Geamannan gu h-earbsach. Chan eil dad a' milleadh chàirdeasan an àm ri teachd mar a tha sgeulachdan bho thaobhan eile mu ghiùlan carach – rudeigin a bu chòir do thagraichean mì-shoirbheachail Cupa na Cruinne cumail nan cuimhne.

Uair 's gun robh na Geamannan air an glèidheadh do dh'Alba b' e Raibeart Mac a' Ghobhainn am prìomh fhastadh agam airson Companaidh nan Geamannan a stiùireadh agus, an dèidh dha tòiseachadh is ath-thòiseachadh turas no dhà, thagh e na daoine ceart airson Glaschu 2014 a thoirt air adhart. Chan aithne dhomh gu bheil cathraiche corporra nas fheàrr san dùthaich na Morair Mac a' Ghobhainn Chaol Abhainn. Chuir Riaghaltas na h-Alba sgioba làidir de sheirbheiseaich shìobhalta an sàs, gan stiùireadh leis an t-seann phrìomh rùnaire phrìobhaideach agam, Francesca Osowska, fhad 's a chùm Seòras MacilleDhuibh, Àrd-oifigear Comhairle Baile Ghlaschu, a làmh sheasmhach air an stiùir is e a' cumail toil na comhairle is an riaghaltais aontaichte.

Ged a bha an sgioba èifeachdach againn a choilean an cuid dhleastanasan gu h-iomlan, bu mhath le luchd-naidheachd na h-Alba sgeama sam bith a thoirt às a chèile air a' chiad chothrom nam biodh e comasach. Ach anns an fharsaingeachd cha robh ach deagh naidheachd co-cheangailte ris na Geamannan – a thuilleadh air a' bheachd gun toinisg sin aig Bridget NicConaill a rèir cuid, airson Flataichean Red Road a leagail mar phàirt den chuirm tòiseachaidh. Gu fortanach rinn mi an gnothach air fios a leigeil do Phoileas na h-Alba mu na cùisean slàinte is sàbhailteach na lùib a bha car follaiseach, chuir Raibeart Mac a' Ghobhainn cuideam air a' chomataidh agus chaidh ùpraid sna naidheachdan a sheachnadh.

Cha mhòr nach eil am Buidheann Ro-innleachdail air tighinn gu crìch, an dèidh mu thrithead coinneamhan. Mus crìochnaich an clàr-gnothaich mu dheireadh tha dà phrìomh ghnothach a dh'fheumar dèiligeadh ris. An toiseach, tha sgaoileadh a' ghalair norovirus ann. Tha e coltach gur e toileat sealbhach anns nach robh mias airson làmhan a nighe agus a chailleadh am measg cùmhnantan glanaidh as coireach. Gu fortanach chan eil an galar ann am baile nan lùth-chleasaichean fhèin. Tha sinn air eòlaichean slàinte a thoirt a-steach agus tha mi gan toirt a-steach don choinneimh airson an suidheachadh a mhìneachadh.

Agus 's e an dàrna puing gnìomh gum feum sinn dèanamh cinnteach gu bheil an sgioba conaltraidh aig na Geamannan as fheàrr air cumail ri buidseatan a-riamh comasach air freagairt ri luchd-naidheachd a' Cho-fhlaitheis gu lèir. Tha mise deimhinn den bheachd gun tèid a' choinneamh a chleachdadh airson taisbeanadh gun tèid na Geamannan a ruith taobh a-staigh a' bhuidseit de £575 millean. 'S e misneachd is fèin-earbsa a tha a' cunntadh an seo agus bheir sinn buaidh air na tha romhainn san ath chola-deug.

Agus air a' chuspair sin fhèin, tha e na thlachd mòr dhomh fònadh gu deasaiche an *Times*, Iain Witherow, airson bruidhinn air an naidheachd a chuir iad an cèill gu bheil baile nan lùth-chleasaichean an impis dùnadh, stèidhichte air beachdan dotair à Lunnainn a tha na chomhairliche do chompanaidhean siubhail.

An dèidh brath luchd slàinte àrainneachail, tha fios agam gu bheil mi ann an àite cumhachdach airson faighinn a-mach carson a tha am pàipear seo a' feuchainn ri Geamannan a' Cho-fhlaitheis a mhilleadh. 'S ann às Afraga a Deas a tha Iain agus ceanglaichean Albannach aige agus tha e a' dol an urras nach eil rùn falaichte a leithid sin ann. Tha seo inntinneach a chionn 's gu bheil e follaiseach gu bheil taobhachd anns a' phàipear an aghaidh na h-Alba agus feumaidh gu bheil cuideigin air a chùlaibh.

Co-dhiù, 's ma dh'fhaoidte gun sguir iad a' gearan mu na Geamannan an dèidh a' chòmhraidh seo, agus is toigh leam fhìn gearan mu rudeigin nach eil co-cheangailte ri poileataigs.

Tha mi a' cumail orm an uair sin do Thèatar Òigridh na h-Alba, far a bheil iad a' taisbeanadh beagan den dealbh-chluich aca mun reifreann, *Now's The Hour.*

Chan eil am beachd air litir a sgrìobhadh dhut fhèin san àm ri teachd ùr ann an saoghal an dràma idir ach tha an taisbeanadh seo an dà chuid tiamhaidh agus cumhachdach. Tha beagan den spiorad a tha mi air fhaicinn sna beagan làithean a chaidh seachad ann agus tha mi ag innse dhaibh gum bi fèill mhòr orra aig Iomall Fèis Dhùn Èideann.

Latha Trithead 's a h-Ochd: Disathairne 19 An t-Iuchar

Chan eil ùine ann airson goilf is mi a' fosgladh fèill Achadh Reite san sgìre phàrlamaid agam mar a gheall mi.

'S e Achadh Reite an fhèill àiteachais as càirdeil agus dh'innis na prìomh eòlaichean dhomh gur e an fhèill as fheàrr airson beathaichean a thaisbeanadh cuideachd. Tha an latha math agus a chionn 's gu bheil deàrrsadh uisge ann aig meadhan-latha, tha mi a' fuireach gu 1.30 airson an fhèill fhosgladh gu h-oifigeil.

Chan eil seo a' toirt ach uair an uaireadair dhomh airson an Open fhaicinn nuair a ruigeas mi an taigh ann an Srath Eachainn. Tha an Royal and Ancient air cur romhpa uairean na co-fharpais atharrachadh gus an tèid an latha a chrìochnachadh an àite a bhith a' leigeil le dìl-uisge Hoylake a mhilleadh.

Air sàilleabh seo tha na goilfearan a' crìochnachadh nuair a bu chòir dhaibh a bhith a' tòiseachadh. Cha mhòr nach eil a h-uile duine den bharail gun tàinig an R&A gu co-dhùnadh gu luath is gu h-èifeachdach nuair a tha an droch shìde a' nochdadh aig 4.00 mar a bh'air a gheall.

Chan eil mi fhìn a' dol leotha. 'S e geama a' bhlàir a-muigh a th' ann. Fiù 's ma thig sìde nan seachd sìan bu chòir dhuinn cumail oirnn. Cha bu chòir gun tèid a chur dheth ach ma tha dealanaich ann, no tuil air an raon, no nuair a tha a' ghaoth a' toirt air na buill gluasad. A bharrachd air sin, bu chòir dhaibh, mar a chanadh m' athar, 'cluich mar a laigheas am ball'. Ach airson an fhìrinn innse, tha mo bheachd-san nas daingne a chionn 's nach eil mi a' faighinn cothrom coimhead air.

Agus nach neònach sin, tha buidheann nach eil air cead ballrachd a thoirt do bhoireannaich fhathast a' cur traidisean is an cuid chleachdaidhean an dàrna taobh air sgàth boinne uisge.

Air ais air an raon-goilf tha Mcilroy a' glèidheadh na farpais (agus mo gheall-sa).

Latha Trithead 's a Naoi: Didòmhnaich 20 An t-Iuchar

Bha uair ann a bhiodh an *Sunday Post* na phàirt mhòr den dualchas againn ann an Alba – pàipear-naidheachd blàth seasgair anns an robh an cartùn sgoinneil, Oor Wullie, agus anns nach robh droch rùn sam bith. Tha beagan droch-rùin ri fhaicinn ann a-nis ge-tà.

Tha e a' toirt ionnsaigh orm an-diugh ann am pìos a tha a' dèanamh a-mach gu bheil mi a' gabhail brath air tursan eadar-nàiseanta.

'S e tursan eadar-nàiseanta gu taighean-òsta le trì, ceithir no fiù 's còig rionnagan a thathar ag ainmeachadh. Ann am prionnsabal, tha e comasach gum b' urrainn dhomh coinneachadh le àrd-oifigearan chompanaidhean mòra no oifigich-stàite eadar-nàiseanta ann an taigh-òsta Holiday Inn, ach chan eil mi a' faicinn ciamar a bhiodh sin gu math na h-Alba. Ach nuair a chì mi sgeul anns na meadhanan againn mu na taighean-òsta anns am bi Daibhidh Camshron a' fuireach, creididh mi an uair sin nach eil am Post air a dhol an sàs còmhla ri buill eile a' bhuidhinn an aghaidh neo-eisimeileachd.

Ann am farpais an Open tha Mcilroy air am beàrn a dhìon agus air buannachadh le dà shròc – 's e buaidh mhath a th' ann airson m' ionmhais fhìn agus airson na h-Alba. Bha an ceathrar mu dheireadh a ghlèidh an Open air cluich anns an Scottish Open an t-seachdain roimhe. Tha seo a' barantachadh ìre cluicheadairean na h-ath-bhliadhna.

Latha Ceathrad: Diluain 21 An t-Iuchar

Tha a' ghreis dhian ro na Geamannan air tòiseachadh agus tha Sgioba na h-Alba an impis tòiseachadh. Ach feumar obair eile fhilleadh a-steach don ghreis ghnìomhaich seo, agus air an t-slighe a Ghlaschu tha mi a' tadhal air taigh-òsta an Old Course ann an Cill Rìmhinn airson coinneimh le buidheann bhon chompanaidh-itealain Shìneach, Hainan.

Tha sinn air a bhith a' feuchainn ris na Sìnich a thàladh a Phort-adhair Phreastabhaig airson deagh ghreis airson a chleachdadh mar ionad-itealain. Tha raointean fada ann, pailteas farsaingeachd-adhair, pailteas farsaingeachd-talmhainn, tha e ann an àite goireasach agus freagarrach airson itealanan prìobhaideach. Cho fad 's nach eil ro-innleachd cho-fharpaiseach aig a' phort-adhair an aghaidh Dhùn Èideann is Glaschu, bidh co-dhùnadh Riaghaltas na h-Alba airson a cheannach a' seasamh, chan ann an toiseach ach anns an fhad-ùine. Tha a' choinneamh a' dol gu math.

A' dol a-mach a Thaigh na h-Alba, dachaigh Sgioba na h-Alba rè nan Geamannan. Chaidh an t-àite a thaghadh gu math. 'S e seo an togalach anns an robh a' Mhargaidh Mheasan ann an cridhe cultarail a' bhaile mharsantaich. 'S ann an seo a chuireadh fàilte air an naidheachd bho Srì Lanka gun robh na Geamannan a' tighinn a dh'Alba. Tha a h-uile duine ann an deagh shunnd, agus an dèidh bruidhinn ris an sgioba tha iad fhèin glè dhòchasach. Tha an sgioba againn farpaiseach.

Tha an latha a' tighinn gu crìch ann an cuideachd Diùc Bhaile Bhòid aig Lùchairt Taigh an Ròid.

Bidh sgeulachdan a' nochdadh sna pàipearan an-dràsta 's a-rithist air mar a bhios Prionnsa Teàrlach a' sgrìobhadh do mhinistearan riaghaltais agus gur e cùis uabhais a th' ann. Bidh e a' sgrìobhadh litrichean gu dearbh agus tha beachdan làidir aige air caochladh chuspairean – agus chan e cùis uabhais a th' ann idir. Tha a' mhòr-chuid de a bheachdan ciallach agus faodaidh ministearan gabhail riutha no an diùltadh mar a thogras iad fhèin.

Tha saothair carthannasan a' Phrionnsa air leth agus tha Teàrlach daonnan a' sireadh maoineachaidh bho thobraichean poblach agus prìobhaideach. Nuair a bha sinn a' gabhail bracaist aig Tòrr Beatha, a dhachaigh faisg air Baile Mhoireil, ann an 2011, b' fheudar dhomh innse dha nach robh maoineachadh poblach ri fhaighinn airson cur ris an obair ionmholta aca.

'Ach saoilidh mi gu bheil fios agam ciamar a b' urrainn dhuinn mu chairteal millean a thogail,' thuirt mi.

Ghlac seo aire a Mhòrachd Rìoghail gun teagamh.

'Cha robh fèill rèis Rìoghail ann an Alba a-riamh. Nan rachadh tè a chumail ann am Peairt, mar eisimpleir, b' urrainn dhuinn a leithid a dh'airgead a thogail.'

Dh'fhaighnich Teàrlach, nach eil ro dhèidheil air rèisean each, am feumadh e fhèin a bhith an làthair. Chuir Camilla, a tha uabhasach measail air rèiseadh-each agus a tha na boireannach toinisgeil, am Prionnsa ceart anns a' bhad.

Mar sin, chaidh a' chiad fhèill rèis Rìoghail a chumail ann an 400 bliadhna de dh'eachdraidh chliùiteach raoin-rèis Sgàin. Chaidh an targaid a choileanadh agus chòrd an latha ris a h-uile duine air sgàth saothair Sara Cornwallis, Samantha Barber agus manaidsear an raoin-rèis, Sam Morshead.

Dh'èirich duilgheadas beag aig an deireadh nuair a chuir luchd-dìona a' Phrionnsa romhpa nach bu chòir dha an t-agallamh beò a dhèanamh le STV. B' e sin a' chiad fhèill rèis a sgaoil STV fad iomadh bliadhna. Bha a' chùis sa duilich air sàilleabh 's gun robh mi an dèidh gealltainn dhaibh gum faigheadh iad an t-agallamh leis gun robh iad air tighinn a Pheairt agus bha an craoladh telebhisein cudromach bho thaobh nam buidhnean maoineachaidh.

Chuir mi romham gun dèiliginn fhìn ris a' chùis sa. A rèir clàr-ama na fèille rèis bhithinn-sa ag iarraidh air an Diùc an Cupa a thoirt do mhuinntir Overturn, an t-each a bhuannaich an £40,000 Scottish Hydro Champion Hurdle (agus b' e sin moladh an latha agam sa cholbh each agam air aoigheachd anns a' *Courier*). An àite sin, thuirt mi gun robh cuideigin airson facal no dhà a ràdh agus, ged nach robh e an dùil ris idir, thug mi am maicreafòn don Phrionnsa.

Làimhsich e a' chùis gu math agus rinn e òraid an làrach nam bonn a bha ait a chòrd ris a h-uile duine, agus gu fortanach a chòrd ri STV, a sgaoil am pìos gu lèir.

Latha Ceathrad 's a h-Aon: Dimàirt 22 An t-Iuchar

Tha mi cinnteach gun d' fhuair mi làmh an uachdair air Iain Humphrys an dèidh dha feuchainn ri mo ghlacadh.

Tha sinn aig tachartas bogaidh airson nan Geamannan – 's e co-labhairt a th' ann aig Oilthigh Ghlaschu an com-pàirteachas le Roinn a' Ghnìomhachais aig an Rìoghachd Aonaichte. 'S ann à companaidhean air feadh a' Cho-fhlaitheis a tha muinntir na co-labhairt agus tha sinn air còrdadh neo-ionnsaigheach a rèiteachadh le riaghaltas na Rìoghachd Aonaichte – cha dèan sinn fhìn poileataigs mura dèan iadsan poileataigs.

Tha mi a' toirt òraid mhath gu leòr seachad air gluasadan ann an eaconamaidh na h-Alba, a' moladh Morair Mhic a' Ghobhainn do na speuran, a' dèanamh luaidh air Prionnsabal an Oilthigh, Anton Muscatelli, agus ri beagan dibhearsain le muinntir na co-labhairt.

Tha Humphrys, bhon phrògram *Today* air BBC Radio 4, na chathraiche aig an tachartas seo agus 's e a' chiad cheist: 'Tha a h-uile duine aig a' cho-labhairt ag iarraidh ceist mu neo-eisimeileachd a chur ort. Dè as urrainn dhut a ràdh don luchd-èisteachd seo a tha an sàs ann an gnìomhachas mun mhì-chinnt na lùib?'

Tha an fhreagairt agam a' brosnachadh deasbaid. Tha mi a' mìneachadh gu bheil seachdad 's a h-aon stàit is dùthaich a' gabhail pàirt anns na Geamannan agus gu bheil a' chuid as motha dhiubh air an saorsa a bhuannachadh bho Westminster. Mar sin 's dòcha nach eil luchd-èisteachd ann a tha cho fiosrach agus cofhurtail le pròiseas na neo-eisimeileachd.

Tha mi ann an sunnd a tha a cheart cho iargallach ann an agallamh leis an *Evening Times* anns a bheil mi ri beagan fàisneachd is ag ràdh gur e 'Baile na Saorsa' a chuireas daoine air Glaschu an dèidh dha bhòtadh BU CHÒIR anns an reifreann. Nas fhaide den latha, ann an co-labhairt naidheachdan airson nam meadhanan eadar-nàiseanta, tha mi a' cur an cèill gur e àrainn saor bho phoileataigs a bhios ann eadar a' chuirm fhosglaidh agus an clag crìochnachaidh.

Tha mi ag innse dhaibh:

Tha mi a' gabhail ri seòrsa de dhleastanas fèin-diùltach gus an cùm sinn ar n-aire air na Geamannan anns na deich làithean ri teachd. Tha mi a' smaoineachadh gur e sin a tha muinntir na h-Alba ag iarraidh.

Tha deich làithean againn an seo; tha sinn a' cur romhainn gun taisbein sinn Alba don t-saoghal. Tha ùine gu leòr againn nuair a bhios na Geamannan seachad … airson tilleadh gu deasbad an reifreinn.

Tha seo, mar a bhiodh dùil, a' cur an *Telegraph* agus am *Mail* tro chèile ach tha mi ag iomain nan ceistean aca an dàrna taobh gun mhòran dragh. Uair 's gu bheil na Geamannan air tòiseachadh cruthachaidh iad an neart aca fhèin, gu h-àraid sna meadhanan Albannach, a chionn 's gun do rinn sinn ar dìcheall gus am bi na cothroman òir as fheàrr aig Alba a' nochdadh aig toiseach a' chlàir-ama. B' e seo beachd Mhìcheil Cavanagh, Cathraiche Geamannan Co-fhlaitheis na h-Alba. Tha Mìcheal, a bha na ghleacaire, air a bhith a' gleacadh gu soirbheachail le clàr nan Geamannan feuch an tèid againn air cuid de na lùth-chleasaichean Albannach as dòchasaiche a chur nas fhaisge air an toiseach.

Tha deagh eisimpleir air na tha meadhanan Lunnainn a' sparradh oirnn ri fhaicinn air *The One Show*. Tha iad a' faighneachd dhìom ciamar a dhèiligeas mi ri droch-rùn an luchd-amhairc aig Pàirce Celtic – tha iad a' ciallachadh droch-rùn air mo shon-sa). Tha mise ag ràdh nach bi ach deagh-rùn aig an luchd-amhairc agus gun cuir iad fàilte bhlàth air sgioba Shasainn!

Nuair a tha sinn a' ruigsinn Pàirce Celtic airson na ruith-thairis tha cùis èiginneach ag èirigh. Tha Prionnsa Tunku Imran (no Pete mar as fheàrr leis fhèin) à Malaidhsea airson 's gum bi tosd fad mionaid ann mar chomharra air an tubaist itealain Mhalèidheach anns an Ucràin, a chionn 's gum bi latha caoidh anns an Òlaind a-màireach. Tha e follaiseach gur e seo a bu chòir dhuinn a dhèanamh ach chan eil Pete airson a ghairm e fhèin, air eagal 's gun tig daoine don bheachd gun do chleachd e a dhreuchd mar Chathraiche Caidreachas a' Cho-fhlaitheis ann an dòigh neo-iomchaidh.

An dèidh comhairle sgiobalta le riochdaire na cuirme, Daibhidh Zolkwer, tha sinn a' tighinn chun a' cho-dhùnadh gun dèan mi fhìn e agus gum fill sinn e a-steach don earrainn a tha a' tòiseachadh le moladh air Nelson Mandela, mus gluais sinn air adhart don t-seinneadair à Afraga a Deas, Pumeza, a tha a' gabhail òrain Sheumais MhicEanraig, 'Freedom Come All Ye', agus an uair sin am fìdhlear iomraiteach, Nicola Benedetti, a tha a' cluich 'Loch Laomainn'. Tha na h-òraidean a' tòiseachadh an uair sin, agus mi fhìn a' cumail tosd fad leth-mhionaid mar chomharra air an tubaist itealain agus a' cur fàilte air an t-saoghal a dh'Alba, agus gam leantainn tha an ceannard comhairle, Gòrdan MacMhathain, a tha a' cur fàilte air an t-sluagh a Ghlaschu.

Sin agad na bha fa-near co-dhiù.

Tha meas mòr air a bhith agam o chionn greis air Daibhidh Zolkwer. Bha mi caran teagmhach an toiseach mun chuirm fhosglaidh agus ciamar a b' urrainn dhuinn ceum a chumail ri cuirm sgairteil London 2012 a chuir Danny Boyle air dòigh agus a rèir buidseit a tha fada nas lugha. Ach mar as eòlaiche a dh'fhàs mi air na planaichean aig Daibhidh, 's ann a dh'fhàs mi fhìn na bu mhisneachaile.

O chionn beagan sheachdainean dh'fhaighnich e dhìom an robh mi eòlach air 'Freedom Come All Ye'.

'Eòlach air?' fhreagair mi. 'Ghabh mi e air mullach bus dà-ùrlair air beulaibh fichead 's a còig mìle neach ann an dàilean Dhùn Èideann làmh ri Seumas MacEanraig.'

'Cha bhi sinn ag iarraidh ort a ghabhail a-rithist, a Phrìomh Mhinisteir. A bheil fhios agad gur ann anns a' Bheurla Ghallta a tha e?'

'Tha, a Dhaibhidh.'

'Am b' urrainn dhuinn tionndadh Beurla a dhèanamh?'

'Cha b' urrainn a Dhaibhidh. Air m' onair, chan obraicheadh e sa Bheurla.'

'Ceart, a Phrìomh Mhinisteir. Ma-thà, gheibh mi cuideigin a ghabhas e gu math.'

Ach tha poileataigs daonnan air fàire agus tha sinn a' dol don oilthigh airson sreath choinneamhan dioplòmasach, agus nam measg coinneamh le Iòsaph Muscat, Prìomhaire Mhalta. Tha e ag ràdh gun cuir e ainm ri tagradh na h-Alba airson inntrigidh don Chomhairle Eòrpaich sa bhad an dèidh bhòt BU CHÒIR.

Air m' adhart gu òraid aig fàilteachadh na co-labhairt gnìomhachais, anns a bheil Iarla Wessex cuideachd. Cha tèid agam air a bhith an làthair aig dìnnear teaghlaich an tachartais air sgàth coinneimh air cùisean a tha air èirigh mu na Geamannan a leithid tèarainteachd phort-adhair agus gnothach beag no dhà a tha air tachairt ann am baile nan lùth-chleasaichean. A thaobh a' chiad rud, feumaidh sinn cothromachd a chur an sàs eadar tèarainteachd iomchaidh agus gun a bhith a' dèanamh rannsachadh bodhaig air na h-aoighean againn cho luath 's a ruigeas iad Alba. Air an dàrna cùis,

feumaidh sinn coimhead air na sabaidean a thachras an-dràsta 's
a-rithist eadar lùth-chleasaichean a tha fo uallach mòr gun an tuigse
a chall.

'S e obair làn-ùine a th' ann a' feuchainn ri smachd a chumail air
an iomadh dùbhlan a dh'fhaodas èirigh.

Latha Ceathrad 's a Dhà: Diciadain 23 An t-Iuchar

An dèidh seachd bliadhna ga ullachadh, tha an latha mòr againn
a-nis. Ach feumar a ràdh gu bheil an t-uallach cianail mòr – fada nas
motha na taghadh sam bith.

Tha earbsa againn gu bheil a h-uile rud ullamh airson an dà chuid
a thaisbeanadh fèill mhòr spòrs agus an comas aig Alba air
tachartasan mòra a liubhairt. Ach a chionn 's gu bheil cliù na dùthcha
an crochadh air, tha mi mionnaichte nach tèid dad ceàrr. 'S e an
duilgheadas a th' agam nach eil smachd agam air gnothaichean mar
a bhiodh, gu ìre mhòr, ann an iomairt taghaidh.

'S e an duilgheadas a th' aig mo charaid Pete, am prionnsa
Malèidheach an aon trioblaid ris nach robh mi a' sùileachadh.

Eadar na th' ann de choinneamhan dioplòmasach, tha mi a'
coinneachadh ri Riaghladair Banca Shasainn, Mark Carney, don tug
mi fiathachadh don chuirm fhosglaidh a-nochd. Shaoil mi gum
faigheamaid cothrom coinneachadh ri chèile air falbh bhon phoball.
Chan eil dòigh nas fheàrr no nas dìomhair air coinneachadh ri
daoine na ann an teis-meadhan tachartais mhòr phoblach.

Tha mi ga bhrùthadh air a' cheist air Banca Shasainn a' cur brath
an cèill air an dleastanas leantainneach aca airson seasmhachd
ionmhasail às bith ciamar a bhòtas Alba. Tha Carney ag ràdh gur
dòcha gun cuireadh brath ris nach robhar a' sùileachadh uallach air
a' mhargaidh agus 's e sin an dearbh nì a tha sinn airson a sheachnadh.

Tha mi fhìn ag ràdh gum feum cothrom no dòigh fhreagarrach a bhith ann airson brath a chur an cèill nach tèid fhaicinn mar fhreagairt air uallach nam margaidhean. Tha mi a' glacadh aire nuair a tha mi ag radh gum bu mhath leam cuideigin fhastadh mar Chathraiche air Institiùd Airgid cho luath 's a bhiodh bhòt BU CHÒIR dearbhte. 'S ma dh'fhaoidte gun rachadh iomagain nam margaidhean a shàsachadh nan rachadh neach ionmhais ùghdarrasail fhastadh. Tha Carney a' dèanamh a-mach gum feumar an neach sin a thaghadh gu faiceallach, a chionn 's gun rachadh a h-uile facal aca ath-chleachdadh mar ghealladh poileasaidh aig àm an rèiteachaidh thoinnte. Tha mi fhìn ag ràdh gu bheil a h-uile coltas ann gu bheil e fhèin ga làimhseachadh gu math. Tha sinn a' bruidhinn fad deagh ghreis air na thachradh an dèidh an reifreinn agus tha mi ag innse dha a-rithist nach bu chòir dha feart a thoirt air na tha sna meadhanan. 'S e mo bharail-sa gun teannaich na cunntasan-bheachd fhathast.

'S e duine gasta a th' ann an Carney, dìreach mar a bha Mervyn King a bha san dreuchd roimhe. Tha e ag innse dhomh gu bheil e an dòchas nach tèid iomagain eaconamach a sgaoileadh rè iomairt an reifreinn. Tha am beachd sin eu-coltach ris an fheadhainn a tha brosnachadh eagail is ga chleachdadh mar charaid dhaibh air a h-uile cothrom. Tha mi an dùil gun cuir e aithris fhreagarrach an cèill aig an àm as fhreagarraiche.

An dèidh na coinneimh le Mark, tha mi a' coinneachadh ris an Tosgaire Spàinnteach, Federico Trillo-Figueroa. Tha e a' dearbhadh miann an riaghaltais nach toir iad beachd seachad air an reifreann. Tha mi fhìn a' dearbhadh gur e miann an riaghaltais aige miann an riaghaltais agam fhìn!

Tha Prionnsa Imran (Pete) ag innse dhomh aig cuirm fhàilteachaidh ann an Taigh na h-Alba gu bheil e air a bhith ag ullachadh airson am baton fhosgladh anns am bi teachdaireachd na Bànrigh. Tha e ag ràdh gu bheil dòigh shònraichte ann, a rèir a' chumaidh toinnte, air car a chur ann fhad 's a tha thu ga fhosgladh – ach tha an gnothach aige.

Tha mi còmhla ri Moira aig a' chuirm fhosglaidh. Bha mi a-riamh air a bhith misneachail gun rachadh a h-uile càil gu math ach tha seo air a dhol fada seachad air na bha mi fhìn an dùil no an dòchas. Tha na cleasan èibhinn aig Daibhidh – pòg ghèidh Iain Barrowman, na cèicean Tunnock's a' dannsa, na coin bheaga air thoiseach air gach sgioba – ag obrachadh còmhla gu h-anabarrach math, mar a tha èididhean sgioba na h-Alba a rinn an dealbhadair Jilli Blackwood a tha air càineadh nach beag fhulang anns na meadhanan. Ach ann an suidheachadh na cèilidh mòire seo tha coltas sgoinneil, dathte orra.

Ach gun teagamh sam bith tha an rud as fheàrr a' tachairt faisg air deireadh na cuirme a' tòiseachadh le 'Freedom Come All Ye'. Tha Daibhidh ag innse dhomh gu bheil Pumeza air a bhith ag ullachadh fad cola-deug gus am bi a blas Albannach air a teanga – agus abair thusa nach eil i dìreach mìorbhaileach.

Tha a h-uile nì a' dol mar bu chòir agus chan urrainn gun tèid dad air iomrall, ach … Chan urrainn do Phrionnsa Imran am baton fhosgladh!

Tha mi fhìn nam shuidhe ri taobh Prionnsa Philip, agus cho luath 's a tha duilgheadas aig Pete a' fuasgladh na teachdaireachd, tha freagairt agus cainnt a Mhòrachd Rìoghail air leth eirmseach. Tha mis a' suidhe an sin is a' smaoineachadh: 'Pete, bha an gnothach agad feasgar an-diugh. Sheall thu dhomh ciamar a nì thu e.' Saoil a bheil donas air choireigin air na pìosan a ghlaodhadh còmhla?

Ach tha fhios gu bheil e gu tur eadar-dhealaichte a' dèanamh ullachaidh leat fhèin an coimeas ri feuchainn ri fhosgladh air beulaibh luchd-amhairc de bhillean neach.

Ach ruigidh each mall muileann. Tha an teachdaireachd air a toirt a-mach aig a' cheann thall agus tha an dràma air a dhol seachad air sgàth co-obrachaidh eadar Pete agus Sir Chris Hoy. Gu dearbh fhèin tha liuthad pìos spòrsail is aoireil air a bhith anns an taisbeanadh aig Daibhidh gun robh cuid den luchd-amhairc den bheachd gun robh seo air a dhèanamh a dh'aona-ghnothach! Ach rud nach robh follaiseach, tha a' Bhànrigh a' cleachdadh a clàir-innse airson a teachdaireachd aithris gun dàil is gun mhearachd – dhèilig i ris an t-suidheachadh gu socair agus gu proifeiseanta.

Tha Pete ag innse dhomh gun deach a chorrag a ghearradh san rù-rà agus e ag ràdh: 'Dhòirt mi m' fhuil airson na h-Alba – coltach ri Uilleam Uallas.' 'S e prionnsa dha-rìreabh a th' ann, anns a h-uile dòigh.

Latha Ceathrad 's a Trì: Diardaoin 24 An t-Iuchar

Turas luath mu thimcheall làraichean nan Geamannan sa mhadainn agus 's e latha buannachaidh a th' ann.

An toiseach aig amar-snàimh Tollcross far an robh sinn an dùil gum biodh soirbheachadh tràth ann do dh'Alba. Agus tha an 1-2-3 iongantach le snàmhadairean na h-Alba ann an cuairt thràth a' fìor-chòrdadh ris an luchd-amhairc, agus gar n-ullachadh airson na tha ri thighinn.

Tha naidheachd a' tighinn thugainn gu bheil latha iongantach air a bhith aig an triùir bhobhlairean Pagastànach againn agus iad air thoiseach air an sgioba Astràilianach, an sgioba as fheàrr san t-saoghal, agus chan eil ach beagan chuairtean-cinn air fhàgail. Tha e coltach gun tèid an saoghal bobhlaireachd bun os cionn ach an uair sin tha na h-Astràilianaich a' glèidheadh nan ceann mu dheireadh airson an geama a bhuannachadh 19-12.

Tha mi a' cur romham gun tèid mi a chèilidh air mo charaidean aig Kelvingrove, far a bheil sinn an dùil ri soirbheachadh mòr an sgioba Albannaich. Tha e follaiseach carson a tha Ali agus Chico a' dèanamh cho math. Feumaidh gun robh i na bu theotha na Karachi ann am meadhan baile Ghlaschu. Chaidh an ùrnaigh dhùrachdach againn airson deagh shìde a freagairt.

Air adhart gu Ionad Taisbeanaidh is Co-labhairt na h-Alba far e bheil sinn a' faicinn air èiginn an judoka à Dùn Èideann, Kimberley Renicks, a' glèidheadh a' chiad bhuinn òir airson na h-Alba ann an clas fo 48kg nam ban an dèidh dhi buannachadh an aghaidh nighean às na h-Innseachan. Mar a shaoil mi ro làimh nuair a thadhail mi air a' champa thrèanaidh, tha sgioba na h-Alba an seo airson buinn a bhuannachadh agus tha na cluicheadairean judo nas misneachaile na càch.

Coinneamh luath còmhla ri Ceann-suidhe Shingeapòr mus tèid mi air adhart a choimhead air Aileen McGlynn agus a paidhleat Louise Haston a tha a' buannachadh airgid anns a' Velodrome. Tha Louise Renicks a' dèanamh mar a rinn a piuthar agus a' glèidheadh a' bhuinn òir – cha chreid mi gun do bhuannaich dithis pheathraichean òr anns an aon latha a-riamh.

Nuair a tha a' ghrian a' dol fodha air cùl an amair-snàimh, tha Alba na suidhe air bàrr bòrd nam bonn le deich buinn agus ceithir dhiubh sin nam buinn òir. 'S math leam nuair a thèid plana a choileanadh!

Tha mi ann am pàrras nan Jambos aig deireadh an latha aig tachartas Gnìomhachas na h-Alba far a bheil mi uabhasach fortanach a bhith a' suidhe ri taobh bana-ghoistidh an sgioba ball-coise Heart of Midlothian.

Abair boireannach gasta agus abair latha gasta a bh' againn cuideachd.

Latha Ceathrad 's a Ceithir: Dihaoine 25 An t-Iuchar

Tha mi a' faireachdainn gu bheil atharrachadh ann. Tha an t-atharrachadh sin ga mhìneachadh gu soilleir anns na tha cuideigin ag ràdh rium aig na Geamannan.

Tha mi a' tadhal air Lèanag Ghlaschu far a bheilear a' cumail Fèis nan Geamannan a tha a' toirt cothroim do na mìltean spòrs nan Geamannan agus mòran a bharrachd fheuchainn. Tha mì fhèin a' feuchainn air bogsadh, fiù 's leis na miotagan orm, cuide ris a' chomhairliche Làbarach, Eairdsidh Greumach – ìomhaigh a tha a' còrdadh ris an luchd-camara. 'S e club à taobh siar Ghlaschu a tha a' cur an tachartais air dòigh.

Tha fear den luchd-teagaisg gam thoirt air falbh airson innse dhomh: 'Tha mise nam Làbarach, ach bidh mi a' bhòtadh BU CHÒIR, gun teagamh sam bith.'

'S e beachdan a leithid seo a tha gam mhisneachadh, agus 's e sin a tha mi a' feuchainn ri innse do chomataidh na h-iomairt againn ann an coinneamh madainn an-diugh.

Chan eil cunntas-bheachd YouGov air a bhith ann fad trì seachdainean a-nis – a rèir a' chunntais mu dheireadh bha sinn nar suidhe aig taobh ceàrr an toraidh 60-40. Tha an rannsachadh againn fhìn a' sealltainn beagan gluasaid a bharrachd ach chan eil gluasad gu leòr ann airson beachd nam meadhanan atharrachadh nach gabh am beàrn a tha CHA BU CHÒIR air thoiseach oirnn a dhùnadh. Dh'innis mi don choinneimh gum feum sinn a thighinn a-steach uabhasach làidir agus uabhasach anmoch airson an reifreann a bhuannachadh.

Tha fios agam gu bheil na Geamannan ag adhbharachadh faireachdainn shònraichte ann an Glaschu, ach tha rudeigin eile ann. Chan eil an taobh eile a' cumail an aire air cùisean mar bu chòir. Tha an iomairt aca a' call spionnaidh air sgàth agus cho mì-mhisneachail 's a tha i. Tha iad air eagal a sparradh air daoine ro thric agus ro thràth. Bidh iomairtean iomagain nas soirbheachaile nuair a thèid an cur an sàs glè fhaisg air latha a' bhòtaidh. Nuair a tha cothrom aig daoine an t-eagal a chur ann an seagh ciallach tha iad buailteach a chur an dàrna taobh.

Tha sinn dìreach an dèidh crìoch a chur air latha mòr do dh'Alba cuideachd; a' sealltainn gun tèid againn air tachartas mòr a chumail gu soirbheachail fhad 's a tha an dùthaich againn aig bàrr clàr nam bonn. Ma tha misneachd cudromach airson BU CHÒIR tha i againn a-nis am pailteas.

Tha Taigh Pride na adhbhar misneachd dhomh cuideachd. Bidh an t-àite seo aig cridhe coimhearsnachd LGBT anns a' chola-deug deug. Chaidh iomadh beachd a mholadh le buidhnean co-ionnanachd air ciamar a b' urrainn dhuinn deagh eisimpleir a chur an gnìomh airson nan com-pàirtichean againn anns a' Cho-fhlaitheas nach eil ag aontachadh ris na beachdan againn air gnèitheachd – bha cuid a dhaoine airson gearanan a thogail, airson sgiobannan a thoirmeasg, airson fianais a thogail agus a leithid.

Ach cha leig sinne a leas mar luchd-eagrachaidh gearanan a thogail: 's iad seo na Geamannan againne agus 's ann an urra rinn fhìn a tha stèidheachadh co-theacsa an tachartais. Dhaingnich sinn ar beachd-ne ann an dòigh aighearach is bhrosnachail air sgàth obair Dhaibhidh Zolkwer. Tha iomairt Taigh pride na chomharra eile gur ann airson a h-uile duine a tha na Geamannan againn ann an seagh co-ionnanachd. Tha fàilte bhlàth an fhosglaidh seo a' dearbhadh gun do mheas sinn a' chùis seo gu ceart. Tha meas is bàidh aig daoine air na Geamannan.

Tha an Fhèis aig Lèanag Ghlaschu a' toirt cothroim do dhaoine blasad fhaighinn air na Geamannan agus beagan spòrs fheuchainn. 'S ann an spiorad a' chàirdeis a chaidh mi ann cuide ri Comhairliche

Greumach, a tha pòsta aig ceannard nan Làbarach, Johann NicLaomainn, agus a tha na bhall den Bhuidheann Ro-innleachdail còmhla ri Ceannard na Comhairle, Gòrdan MacMhathain.

'S e duine laghach a th' ann an Eairdsidh agus 's e deagh sgioba dithis a th' annainn is sinn a' gabhail cothroim air a h-uile rud fheuchainn. Tha mi a' smaoineachadh nach eil e an dùil gu bheil mi deimhinn às gum bi sinn a' nochdadh anns na dealbhan còmhla ri chèile. Airson an fhìrinn innse b' urrainn dhuinn an latha a chur seachad ann, agus bha an sgioba dìona agam, air a stiùireadh le Iain Bochanan is an sgioba, ag obair thar na còrach le sluagh a bha uabhasach brosnachail ann.

Ach feumaidh mi falbh do dh'àrainn nas socaire is nas sèimhe airson ball-lìn nam ban aig an SECC. Co-dhiù bha mi an dùil gum biodh e socair gus an do ràinig mi. Tha fada a bharrachd saothrach ga cosg air an spòrs seo na shaoil mi agus tha e fada nas luaithe. Tha mi a' coimhead air Alba a' toirt buaidh air St Lucia, a tha nas fhèarr na bhathar a' sùileachadh. Tha na h-oifigich ball-lìn againn air an dòigh a-nis an coimeas ri 2010 nuair a bha sgioba na h-Alba air a bhith an làthair aig Delhi mura b' e siostam taghaidh nan dùthchannan dachaigheil. Tha iad anns an fharpais a-rithist ach bhiodh an aon riaghailt airson nan dùthchannan dachaigheil air an toirt ann an turas seo co-dhiù.

Dìreach ùine gu leòr airson am bogsadh fhaicinn sa phàillean an ath-dhoras agus nach math gu bheil. Tha mi nam shuidhe ri taobh sgioba na Cuimrigh a tha a' sùileachadh ri buaidh shoirbh aig an t-sàr-bhogsair flyweight aca, Anndra Selby, am bhogsair as fheàrr san t-saoghal den chuideam sin. Ach an àite sin tha sinn a' faicinn taisbeanadh sgileil an Albannaich òig, Reece MacPhaidein. Tha Reece a' gleidheadh na co-fharpais air sgàth a' mhòr-mhiann fhèin, an aghaidh cuideigin aig a bheil fada a bharrachd eòlais sabaid. 'S gann gun urrainn do na Cuimrich creidsinn ach tha iad bàidheil gu leòr mun chall.

Aig 7.00 feasgar thathar gam thaisbeanadh fhèin – no dealbh dhìom co-dhiù. Tha mi aig taisbeanadh Gerard Burns ann am prìomh-oifis Banca Dàil Chluaidh, far a bheil an dealbh dhìom aig Taigh Bhòid agus dealbhan de thrì deug Albannaich cliùiteach eile air an taisbeanadh. Tha mi a' cur seachad beagan ùine còmhla ri Neil Lennon, a bha na mhanaidsear aig Celtic, a tha am measg nan ceithir deug.

Tha Gerard air dealbh anabarrach math de Neil a dhèanamh a tha a' sealltainn beagan den fhearg a tha anns an duine ghlic, iom-fhillte, laghach seo. Tha Neil ag innse dhomh gu bheil e a' cur taic ri BU CHÒIR ach tha a fhreagairt caran faiceallach nuair a tha mi ag iarraidh air ar cuideachadh gu poblach. Tha e an dòchas gum faigh e obair anns na meadhanan, tha e ag ràdh.

An dèidh crìoch a chur air a' chiad trì làithean aig na Geamannan, tha mi a' togail orm a Chaisteal Stiùbhairt airson latha no dhà. 'S e seo an aon chothrom air làithean-saora a ghabhail a gheibh mi am-bliadhna. Bha mi a' sùileachadh gu neo-chiontach, mus do thòisich Glaschu 2014, nach biodh ann ach turas mu thimcheall nan geamannan eadar-dhealaichte. Ach tha fada a bharrachd na sin na lùib agus tha e uabhasach sgìtheil.

Bidh Nicola os cionn ghnothaichean airson beagan làithean.

Tha mi a' toirt an latha gu crìch a' bruidhinn ri Nicola agus Iain Swinney air a' fòn mu leasachadh gnìomhachais a dh'fhaodadh tachairt ann an Inbhir Ghrainnse. Deagh naidheachd eaconamach ma thèid againn air a thoirt gu buil.

Latha Ceathrad 's a Còig: Disathairne 26 An t-Iuchar

Tha taigh againn air màl aig Caisteal Stiùbhairt airson beagan làithean. Chan eil mi ro mhath air làithean-saora a ghabhail. B' ann an 2010 a ghabh sinn na làithean-saora mu dheireadh againn fad còig làithean.

Tha beagan obrach ri dhèanamh ge-tà agus fònadh gu Congressman Mike Mac an t-Saoir, a tha a' leigeil dhe a dhreuchd mar cho-chathraiche a' chàcas Albannaich ann an Washington. Tha mi a' feuchainn ri sunnd nan Ameireaganach a thomhas airson breithneachadh iomchaidh fhaighinn ann an Congress. Tha fios againn gu bheil riaghaltas na Rìoghachd Aonaichte air a bhith a' sireadh barrachd taic bho na Stàitean an dèidh brath Obama. Mas urrainn do Mike is a cho-obraichean gluasad fàbharach a chur an cèill, thèid stad a chur air mì-rùn Oifis nan Dùthchannan sa bhad. Tha Mike a' gabhail ris a' bharail seo agus am beachd gun urrainnear rudeigin iomchaidh a chur air dòigh.

Latha Ceathrad 's a Sia: Didòmhnaich 27 An t-Iuchar

Nach mi a bha faoin, a' smaoineachadh nan rachadh nan togalaichean a thogail is cumail ris a' bhuidseat, nan tigeadh na lùth-chleasaichean agus nan tòisicheadh na Geamannan gum biodh m' obair-sa ullamh – a thuilleadh air a bhith ag èigheach am measg an luchd-amhairc.

Ach chan eil cùisean cho rèidh 's a mhiannaicheadh sinn. Chan ann air sgàth 's nach eil daoine a' coileanadh an dleastanasan mar bu chòir. Tha iad – tha iad gan coileanadh gu math. Ach tha faireachdainn làidir ann gu bheil e mar dhleastanas gun cùm sinn na Geamannan air an t-slighe cheart. Tha deagh eisimpleir den sin ri fhaicinn an-diugh fhèin.

An dèidh strì is saothrach, ullachaidh iongantach agus fìor dheagh shanasachd (ach leagail mhòr flataichean Red Road nach do thachair) fad seachd bliadhna, tha droch naidheachd ga foillseachadh mu na Geamannan airson a' chiad uair agus daoine a' sgaoileadh tweets mionaideach fhad 's a tha iad trèigte aig an àite-pàircidh air sgàth cion bhusaichean. Feumar a ràdh gu bheil pailteas bhusaichean ann – 's e dràibhearan a tha dhìth, an dèidh don chompanaidh fho-chùmhnaint an toirt don àite cheàrr. Mura tèid a' chùis a rèiteach, 's ma dh'fhaoidte gun canadh daoine gun deach na Geamannan a chall a chionn 's gun deach na daoine a chall a chionn 's gun deach am bus air chall a chionn 's gun deach an dràibhear air chall!

Tha mi a' fònadh gu Àrd-oifigear FirstGroup, Tim O'Toole, bhon bhalcanaidh aig an taigh-bidhe, The Mustard Seed. 'S math gu bheil na daoine eile a th' aig an taigh-òsta a-staigh gus nach cluinn iad an fhearg rianail nam ghuth.

Tha Tim a' socrachadh sunnd a' chòmhraidh le bhith ag aideachadh a choire fhèin sa chùis. Tha e a' gealltainn gu bheil an sgioba stiùiridh gu lèir aige agus goireasan còmhdhail eile a' dèanamh air Glaschu an-dràsta fhèin. Tha e ag ràdh ma tha duine sam bith a' sreothartaich ann an Glaschu gun tèid a chur air bus is a thoirt gu bùth airson nèapraigear a cheannach.

'S e seo an t-àm as trainge de na Geamannan do na busaichean. Tha soirbheachadh mòr nan Rugby Sevens a' sàsachadh chùisean anns na meadhanan cuideachd. A rèir coltais chaidh na daoine a bha a' fàgail Ibrox Didòmhnaich a chur air na busaichean co-dhiù an robh iad ag iarraidh a dhol air bus no nach robh!

Latha Ceathrad 's a Seachd: Diluain 28 An t-Iuchar

Chan eil ach co-labhairt-fòn agam an-diugh air cùisean banca còmhla ri comhairlichean sònraichte agus eaconamairean riaghaltais.

'S e cuspairean a' chòmhraidh ciamar a chuireas sinn ìmpidh air Banca Shasainn dearbhadh gu bheil e an urra ri seasmhachd siostam an ionmhais agus ciamar a nì sinn adhartas leis na daoine a rachadh ainmeachadh air Ùghdarras Airgid na h-Alba.

Tha a' chiad nì seo cudromach airson neo-thaobhachd nam bancaichean Albannach a dhearbhadh anns an iomairt reifreinn. Bidh an dàrna nì fìor chudromach ma bhuannaicheas sinn an reifreann.

'S fhiach e beachdachadh air cùl-fhiosrachadh na cùis sa. Tha na bancaichean ann an Alba air a bhith a' feuchainn gun a bhith a' gabhail gnothaich anns an reifreann agus suidheachadh neo-thaobhach a tha ceart is cùramach a ghlèidheadh. Ach tha an dà chuid Lloyds agus RBS fo uallach mòr poilitigeach a chionn 's gur ann leis a' phoball a tha cuid mhòr de na companaidhean is gan stiùireadh le Oifis an Ionmhais. Agus ged a tha Banca Shasainn air a bhith a' cluich a' gheama seo le caman dìreach, tha caman Oifis an Ionmhais cho cam 's a dh'fhaodadh e a bhith.

Chan eil fìrinn dhearbhte anns na draghan aca idir. Chan eil cùis bhrìoghmhoir sam bith ann do Lloyds, leis a bheil Banca na h-Alba. Tha e fìor gu bheil an oifis chlàraichte aca air a' Mhunnd, ach cha bhuin sin do dh'eachdraidh Banca na h-Alba agus chan eil e co-cheangailte ri gnìomh na companaidh ann an dòigh sam bith.

'S e as adhbhar gu bheil an oifis chlàraichte ann an Dùn Èideann gun do ghabh Lloyds thairis TSB ann an 1995 a bha air a phrìobhaideachadh an dèidh mar a chaidh a ghoid bho a luchd-tasgaidh anns na 1980an. Bha barantas maireannach an sàs a dhearbh gum biodh TSB Group air a chlàradh ann an Alba, agus ghabh Lloyds am barantas sin thairis nuair a ghabh iad am banca thairis. Tha prìomh-oifis buidheann banca Lloyds air a bhith aig 25 Sràid Gresham, Lunnainn, bhon a dh'fhàg iad Birmingham.

Tha an clàr-eachdraidh fìor seo a' dearbhadh gu bheil na h-aithrisean a tha ag ràdh gu bheil Lloyds am beachd ,am prìomh oifis a ghluasad bho Ghlaschu gu Lunnainn' meallta. Tha e cianail doirbh rudeigin a thoirt à Glaschu nuair nach robh i ann an sin a-riamh agus a chur ann an Lunnainn nuair a tha i ann mar-thà.

Tha suidheachadh a' Bhanca Rìoghail nas toinnte agus nas cugallaiche. Chan eil e reusanta, ach chan fheum neartan mì-reusanta a bhith neo-fhìrinneach, gu h-àraid a thaobh nam margaidhean. Tha dà phrìomh-oifis aig a' Bhanca Rìoghail, ann an Gogarburn, faisg air Dùn Èideann agus ann an Lunnainn far am bi na h-àrd-oifigich a' cur seachad mòran den ùine aca. Chan ann an tè seach tè dhiubh a tha an oifis chlàraichte ach aig 36 Ceàrnag Naoimh Anndra, Dùn Èideann, far am b' àbhaist dhomh fhìn a bhith ag obair.

Chan eil adhbharan nan draghan ciallach ach sìmplidh. Ma tha Alba a' bhòtadh BU CHÒIR agus ma tha mi fhìn ceart gun aontaich riaghaltas na Rìoghachd Aonaichte ri aonadh bancaireachd is airgid, cha bhiodh duilgheadas ann – dh'fhanadh an oifis chlàraichte ann an Dùn Èideann. Ged a bhithinn ceàrr, bhiodh co-dhiù bliadhna gu leth ann anns am b' urrainn don Bhanca Rìoghail a' chùis a rèiteach. Ma thà, chan eil cunnart ann. Chan eil buaidh air gnìomhan bancaireachd an lùib gluasad oifis chlàraichte. Agus a dh'aindeoin toradh an reifreinn, 's ann le riaghaltas na Rìoghachd Aonaichte a tha 80% den Bhanca Rìoghail, mar sin feumaidh Banca Shasainn a dhìon às bith dè an suidheachadh a dhèireas.

'S e an dòigh anns a bheil luach ga chur air fiachan as coireach gu bheil an t-uallach seo ga chur air a' Bhanca Rìoghail a chionn 's gu bheil cuid-mhòr de a ghnìomhachas ga dhèanamh airson piseach a thoirt air a' chompanaidh a-rithist. Mar sin, tha am Banca Rìoghail airson 's gun dearbh Banca Shasainn gun cùm e smachd air cùisean às bith dè thachras goirid an dèidh an reifreinn.

Latha Ceathrad 's a h-Ochd: Dimàirt 29 An t-Iuchar

Chan urrainn dhomh beagan tarraing às An Dòmhnall a dhiùltadh – agus chan urrainn dhomh an goilf a dhiùltadh nas motha.

Tha mi a' cluich còmhla ri Seumas MacColm, mac an àrd-mhanaidseir, Stiùbhart. Tha an gille òg a' tilleadh san dàrna leth le 36 airson a' chuairt air a bheil e airidh a ghlèidheadh. Chan eil mise a' cluich ro dhona. 'S fìor thoigh leam an raon goilf seo.

Tha Caisteal Stiùbhairt gu tur eadar dhealaichte bhon chùrsa aig Trump ann am Baile Mheadhain, Siorrachd Obar Dheathain. 'S e goilfear Iàn smior a th' ann am Mark Parsinen, an dealbhadair agus co-neach-seilbh Ameireaganach, a bha airson sàr raon-goilf a thoirt gu buil. Agus 's e sin a rinn e aig Caisteal Stiùbhairt. Chan eil mòran eile a tha co-ionnan ris An Dòmhnall.

'S ann à taobh siar nan Stàitean a tha Mark, 's ann à New York a tha An Dòmhnall. 'S fìor thoigh le Mark goilf, 's fìor thoigh leis An Dòmhnall e fhèin. Dh'obraich Mark còmhla ri muinntir na sgìre, cha do dh'obraich An Dòmhnall. Tha an raon-goilf aig Mark air prìomh fharpais a chumail, chan eil an raon aig An Dòmhnall.

Tha leasachaidhean mòra air fàire do raon Caisteal Stiùbhairt anns an rachadh taigh-òsta a thogail – deagh naidheachd do bhaile Inbhir Nis. Cha mhòr nach eil ìrean còmhnaidh taigh-òsta cho àrd 's a tha iad ann an Inbhir Nis agus 's fheàirrde leasachadh a leithid seo aig Caisteal Stiùbhairt airson a thoirt air adhart don ath cheum. Tha an leasachadh taigh-òsta aig Baile Mheadhain air sguir.

Latha Ceathrad 's a Naoi: Diciadain 30 An t-Iuchar

Barrachd goilf agus othail mu dheidhinn Usain Bolt.

Tha sinn a' dol suas don Chananaich air an dàrna latha mu dheireadh de na làithean-saora. Tha raon-goilf iongantach aca a tha 125 bliadhna a dh'aois, a chaidh a thogail air rubha gainmhich mu choinneamh Dùn Deòrsa. Tha eagal ann gu mì-fhortanach gun tuit faiche an t-siathamh tuill don bhàgh agus tha ceanard a' chlub, Phillip Thorn, airson taic gu leòr fhaighinn a ghlèidheas an raon beag sgoinneil seo (agus frith-rathad a' chladaich far am faicear leumadairean) bhon droch shìde.

Tha prògram Club Golf aca a tha airidh air moladh agus tha iad nan sàr eisimpleir air raon math coimhearsnachd. Tha an geama co-ionnan agus cha do rinn mi cho dona air na naoi mu dheireadh a dh'aindeoin na sìde gairbh ach tha amharas agam gun robh an ceanard a' dèanamh a dhìcheil gus nach buannaicheadh e!

Tha *The Times*, mar bu dual dha, ag adhbharachadh ùpraid mun t-sàr-lùth-chleasaiche agus a ghlèidh bonn òir nan 100 meatair aig na Geamannan Oilimpigeach, Usain Bolt, is iad ag aithris gun tuirt e gun robh Geamannan a' Cho-fhlaitheis 'caran cac'.

Bhite ag ràdh mu Lloyd George: seall crios dha is bhuaileadh e foidhe. Seall rud Albannach do *The Times* is feuchaidh iad ri fhiaradh.

Latha Caogad: Diardaoin 31 An t-Iuchar

An latha mu dheireadh de na làithean-saora – ach tha mi a' bruthadh Mark Carney fhathast airson brath a chur an cèill.

Tha còmhradh eile agam le riaghladair Banca Shasainn is mi a' feuchainn ri toirt air na planaichean tuiteamais a sgaoileadh don phoball agus dearbhadh gum bi am Banca aig an stiùir fhathast às bith dè thachras anns a' bhòt.

'S prìomh amas na h-iomairt CHA BU CHÒIR dragh is iomagain a sgaoileadh anns an roinn ionmhais air eagal 's gun tachair teicheadh calpa no tasgaidh – 's e sin nuair a bhios daoine a' faicinn cunnairt anns na luachan maoin aca ri linn ìsleachaidh san luach-iomlaid. Mar sin bidh iad a' smaoineachadh gu bheil luach nas ìsle air an not san sporan aca no sa chunntas banca. 'S e seo as coireach gu bheil mi air a bhith a' cur cuideim air a' phuing gun cleachd Alba an not Shasannach às bith dè dhèireas.

Agus tha *The Times* a' foillseachadh tar-sgrìobhaidh a tha a' soilleireachadh na cùise mu Usain Bolt, nam bharail sa. Tha e follaiseach, dhomh fhìn co-dhiù, nuair a tha cuideigin a' coimhead suas don iarmailt fhad 's a tha iad a' cantainn an fhacail 'cac', gur dòcha gur ann air an t-sìde a tha iad a' bruidhinn. 'S e sin a nì mi fhìn co-dhiù!

Nas fhaide den latha tha cothrom ann beagan ullachaidh a dhèanamh airson an deasbaid telebhisean Dimàirt. Tha e a' dol math gu leòr ach chan eil mi toilichte mu dheisealachd an sgioba deasbaid againn agus gu h-àraid mun chomhairle aona-ghuthach aca gum mùch mi an stoidhle deasbaid agam beagan. Nam b' urrainn dhomh a dhèanamh a-rithist 's ma dh'fhaoidte gum b' fheàirrde mi beàrn fhàgail eadar na Geamannan agus a' chiad deasbad. Tha mi air iarraidh gun tèid ruith-thairis shlàn a chur air dòigh Didòmhnaich 's a tighinn.

Thug an comhairliche sònraichte agam, Alasdair MacAnndrais, sinn dhachaigh a Shrath Eachainn. 'S e Alasdair eòlaiche còmhdhail an riaghaltais agus bheir an turas seo cothrom dha an A96 fhaicinn gu ceart. Tha an t-oifigear dìona, Iain Cooper, anns a' chàr air ar cùlaibh. An dèidh dhuinn tilleadh dhachaigh, tha mi ag èigheach ris an telebhisean nuair a tha Eilidh Child a' buannachadh buinn airgid sgoinneil ann an rèis 400m nan cliathan aig Hampden – rinn i sònraichte math a chionn 's gu bheil uallach a bharrachd air a bhith oirre mar aodann nan Geamannan.

Tha mi cuideachd a' faighinn cothroim air deireadh prògraim air Sky a choimhead mu bheatha 'Smokin' Joe' Frazier – agus tha rudeigin a thuirt fhìor nàmhaid, Muhammad Ali, a' còrdadh rium, fear do nach tug Frazier mathanas air sgàth a mhagaidh gun sgur: 'Nuair a shèidear an trombaid mu dheireadh is nuair a thèid mo ghairm do dh'arm Dhè, 's e Smokin' Joe Frazier a b' fheàrr leamsa a bhith a' sabaid ri mo thaobh-sa.'

Latha Caogad 's a h-Aon: Dihaoine 1 An Lùnastal

Is iongantach dhomh fhad 's a tha mi a' siubhal làraichean nan Geamannan an-diugh ciamar a tha an tachartas seo ag atharrachadh bheachdan agus ag atharrachadh bheatha da rèir. Tha e math a bhith air ais am measg a h-uile rud a tha a' dol.

Aig Leabharlann Mitchell ann an Glaschu tha mi a' bruidhinn ri cuid den òigridh a tha an sàs ann an iomairt chraolaidh air a bheil Future News. Tha gille à Afraga a Deas, a choimhead a' chuirm fhosglaidh aig an taigh, ag innse dhomh gur e an sreath eadar am pìos comharrachaidh air Nelson Mandela agus 'Freedom Come All Ye' agus an tost airson an itealain Mhalèidheaich fear de na rudan a bu chumhachdaiche a choimhead e air telebhisean a-riamh.

Còmhla ris an neach-fharpais as òige againn, Erraid Davies, nas fhaide den latha, aig co-fharpais nan dàibhearan. Thug mi ann i airson co-ghàirdeachas a dhèanamh rithe leis cho math 's a rinn i san amar-snàimh. Fhad 's a tha sinn nar suidhe a' coimhead na farpais, tha mi a' faighneachd dhi, an dèidh dhi bonn umha iongantach a chosnadh aig trì bliadhna deug a dh'aois, am biodh i airson daibheadh fheuchainn san àm ri teachd.

'Cha bhitheadh,' tha i ag ràdh gu daingeann. 'Chan eil an t-amar ann an Sealtainn domhainn gu leòr. Bhuailinn mo cheann ann!'

Latha Caogad 's a Dhà: Disathairne 2 An Lùnastal

Tha an tùchadh orm an-diugh. 'S dòcha air sgàth an tuilleadh 's a chòir èigheach. Agus 's beag an t-iongnadh. Tha mi ann an Glaschu air cuid de na tachartas nach fhaca mi fhathast fhaicinn agus airson tilleadh don bhogsadh a bha mi airson faicinn gu mòr a chionn 's gu bheil iad air na cuairtean deireannach a ghluasad don ionad mhòr, an Hydro.

Ach do bhaile nan lùth-chleasan an toiseach – agus nach e a tha math. 'S e seo a' chiad turas agam tadhal orra on a bha an t-àite na làrach-togail. A' coinneachadh ri buill sgioba a h-Alba a tha ann an sunnd fìor bhrosnachail agus a' cur eòlais a-rithist air na cluicheadairean judo – no 'sgioba Allt a' Bhonnaich' a thug mi mar ainm orra – 13 co-fharpaisich, 14 buinn eatarra, 1314! Tha na daoine armailteach san sgioba airson a dhol do na làraichean spòrs airson taic a chur ris na co-fharpaisich agus tha mi fhìn a' cur òrdugh an sàs gu tèid a' chuis sa a rèiteach. A' gabhail lòin còmhla ri sgioba hocaidh Chanada agus luchd togail nan cuideaman à Afraga. Saoilidh mi gu bheil an sgioba hocaidh nas cruaidhe.

Tha mi air a bhith an làthair a' coimhead gach gnè spòrs ach na lùth-chleasan, urchaireachd agus rugbaidh. Ach air ais don bhogsadh an toiseach. Tha faireachdainn am measg an luchd amhairc a tha dìreach iongantach agus, an ceann deich mionaidean, tha muinntir an Hydro a' fìor bhrosnachadh dithis den luchd sabaid againn air adhart is iad a' cosnadh buinn òir an urra.

'S ann an uair sin a tha mi mothachail gu bheil mo ghuth-sa a' falbh, mar sin 's math gu bheil agam ri teicheadh don chuirm chrìochnachaidh againn an àite dà oidhirp a dhèanamh air 'Flower of Scotland'.

Air ais ann an Dùn Èideann far a bheilear a' cur fàilte orm aig an Tattoo, agus tha na ceatharnaich Zulu a' toirt sleagh thraidiseanta dhomh mar ghibht. 'S dòcha gum bi e feumail sna beagan sheachdainean ri tighinn! Tha an riochdachadh as fheàrr a chunnaic mi a-riamh aig an Tattoo seo agus tha e a' fìor chòrdadh ri Alasdair Friseal, a tha na fhìdhlear cliùiteach is a bhios a' sgrìobhadh ceòl na fidhle agus sgriobtaichean film.

'S math le Àrd-oifigear agus riochdaire an Tattoo, Brigadier Daibhidh Allfrey, moladh fhaighinn bho eòlaiche cliùiteach a leithid Alasdair. 'S gasta leam fhìn gu bheil cothrom againn 'Auld Lang Syne' a sheinn nar sheasamh. 'S e an aon dòigh air òran mòr eadar-nàiseanta Burns a ghabhail, ach anns na bliadhnaichean a chaidh seachad b' fheudar don a h-uile duine suidhe air sgàth nan seann shuidheachain chugallach. 'S math as fhiach maoineachadh mòr Riaghaltas na h-Alba agus an Tattoo a bhith ann an àrainn chofhurtail airson an adhbhair seo fhèin.

'S e duine inntinneach a th' anns a' Bhrigadier: tha e air a bhogadh ann an cleachdaidhean is eachdraidh an airm, ach ann an dòigh caran neo-ghnàthach a chithear ann an taisbeanaidhean an Tattoo tha a' sìor-fhàs nas dàna agus nas soirbheachaile.

Tha Lieutenant Commander Cailean May an làthair cuideachd, a tha na àrd-oifigear innleachd a' Chabhlaich Rìoghail stèidhichte aig ionad nam bàtaichean-aigeil ann am Faslann. 'S ann às an ear-thuath a tha Cailean agus tha e eòlach air Aonghas Robasdan, a tha na cheannard a' Phàrtaidh Nàiseanta aig Westminster agus na bhall-pàrlamaid airson sgìre Mhoireibh. Tha e ag innse dhomh gum bi e a' leigeil a dhreuchd dheth Dihaoine sa tighinn agus cha bhi e mionnaichte a rèir riaghailtean na Bànrigh an uair sin. Tha e am beachd brath oifigeil a sgaoileadh an uair sin a' leigeil innse gu bheil e airson BU CHÒIR.

Air ais aig Taigh Bhòid tha taisbeanadh ciùil anabarrach math againn le Alasdair is a charaidean gu uairean tràth na maidne. A dh'aindeoin an tùchaidh a th' orm, tha mi mionnaichte gun dèan mi oidhirp mhòr bhrosnachail air 'Freedom Come All Ye'.

Latha Caogad 's a Trì: Didòmhnaich 3 An Lùnastal

'S e faochadh cianail mòr a th' ann dhomh gu bheil na Geamannan air a bhith cho soirbheachail.

'S e seo an latha mu dheireadh agus an dèidh dhomh èirigh tha mi a' faighinn a-mach gu bheil an tùchadh air a dhol na ghalar grot nam amhaich is nam bhroilleach. Tha mi a' gabhail dòrlach philichean antibiotic agus a' sruthail uiread uisge saillte gum b' urrainn dhomh teachdaireachd clàradh luchd-bhòtaidh a dhèanamh ann an dusan cànan. A rèir coltais tha mo chuid Eadailtis anabarrach math!

Feumar an t-ullachadh airson an deasbaid thelebhisein a ghiorrachadh gus an tèid agam air tilleadh a Ghlaschu airson na coinneimh naidheachd mu dheireadh aig na Geamannan. 'S e gnothach furasta a th' ann – a dh'aindeoin mo ghuth-sa – a chionn 's nach eil ceistean mì-fhàbharach aig an luchd-naidheachd. Tha mi a' cur cheist no dhà an dàrna taobh is mi ag iarraidh gun cuir iad orm iad a-rithist a-màireach. Tha a' chomhairle agam dioplòmasach airson Costa Òir Astràilia (far am bi na Geamannan ann an 2018) agus tha mi a' dèanamh luaidh mhòr air Morair Mac a' Ghobhainn agus Louise Mhàrtainn.

Cha mhòr nach eil an deagh shunnd gabhaltach aig an t-suipeir còmhla ri Iomairt na h-Alba agus aoighean ron chuirm chrìochnachaidh, agus a h-uile duine ag aithris sgeulachdan nan Geamannan is a' dèanamh fiughair ris an tachartas mhòr fhèin.

Tha mi air nota a sgrìobhadh do Dhaibhidh Zolkwer le moladh beag no dhà airson na cuirme anns a bheil seinn choimhearsnachd (cha mhòr nach i sin an aon rud a bha a dhìth air a' chuirm fhosglaidh) agus cothrom eile air 'Freedom Come All Ye' a chluinntinn.

Tha Dàibhidh a' cur na dhà air dòigh, agus Pìoban is Drumaichean Fèis Dhùn Èideann a' nochdadh airson 'Freedom Come All Ye' a sheinn air a' phìob airson a' chiad uair, agus a h-uile duine aig àirde an claignean a' seinn 'Caledonia' agus 'Auld Lang Syne'.

Tha Dàibhidh dìreach mìorbhaileach agus tha bàidh aig a h-uile duine air Pete, am prionnsa Mailèidheach, an dèidh dha cur an cèill gur iad seo na Geamannan 'as fheàrr a-riamh'. Tha òraid mhath aig Raibeart Mac a' Ghobhainn agus tha e airidh air a' chaithream a thathar a' cur air. Tha an dithis againn a' faighinn cothrom còmhraidh aig deireadh na cuirme. 'S e slighe fhada a bha romhainn. Tha an aoibhneas againn le chèile stèidhichte air faochadh.

Bha mi fhìn air a bhith a' tarraing às fad ceithir bliadhna mun chuirm chrìochnachaidh mu dheireadh ann an Delhi. Chaidh mòr-mholadh a dhèanamh air àrd-bhàillidh Delhi agus prìomhaire nan Innseachan. Bha an luchd-amhairc a' fochaid air an eagraiche (co-ionnan ri dreuchd Raibeirt) agus chaidh a chur don phrìosan. Tha Raibeart fortanach gu bheil an t-eagrachadh air a bhith cho soirbheachail 's nach robh feum aig Barlinnie, am prìosan ainmeil ann an Glaschu, air àite-còmhnaidh a chur air dòigh do Mhorair Mac a' Ghobhainn à Caol Abhainn! Air ais a Thaigh Bhòid airson oidhche fhada is hòro-gheallaidh còmhla ris na lùth-chleasaichean againn agus, creid e, tha rudeigin a' dol ceàrr aig a' cheann thall nuair a tha clag-teine gar cur a-mach don t-sràid.

Tha mi fhìn is Moira a' gabhail a' chothroim seo agus a' teicheadh. Gu dearbh, saoilidh mi gur i fhèin a chuir an glag an sàs a chionn 's nach eil i ro thoilichte mun chlàr-ama cianail trang a th' air a bhith agam. Tha i am beachd nach eil e comasach dhomh gun cùm mi a' dol mar seo gu latha an reifreinn.

Latha Caogad 's a Ceithir: Diluain 4 An Lùnastal

Chan eil cùisean mar bu chòir anns an ruith-thairis airson an deasbaid telebhisein còmhla ri Alistair Darling a-màireach.

Chan eil an cruth mar bu chòir nas motha agus chan eil aonta ann air ar n-amasan. Ach tha mi air gèilleadh ris na beachdan as làidire gum bu chòir dhomh an stoidhle lasanta agam a mhùchadh.

Tha an latha a' tòiseachadh le seirbheis àlainn ann an Àrd-eaglais Ghlaschu airson An Cogadh Mòr a chomharrachadh. Bhathar a' smaoineachadh gum biodh e na b' fhasa do riochdairean a' Cho-fhlaitheis a bhith an làthair an latha an dèidh deireadh nan Geamannan.

Tha mi a' suidhe ri taobh Kate Adie, a tha a' dèanamh aon de na leughaidhean, agus abair gur e neach freagarrach a th' innte a chionn 's gu bheil i air fìrinn a' chogaidh fhaicinn le a dà shùil ann an dòigh nach fhaca ach glè bheag den luchd-poileataigs.

Tha mi den bharail gum bi briseadh-dùil mòr aig riaghaltas na Rìoghachd Aonaichte, agus 's math an airidh, mun bhuaidh a bheir na tachartasan comharrachaidh seo air na beachdan aig na h-Albannaich air an aonadh sna ceithir bliadhna ri teachd. Ann an 2012 thuirt Camshron mar fhìor bhlaomastair gum bu chòir dhuinn an tachartas ceann-bhliadhna a chomharrachadh mar a chomharraich

21 Am Màrt 2013: Tàthadairean trèanaidh a' dealbhadh ceann-latha an reifreinn ann an stàilinn aig Steel Engineering Ltd ann an Rinn Friù.

11 An Giblean 2014: A' dèanamh luaidh air beatha Margo NicDhòmhnaill, nach maireann.

11 An Giblean 2014: Còmhla ris an leas-cheannard agam, Nicola Sturgeon, air latha-fosglaidh Co-labhairt an Earraich aig Pàrtaidh Nàiseanta na h-Alba ann an Obar Dheathain.

7 An Cèitean: Còmhla ri tagraiche a' Phàrtaidh Nàiseanta, Tasmina Ahmed-Sheikh, is sinn ag iomairt aig ionad-bus ann am Portobello airson taghaidhean na Pàrlamaid Eòrpaich.

19 An t-Ògmhios: A' bruidhinn air na buannachdan an cois neo-eisimeileachd airson cùisean dùthchail na h-Alba air a' chiad latha den 174mh Fèill Rìoghail Ghàidhealaich aig Ingliston ann an Dùn Èideann, agus dealbh de shneachd air Beinn Laoigh air mo chùlaibh.

6 An Lùnastal: Aig a' cho-labhairt, Gnìomhachas na h-Alba, ann an Dùn Èideann, air a' mhadainn as dèidh a' chiad deasbaid telebhisein còmhla ri Alasdair Darling.

25 An Lùnastal: Deasbad gu tur eadar-dhealaichte. Làmh an uachdair agam air an dàrna cuairt.

18 An Lùnastal: Aig Club Bobhlaidh na h-Abaid làmh ri
Abaid Obar Bhrothaig, far an deach Foirgheall Obar Bhrothaig
a sgrìobhadh, còmhla ri Darren Burnett, a choisinn bonn-òir
Geamannan a' Cho-fhlaitheis, agus Ministear an Spòrs,
Shona Robison.

18 An Lùnastal: Eaglais an Naoimh Anndra ann an Obar Bhrothaig, còmhla ri buill a' Chaibineit airson seisean cheistean poblach.

24 An Lùnastal: A' freagairt dùbhlan a' chleasaiche, Seumas McAvoy – Dùbhlan na Bucaid Deighe – airson aire a thogail mun ghalar amyotrophic lateral sclerosis.

3 An t-Sultain: Air rathad an reifreinn, aig Browning's Bakers, Cille Mheàrnaig.

4 An t-Sultain: 10 bliadhna mar Cheannard agus Leas-cheannard
Pàrtaidh Nàiseanta na h-Alba – còmhla ri Nicola agus
luchd-iomairt air Sràid Bhochanain ann an Glaschu.

4 An t-Sultain: Na meadhanan gar cuairteachadh. Cha mhòr
nach robh sabaidean ann eadar luchd-deilbh agus sgiobaidhean
telebhisein.

6 An t-Sultain: 'Bu Chòir' – aonta Gàidhlig ann an Inbhir Nis.

6 An t-Sultain: A' tadhal air mosg ann an Inbhir Nis.

10 An t-Sultain: Neach-taic aig an tachartas BU CHÒIR ann an Dùn Èideann.

10 An t-Sultain: A' bruidhinn ri màthraichean is pàistean ron chòmhradh-lìn air Mumsnet.

13 An t-Sultain:
Fèineag ann an ceann
an ear baile mòr
Ghlaschu ...

14 An t-Sultain: ...
agus fèineag eile,
còmhla ri Amy
NicDhòmhnaill aig
Talla Usher ann an
Dùn Èideann, far
an robh an consart,
Oidhche na h-Alba.

15 An t-Sultain: Aig an taigh far an deach mo thogail air Rathad Preston, Gleann Iucha – steigearan BU CHÒIR anns na h-uinneagan – còmhla ri mo dheagh charaid sgoile, Ronnie Bamberry.

15 An t-Sultain: Còmhla ri teaghlaichean às a' bhaile.

17 An t-Sultain: Ann an Cille Bhrìghde an Ear air an latha ron reifreann.

17 An t-Sultain: An òraid mu dheireadh ann am Peairt.

19 An t-Sultain: Dealbhan an dà fhuinn – uairean tràth na maidne ann an Dùn Èideann: dòchas.

19 An t-Sultain: Agus uair no dhà ron òraid ghèillidh agam.

19 An t-Sultain: Aig Taigh Bhòid airson coinneimh naidheachdan far a bheil mi ag ainmeachadh gun leig mi dhìom mo dhreuchd mar Phrìomh Mhinistear.

19 An t-Sultain: An ceann greiseig eile, còmhla ri Moira, a' tilleadh dhachaigh anns an heileacoptair.

sinn iubailidh na Bànrigh. Don a' mhòr-chuid againn – agus don a h-uile duine aig a bheil beagan toinisg – chan e hòro-gheallaidh a tha seo agus chan eil e coltach ris an iubailidh ann an dòigh sam bith.

Nas mì-fhreagarraiche buileach, tha na brathan a chuir Sràid Downing an cèill aig an àm a' seallttainn gun robh na tachartasan comharrachaidh co-cheangailte ris an reifreann. Sgrìobh Pàdraig Wintour, mar eisimpleir, ann an aithris anns a' *Guardian*, gun robh an riaghaltas den bheachd gun robh an ceann-bliadhna seo mar chothrom eile air ìomhaigh Bhreatainn a chumail nar cuimhne.

Tha Riaghaltas na h-Alba air sreath thachartasan cuimhneachaidh a tha an dà chuid iomchaidh agus suimeil a chur air dòigh anns na ceithir bliadhna ri teachd a tha a' feuchainn ri buaidh uabhasach a' Chogaidh Mhòir air coimhearsnachdan ann an Alba a chur an cèill, cho math ri gaisge nan saighdearan agus ìobairt theaghlaichean fa leth. Ann an cuid a choimhearsnachdan dùthchail na h-Alba, chaidh trithead no ceathrad de na fir eadar ochd bliadhna deug, aois oifigeil airson a dhol an sàs sa chogadh, agus ceathrad bliadhna a dh'aois a mhurt.

Tha sgoiltean air feadh na dùthcha a' sgrùdadh a' Chogaidh Mhòir, agus buaidh shònraichte ga cur air ceanglaichean ionadail is pearsanta. Às bith dè a' bhuaidh a th' aige air a' ghinealach ùr seo, fhad 's a chuireas iad eòlas air an uabhas sin, cha bhi mòr-mholadh an aonaidh co-cheangailte ris. Ma tha an ìomhaigh Bhreatannach an crochadh air a bhith a' dèanamh luaidh air an lèirsgrios fhuilteach seo feumaidh gu bheil cor an aonaidh air tighinn gu crìch an da-rìreabh.

Latha Caogad 's a Còig: Dimàirt 5 An Lùnastal

A' chiad deasbad telebhisein. Chaill mi e.

Dh'fhaodadh e a bhith air a dhol na b' fheàrr. Bha còir aige a dhol na b' fheàrr. Tha deasbadan cheannardan air a bhith againn ann am poileataigs na h-Alba bho 1992 agus tha mi air a h-uile fear dhiubh a bhuannachadh … ach am fear seo.

Dè as adhbhar? Leig mi le daoine eile innse dhomh ciamar a bu chòir dhomh an deasbad a làimhseachadh.

Bha dragh air an sgioba agam nach robh an stoidhle deasbaid agam freagarrach mar Phrìomh Mhinistear agus bha iad ag iarraidh gun cumainn barrachd smachd air an stoidhle sin. Bhathar a' smaoineachadh gum bi againn ri na daoine nach eil cinnteach fhathast agus boireannaich a thrusadh, nach eil, a rèir coltais, measail air deasbaireachd a tha cho faramach.

Tha mi a' faighinn rabhaidh aig toiseach an deasbaid air ciamar a thèid cùisean a-nochd. Fhad 's a tha sinn an impis breith air làmhan a chèile, tha Alistair Darling ag ràdh rudeigin a leithid: ''S e seo a' phàirt far a bheil sinn a' leigeil oirnn gu bheil sinn measail air a chèile.' Cha chreid mi gum buannaich Alistair duais gu bràth airson 'trash talk' mar a nì na bogsairean, ach tha e a' sealltainn gun deach innse dha fhèin a stoidhle atharrachadh. Bha e fhèin air a phiobrachadh. Bha mi fhìn air mo mhùchadh.

A bharrachd air stoidhle deasbaid bha rudan ann a bu chòir dhomh a dhèanamh na b' fheàrr. Nuair a bha Alistair gam phutadh air 'Plana B' an airgid, bha còir agam ath-ionnsaigh a thoirt airsan sa bhad, a' sealltainn nach fhaodar stad a chur air dùthaich sam bith airgead malairteach eadar-nàiseanta a chleachdadh. Bu chòir gun robh na ceistean agam fhìn airson Darling air cuspairean iomchaidh don mhòr-shluagh a leithid dhreuchdan agus slàinte, an àite feuchainn ri puingean deasbaid eile a ghlèidheadh, mar a dh'ullaich sinn ro-làimh. Tha mi fiadhaich leam fhìn mun sin air sàilleabh 's gur e sin fhèin, cuspairean a tha cudromach do dhaoine, a tha mi air a bhith a' togail anns na coinneamhan iomairt anns na beagan choinneamhan mu dheireadh.

Tha mi a' cur romham atharrachadh a chur an sàs anns na pàirtean mu dheireadh den deasbad. Ro anmoch airson beachdan dhaoine mun a' phrògram gu lèir atharrachadh ach cudromach co-dhiù. Agus tha mi an eisimeil chuideigin san luchd-amhairc airson na comhairle sin. An dèidh na dàrna pàirt den deasbad fhad 's a bha na sanasan-reic a' dol, bha mi a' cabadaich ri fear anns an t-sreath thoisich. Bha e follaiseach gur e neach-taic BU CHÒIR a bh' ann ach cha robh e toilichte leis mar a bha an deasbad a' dol agus thuirt e rium gum bu chòir dhomh barrachd strì a dhèanamh.

Bhrosnaich a' chomhairle sin mi airson na pàirt mu dheireadh. Thàinig mi a-mach bho air cùlaibh an àite-deasbaid airson ceistean an luchd-amhairc a fhreagairt ann am meadhan an ùrlair. Bha buaidh mhòr aig sin air daoine is leig e leam conaltradh riutha.

An dèidh a' phrògraim, anns an t-seòmar uaine bheag, tha an sgioba iomairt ann an droch shunnd. An coimeas riuthasan tha an 'coidse dòigh-beatha' agam, Clare Howell, glè bhrosnachail. 'Chì thu gu bheil na comharran math gu leòr,' tha i ag ràdh.

Tha mi a' dèanamh fiamh-ghàire: 'Tha thu ag ràdh rium ma-thà, Claire, gu bheil an guru brosnachail agam a' smaoineachadh gu brosnachail!'

Nuair a chì sinn na figearan, chan eil Claire fada ceàrr. Tha an grad-chunntas le ICM a' sealltainn gun robh Darling beagan air thoiseach. Gu dearbh tha e a' sealltainn gu bheil boireannaich agus daoine nach robh cinnteach nas measail air an stoidhle nas sèimhe agam. Agus tha CHA BU BHÒIR air thoiseach 52-48 a rèir nan cunntasan-bheachd an dèidh an deasbaid a' sealltainn – dìreach mar a sheas cùisean ron deasbad.

Tha Geoff Aberdein ann an sunnd beagan nas fheàrr: 'Chaidh an treas pàirt den deasbad gu math. Feumaidh sinn togail air sin anns an ath dheasbad.'

Tha duilgheadas againn ge-tà. Is còir gun toir an deasbad seo putadh a bharrachd, ach cha toir. Gabhaidh luchd-naidheachd na h-Alba an cothrom slaic eile a thoirt dhomh.

Tha aon nì ann as fhiach ionnsachadh mun oidhche: anns an dàrna deasbad, nì mi mo dhìcheall gu bheil ullachadh de sheòrsa eile ann agus gun nochd Prìomh Mhinistear gu tur eadar-dhealaichte. Mar a thuirt am bàrd Sasannach: 'Bidh dìleas dhut fhèin.'

Latha Caogad 's a Sia: Diciadain 6 An Lùnastal

Tha mi fadalach airson co-labhairt Gnìomhachas na h-Alba aig Dynamic Earth ann an Dùn Èideann air sgàth mearachd san leabhar-latha agam. Tha seo caran duilich oir tha an luchd-naidheachd airson ionnsaigh a thoirt orm an dèidh an deasbaid a-raoir. A rèir coltais bha mi fada gun èirigh/bha mi fo iomagain is cha robh mi airson coinneachadh riutha/bha mi gam fhalach fhèin ann an coinneamh èiginneach/tha mi air an daoraich – no measgachadh de na rudan gu h-àrd.

Tha mi a' faireachdainn math gu leòr airson an fhìrinn innse. Chanainn gur e fear de na feartan as fheàrr a th' agam gu bheil mi calma ann an cruaidh-chàs agus gun urrainn dhomh mearachdan a chur an dàrna taobh gus an dèan mi nas fheàrr an ath thuras. Gu fortanach tha mi ann an deagh shunnd air beulaibh luchd gnìomhachais taiceil agus tha mi gam bhogadh fhèin ann an argamaid gun toinisg a thaobh ciamar a thèid casg a chur oirnn bho bhith a' cleachdadh an not Shasannaich. Tha mi cuideachd ag innse don èisteachd gun deach mi seachad air oifisean spaideil ùra ann an Ceàrnag an Naoimh Anndra air mo shlighe don cho-labhairt a bha air £75 millean fhaighinn bho Standard Life Investments – cha chanainn gur e sin an rud as ciallaiche a dhèanadh companaidh a bha an impis an dùthaich a thrèigsinn.

Tha mi ag ràdh anns na h-agallamhan telebhisein nach eil na tha an luchd-naidheachd a' meas mar bhuaidh is mar chall ann an deasbadan an còmhnaidh co-ionnan ris na chì an sluagh, agus tha mi a' toirt iomradh air na cunntasan-bheachd an dèidh an deasbaid. A thaobh Alasdair dàna an deasbaid tha mi a' cur feum air faclan ainmeil Zsa Zsa Gabor: 'Chan eil fir macho mucho!'

Chan eil càil nas fheàrr air buidheann pàrlamaid a' Phàrtaidh Nàiseanta aonachadh na mì-rùn luchd-naidheachd na h-Alba – tha sin nam chuimhne aig coinneamh a' bhuidheann phàrlamaid aig àm-lòin an-diugh. Tha sgeul sònraichte a' bualadh orm bhon iomairt air stairsnichean Dhùn Èideann, nuair a chuir am buidheann iomairt argamaidean an cèill ann an cruth cheistean a leithid 'Dè do bheachd air an iomairt BU CHÒIR?' Nam bharail-sa tha barrachd suim ga cur anns na dòighean brosnachail seo an àite a bhith an-còmhnaidh a' cur sìos air rudan.

A' gabhail lòin anmoch aig Taigh Bhòid còmhla ri Daibhidh MacAlasdair BPE, a bha na Mhinistear-Ceann-Suidhe ann an Sagsainn Ìochdarach sa Ghearmailt agus a tha air ùr-thaghadh sa Phàrlamaid Eòrpaich aig bàrr liosta a' phàrtaidh Aonaidh Chrìosdail Dheamocrataich. Agus 's ma dh'fhaoidte, latheigin san àm ri teachd, gun tèid Daibhidh na Sheansalair na Gearmailt – a' chiad Albannach san dreuchd sin. 'S ann à Alba a tha athair Dhaibhidh agus às a' Ghearmailt a tha a mhàthair, agus 's e duine gasta, glic a th' ann air a bheil meas an luchd-bhòtaidh. Tha e uabhasach moiteil às a dhualchas

Albannach agus chleachd e an sluagh-ghairm 'Ich bin ein Mac' ('S e Albannach a th' annam). Dè mu dheidhinn sin, JFK?

Tha Daibhidh ag innse dhomh gu bheil e a' tuigsinn gu bheil Angela Merkel air iarrtas Sràid Downing a dhiùltadh airson beachd a chur an cèill air taobh an aonaidh. 'S fheàrr leatha cùrsa neo-thaobhach a ghabhail mu ghnothaichean dùthaich chèin eile. Tha e coltach gu bheil barrachd cridhe aig Seansalair na Gearmailt na tha aig Ceann-suidhe nan Stàitean Aonaichte.

Tha mi a' fònadh gu Morair King nas fhaide den latha a thaobh an t-suidheachaidh leis an roinn ionmhais. Dh'aontaich Mervyn, nuair a bha e na Riaghladair aig Banca Shasainn agus a' cur a shaorsa bho riaghaltas na Rìoghachd Aonaichte an cèill, ri 'còmhraidhean teicnigeach' eadar eaconamairean Riaghaltas na h-Alba agus Banca Shasainn. Tha e am measg na h-àireamh bheag de dh'oifigich phoblach na Rìoghachd Aonaichte a tha air dèiligeadh le cùis na h-Alba gu ceart is gu cothromach. Dh'innis e do chomataidh Taigh nan Cumantan uair gur e Banca Coitcheann na h-Alba cho math ri Sasainn a th' anns a' Bhanca agus gum freagradh e a rèir sin. Agus nas cudromaiche buileach, dh'innis e dhomh gu prìobhaideach mun deasbad air an not Shasannach: 'S e an duilgheadas a th' agad, Ailig, gu bheil iadsan [Luchd-poileataigs Westminster] ag ràdh rudeigin an-dràsta a tha calg-dhìreach an aghaidh na chanadh iad an latha an dèidh do dh'Alba bhòtadh BU CHÒIR.'

'S e 'stiùireadh King' a th' agam fhìn air a' ghliocas sin. 'S math as fhiach èisteachd ris, mar as àbhaist, agus tha e a' toirt deagh chomhairle dhomh air ciamar a làimhsicheas sinn ceist an airgid.

Latha Caogad 's a Seachd: Diardaoin 7 An Lùnastal

'S gann gum bi Johann NicLaomainn is Rut NicDhaibhidh ag adhbharachadh briseadh-dùil dhomh aig Ceistean don Phrìomh Ministear is a' cur cheistean orm ris nach eil mi idir an dùil. Agus chan eil adhbhar briseadh-dùil ann an-diugh nuair a tha iad a' cleachdadh argamaid Alasdair Darling a-rithist air an airgead.

Ach 's e cruth eadar-dhealaichte a th' againn agus tha e furasta ceist a leithid sin a shadail. Agus tha mi air beagan ullachaidh a dhèanamh ro-làimh. Tha mi a' cleachdadh nan teagamhan aig Gòrdan Brown mun veto air an airgead aig CHA BU CHÒIR airson Johann. Agus airson Rut, tha mi ag aithris rudeigin a sgrìobh i fhèin anns a' *Sunday Post* – nam biodh aonadh airgid gu math na h-Alba dhèanadh i argamaid air a shon. Chan eil sin a cheart cho cumhachdach 's a bha an ìomhaigh aig an Leas-cheannard aice fhèin, Jackson Carlaw, a thuirt gun seasadh e gu daingeann air a' bhalla-dìona airson an not a shàbhaladh. Tha Rut a' dèanamh na mearachd mhòir sin, a' dol as àicheadh a beachd sgrìobhte aice fhèin. Chan e do ghliocas sin a dhèanamh ma tha am facal mu dheireadh aig an duine eile, mar a thachras aig Ceistean don Phrìomh Mhinistear.

Tha buill nam beingean cùil ann an sunnd nas fheàrr an dèidh dhomh ceistean nan ceannardan dùbhlanach a fhreagairt gu furasta agus tha seo gam mhisneachadh a-rithist airson a' cheist seo a fhreagairt ann an dòigh nas èifeachdaiche anns an dàrna deasbad. Thèid seo a dhèanamh gu h-ionnsaigheach an àite gu dìonadach. Ach tha barrachd an sàs ann an ath-thòiseachadh na h-iomairt na freagairtean math air ceistean dona. 'S ann mu dheidhinn stiùireadh an reifrinn a tha seo agus an deasbad a ghluasad air adhart is a' bruidhinn mu chosnaidhean is slàinte.

'S e seo an teachdaireachd a tha mi a' toirt leam don choinneimh iomairt, anns a bheil Andy Collier an-diugh, a bha na dheasaiche poilitigeach aig an *Scottish Sun*. Tha mi a' cur an eòlais agam air an deasbad air STV airson a' phuing agam a chur an cèill gu làidir: 'Feumaidh sinn an seann chlàr naidheachd aca fhèin a bhriseadh.'

Air an fheasgar tha mi a' bruidhinn ri luchd-èisteachd glè bhrosnachail aig tachartas Àisianach aig Club Mèinnearan Sheudan, ann am Baile nam Feusgan, Dùn Èideann. 'S e seo a' chiad choinneamh phoblach agam bho dheireadh Geamannan a' Cho-fhlaitheis agus, mar as trice, bidh luchd-èisteachd Àisianach nas taiceil dhuinn. Tha sunnd brosnachail is misneachail air an èisteachd.

Latha Caogad 's a h-Ochd: Dihaoine 8 An Lùnastal

Tha obair an riaghaltais a' leantainn ged a tha cor na stàite ga dheasbad. Tha mi a' cumail coinneamh Dheisealachd thràth ann an Taigh Bhòid airson freagairt ri buaidh a' chogaidh mhalairt eadar an Ruis agus an t-Aonadh Eòrpach.

Gu mì-fhortanach do dh'Alba, 's e iasg fairgeach an nì malairteach air a bheil a' bhuaidh as motha anns a' chasg in-mhalairteach. Bidh Alba a' reic àireimh mhòir de sgadan is rionnach don Ruis. 'S e gnìomhachas mòr dhà-rìreabh a th' ann agus tha buaidh mhòr aige air aon de na pàirtean as soirbheachaile de ghnìomhachas nan iasg. Thug sinn plana-gnìomh gu buil a tha a' toirt sùil air leasachadh mhargaidhean eile agus brosnachadh margaidh na dùthcha sa – 's ma dh'fhaoidte le bhith a' cleachdadh leudachadh nan dìnnearan sgoile mar dhòigh anns am faigheadh daoine òga eòlas air blas math an rionnaich. Dh'fhàsadh iad na bu ghlice agus bhiodh iad beò gu bràth mas fhiach rannsachadh air omega is iasg olach a chreidsinn.

Tha a' Chomataidh Dheisealachd coltach ri Cobra aig Westminster. 'S e an Seòmar Èiginn a bh' air, ach cha robh e na chuideachadh, nam bheachd-sa, gun robh nàdar de sholas dearg boillsgeach os cionn an dorais fhad 's a tha sinn a' feuchainn ri innse don dùthaich gu bheil a h-uile nì mar bu chòir. Mar sin dheth, chuir sinn Seòmar is Comataidh Dheisealachd air.

'S fheàrr leam fhìn gu bheil inbhe àrd dheisealachd againn, a' cleachdadh na comataidh airson dèiligeadh ri sgaoileadh ghalaran is cùisean èiginneach na sìde agus cuideachd airson aire a thoirt air cuspairean far a bheil gnìomh èiginneach a dhìth. Mar sin, tha sinn a' coinneachadh an-diugh airson an casg malairteach seo aig an Ruis a dheasbad.

Agus, tha obair a' bhuill phàrlamaid ionadail a' leantainn cuideachd fhad 's a thathar a' deasbad cor na stàite agus tha mi a' cumail coinneamh phoblach nas fhaide den latha ann an Taigh a' Bhaile ann an Srath Eachainn. 'S e Lisa Ghòrdan, a tha na ball den sgioba sgìre phàrlamaid agam, a tha gam stiùireadh gu h-èifeachdach agus an-còmhnaidh a' cumail nam freumhan agam ceangailte ri ùir Bhuchan air sgàth 's gu bheil poileataigs gu lèir ionadail.

Latha Caogad 's a Naoi: Disathairne 9 An Lùnastal

Tha a' chiad chunntas-bheachd slàn an dèidh an deasbaid, a bharrachd air a' ghrad-chunntas sin, air fhoillseachadh anns an *Daily Mail*.

A rèir Survation, tha gluasad de 4% air a bhith ann a dh'ionnsaigh CHA BU CHÒIR, agus beàrn 57 gu 43 ann a-nis. Chan eil an rannsachadh againn fhìn ach beagan nas ìsle na sin ach a' sealltainn gu bheil sinn a' dlùthachadh ris an taobh eile an àite a bhith nas fhaide air dheireadh. Tha *The Mail* air an dòigh ghlan is iad am beachd gu bheil crìoch air tighinn air an fharpais mar-thà. Tha mi fhìn den bheachd gu bheil slighe fhada romhainn fhathast.

Tha mi a' dol gu cuirm fhàilteachaidh nas fhaide den latha ann an Inbhir Uaraidh airson an t-snàmhadair Hannah Miley agus a' ghleacadair Viorel Etko a bhuineas don sgìre còmhla ri ball ùr den luchd-obrach sgìreil agam, Ann-Marie Parry, bha na neach-naidheachd. Tha cuirm mhòr ga cumail ann am meadhan a' bhaile agus dìnnear an uair sin aig bùth is seòmar-teatha ainmeil, Mitchells. Tha iad air bò na bùtha a chòmhdachadh ann am peant òir mar chomharra air a' bhonn òir a choisinn Hannah.

Dè as fhiach bocsa-puist òir ma tha bò òir agad! Tha Ann-Marie ri moladh anns a' chiad dhleastanais sgìreil aice.

Latha Seasgad: Didòmhnaich 10 An Lùnastal

A' chiad thachartas cuimhneachaidh Albannach againn airson a' Chiad Chogaidh Mhòir aig Seirbheis an Airm air àilean Caisteal Dhùn Èideann. 'S e toiseach cumhachdach is èifeachdach don phrògram a th' ann.

Tha an t-sìde a' fàs garbh ge-tà agus feumaidh sinn am figheachan dìtheanan a chur sìos aig Pàirc an Ròid ann an deàrrsadh uisge. A dh'aindeoin sin tha na seann shaighdearan a' cumail a' dol. Agus tha iad nas bàidheile rium a chionn 's gu bheil mi anns an tuil còmhla riutha a' cur an fhigheachain sìos.

An dèidh mo thiormachadh fhèin, tha an t-eòlaiche eachdraidh as cliùitiche ann an Alba, Tom Devine, a' fònadh thugam. Bidh mi a' dèanamh agallamh leis a-màireach aig Fèis Leabhraichean Dhùn Èideann is bha e airson bruidhinn rium ro-làimh. Tha Tom ag innse dhomh gu bheil e am beachd a thaic airson BU CHÒIR fhoillseachadh, ach chan fhoillsich e sin a-màireach.

Tha CHA BU CHÒIR aig 60 agus sinn fhìn aig 40 anns a' chunntas-bheachd as ùire le YouGov – chan eil atharrachadh sam bith ann bhon chunntas mu dheireadh leotha ro Gheamannan a' Cho-fhlaitheis. Ann an dòigh chan eil an gluasad ann a chithear le Survation, mar eisimpleir, agus tha e a' sealltainn gu bheil am beàrn a' dùnadh ach dìreach bho 30 sa cheud gu 20 sa cheud.

Agus chan eil ach ceathrad latha air fhàgail.

Latha Seasgad 's a h-Aon: Diluain 11 An Lùnastal

Fèill mhòr oirnn a-rithist aig an Fhèis Leabhraichean – agus subhagan don Bhànrigh.

Bithear a' cumail na Fèis mu choinneimh Taigh Bhòid a h-uile bliadhna – ann an Ceàrnag Charlotte, far am bithear a' togail baile litreachais ann an teantaichean. Anns a' chiad bhliadhna agam mar Phrìomh Mhinistear gheall mi do Stiùiriche na Fèis aig an àm gun cumainn tachartas a h-uile bliadhna. 'S iongantach seo a chionn 's nach do sgrìobh mi leabhar a-riamh; bileagan, òraidean is Pàipearan Geal gu leòr, ach cha do sgrìobh mi leabhar a-riamh. Ach air sgàth gliocas an stiùiriche, Nick Barley, tha sinn air tachartas far an deach a h-uile tiogaid a reic a chur air dòigh a h-uile bliadhna. B' e an cleas againn gun dèanainn-sa agallamh còmhla ri ùghdaran iomraiteach, agus tha Tom Devine a' tàladh sluaigh mhath don tachartas.

Ged as e eòlaiche eachdraidh a th' ann tha Tom a' dèanamh a' ghnothaich le poileataigs. Agus ged as e neach-poileataigs a th' annam fhìn tha mi fhìn a' dèanamh a' ghnothaich le eachdraidh. Tha sinn a' gabhail lòin còmhla ann an Taigh Bhòid an dèidh an tachartais, agus tha Tom ag innse dhomh gu bheil e am beachd a thaic airson BU CHÒIR fhoillseachadh ach anns an dòigh aige fhèin agus 's dòcha anns an *Observer*, far a bheil an neach-naidheachd air a bheil meas aig Tom, Kevin McKenna. Tha e cuideachd den bharail gu bheil an fharpais a' teannachadh gu mòr, air a piobrachadh leis a' ghràin a th' aig daoine air poileataigs Westminster agus air an iomairt CHA BU CHÒIR a tha a' tachdadh dhaoine le eu-dòchais.

An dèidh lòin còmhla ri Tom, tha mi fhìn is Moira a' dèanamh air Baile Mhorail airson dìnneir leis a' Bhànrigh. Tha an t-sìde garbh fhathast agus feumaidh sinn slighe fhada a shiubhal taobh Sròn na h-Aibhne gus an seachainn sinn na tuiltean mòra air an rathad.

Cha robh mi a-riamh cho fadalach airson coinneachadh ris a' Bhànrigh, agus mar sin, tha beachd a' tighinn a-steach orm is sinn a' stad aig Longleys Smiddy faisg air Mìgeil, far a bheil na subhagan as fheàrr ann an Alba aig Raymond agus Sandra Norrie. Tha a Mòrachd Rìoghail a' toirt maitheanais dhuinn leis cho fadalach 's a tha sinn is i ag ràdh gu bheil Uisge Dè nas àirde na bha e a-riamh bho 1914.

Ach dè an gibht as urrainn dhut a thoirt don bhoireannach aig a bheil a h-uile càil mar-thà? Basgaid no dhà làn shubhagan a chaidh àrach faisg air Caisteal Ghlamais, dachaigh Màthair na Bànrigh nach maireann.

Tha A Mòrachd Rìoghail air a dòigh glan. Tha sinn gan ithe aig àm dìnneir.

Latha Seasgad 's a Dhà: Dimàirt 12 An Lùnastal

Bracaist aig Baile Mhorail agus an uair sin air ais a dh'obair.

Tha Iain Swinney na chathraiche aig coinneamh a' Chaibineit agus a' stiùireadh an deasbaid phàrlamaid air suidheachadh eaconamach neo-eisimeileachd.

Tha mi a' coinneachadh ri Tosgaire na Gearmailt, a tha a' dearbhadh gum bi na Gearmailtich neo-thaobhach, agus an uair sin a' coinneachadh ri eaconamairean riaghaltais agus Nicola is Iain, airson bruidhinn air sgaoileadh aithisg dheireannach a' Choimisein Ionmhasail.

Tha an Coimisean Ionmhasail na bhuidheann obrach aig Buidheann nan Comhairlichean Eaconamach, agus 's e beachd-smuain a th' ann a ghoid mi bho na Stàitean. Chaidh a chur air chois nuair nach robh mi fada san dreuchd is e stèidhichte air saothair a' chomhairliche shònraichte Ameireaganaich, Jennifer Erickson, a tha uabhasach sgileil. Tha e a' toirt eòlais air gnìomhachas agus an eaconamaidh còmhla – bidh a h-uile ball a' toirt an ùine aca an asgaidh airson comhairle a chumail ris a' choimisean air eaconamaidh na h-Alba. Tha triùir neach a bhuannaich duaisean Nobel air a bhith ann agus iomadh sàr-eòlaiche eaconamach is gnìomhachais. Bidh mi uaireannan ag ràdh am fealla-dhà nach robh Iòsaph Stiglitz ach na chathraiche air Buidheann nan Comhairlichean Eaconamach aig Ceann-suidhe Clinton ach na bhall ann an Alba!

Tha Stiglitz agus neach eile a bhuannaich duais Nobel, Seumas Mirrlees, air a' Choimisean Ionmhasail còmhla ris na h-eaconamairean, Anndra Hughes-Hallet agus Frances Ruane aig Institiùd Rannsachaidh Eaconamach is Shòisealta ann an Èirinn. Chuir e argamaid an cèill airson aonadh airgid ann an 2013 agus tha an aithisg dheireannach seo mar fhreagairt air na diofar bheachdan a chaidh a chruinneachadh.

An coimeas ri obair ionmholta a' Choimisein, tha a' mhòr-chuid de na h-ionnsaighean air an aonadh airgid air a bhith aig ìre ìosal gun shusbaint. Mar thoradh air sin chaidh oidhirp a dhèanamh air coimeas a dhèanamh eadar na buannachdan is eile eadar dà dhùthaich aig a bheil ìrean tarbhachd a tha cha mhòr co-ionnan agus na duilgheadasan an lùib aonadh airgid a ghlèidheadh eadar dà dhùthaich aig a bheil eaconamaidhean gu tur eadar-dhealaichte a leithid na Gearmailt is na Grèige.

Tha ceist nas susbaintiche ann, a bheil aonadh airgid agus uachdranas nàiseanta comasach aig an aon àm, no a bheil 'saorsa eaconamach' gu leòr an lùib aonadh airgid airson argamaid a dhèanamh às leth neo-eisimeileachd?

Tha an Coimisean Ionmhasail air liosta fada de chumhachdan eaconamach fhoillseachadh nach eil comasach an lùib dùthaich aig a bheil ìre de sgaoileadh-cumhachd, ach a gheibhear ann an stàit neo-eisimeileachd, a leithid poileasaidh ionmhasail, tèarainteachd shòisealta, poileasaidh cho-fharpaise, poileasaidh cumhachd agus prìomh chumhachdan eile. Ann an deasbad ainmeil aig Ceistean don Phrìomh Mhinistear na bu thràithe den bhliadhna, thug ceannard nan Làbarach, Johann NicLaomainn iomradh air na cumhachdan eaconamach cudromach seo mar 'rudan beaga'. Anns an t-saoghal eaconamach, agus anns a' bheatha fhèin, 's iad gu tric na rudan as cudromaiche a th' anns na rudan beaga.

Latha Seasgad 's a Trì: Diciadain 13 An Lùnastal

Tha e coltach gum bi Alba soirbheachail dà thuras ri linn nan Geamannan agus Cupa Ryder. Nach biodh e math an gnothach a dhèanamh an treas turas anns an reifreann!

Tha mi aig Buidheann Stiùiridh Ministrealachd airson Cupa Ryder aig Gleann na h-Eaglais. Tha seo car coltach ri Buidheann Stiùiridh Geamannan a' Cho-fhlaitheis. Ach tha eagrachadh an tachartais seo air a bhith nas fhasa, a chionn 's gu bheil na com-pàirtichean againn air a' Chuairt Eòrpaich cleachdte ri bhith a' stiùireadh iomadh tachartas a h-uile bliadhna. Chan eil na tachartasan sin cho mòr ri seo ceart gu leòr ach 's e buidheann air leth proifeiseanta th' annta fo stiùireadh Sheòrais O'Grady, Sheumais Finnigan, Richard Hills, Scott Kelly agus stiùiriche na co-fharpais, Ed Kitsen. Tha e na thlachd mòr a bhith ag obair còmhla riutha.

Aig a' choinneimh, tha riochdairean Poileas na h-Alba a' gabhail tlachd às na molaidhean a tha iad a' faighinn airson Geamannan a bha fìor shoirbheachail bho thaobh tèarainteachd agus tha iad a' toirt seachad sgrùdadh brosnachail mu dheisealachd an tachartais seo. 'S e am bun-structar dealanach am prìomh dragh agam an dèidh na thachair ann am Medinah, agus cha mhòr nach eil sin fhèin deiseil. Air an latha mu dheireadh ann am Medinah, stad am bòrd fiosrachaidh aig amannan fìor chudromach air sgàth 's gun robh e ag obair ro chruaidh. Tha mise deimhinn den bheachd nach tachair a leithid aig Gleann na h-Eaglais agus a' gabhail ris gum bi inneall-làimhe aig a h-uile duine. Tha coltas math air suidheachadh na còmhdhail, air a bheil dragh aig a h-uile duine, agus Còmhdhail na h-Alba ri obair mhath mar as àbhaist.

Ma tha sinn airson 's gun ruig an reifreann inbhe nan tachartasan mòra eile feumaidh sinn an dà chuid susbaint agus astar na h-iomairt atharrachadh.

Dh'innis mi don sgioba an t-seachdain a chaidh nach eil e math gu leòr dìreach a bhith freagairt ri iomagain mun not agus teicheadh nam bancaichean. Feumaidh sinn fhìn cànan nan dreuchdan agus na seirbheis slàinte a bhruidhinn agus mìneachadh an diofar a dhèanadh e nan robh a' chumhachd sin againn fhìn an àite a bhith an crochadh air na gearraidhean is prògraman prìobhaideachaidh a thèid aontachadh taobh a-muigh na dùthcha sa.

Tha mi a' cumail sin nam chuimhne anns an agallamh agam air BBC le Jackie Bird. Gu fortanach 's e seo an latha anns a bheil Mark Carney a' cur an cèill a bharantachd tuiteamais a thaobh dleastanas Banca Shasainn. 'S ann mar fhreagairt air ceist le Kamal Ahmed aig a' BhBC a tha e a' sgaoileadh a' bhrath seo. Bidh na meadhanan a' toirt mìneachaidh air seo a bhios a' cur sìos air BU CHÒIR ach tha iad gu tur ceàrr. Gu dearbh, tha an Riaghladair a' cur an cèill gu math soilleir na bha soilleir co-dhiù: 's e am Banca a bhios a' làimhseachadh na cùise air 19 An t-Sultain agus tha e air na planaichean iomchaidh ullachadh.

A dh'aindeoin sin, tha mi a' coileanadh na chuir mi romham san agallamh. Tha mi a' cur fàilte air beachdan an Riaghladair, a' cur coire air CHA BU CHÒIR airson draghan na roinne ionmhasail air teicheadh airgid, agus a' cur seachad a' mhòr-chuid den agallamh a' mìneachadh carson a tha an t-Seirbheis Shlàinte fo chunnart anns an Aonadh agus carson a tha sinn a' tairgsinn barantais reachdail air cùram slàinte a bhios an asgaidh aig an àite lìbhrigidh.

Tha sinn an eismeil an lighiche aillse broillich agus neach-poileataigs ùir, Philippa Whitford, airson na dòigh ùir seo air an t-seirbheis shlàinte, a bheir buaidh mhòr air an reifreann nam bheachd-sa, agus a mhìnich Philippa an toiseach air bhideo air YouTube air a bheil fèill mhòr a-nis. Tha Rùnaire na Slàinte, Ailig Neil, a' cur na h-argamaid seo an gnìomh gu h-èifeachdach a-nis.

Latha Seasgad 's a Ceithir: Diardaoin 14 An Lùnastal

Tha Ceistean don Phrìomh Mhinistear an-diugh coltach ri ath-aithris air deasbad an airgid a-rithist ach a-nis leis na beachdan ùra aig Mark Carney air 'plana tuiteamais' agus an naidheachd ann am pàipearan an aonaidh air lèir-sgrios siostam an ionmhais.

Tha mi a' cumail faclan an Riaghladair nam chridhe agus a' cur às leth caraidean Nas Fheàrr Còmhla gu bheil iad fhèin a' brosnachadh neo-sheasmhachd, fhad 's a tha an Riaghladair a' brosnachadh seasmhachd – tha mi ag aithris bheachdan cudromach Anton Muscatelli, Prionnsabal Oilthigh Ghlaschu, a thug iomradh air veto airgid mar 'economic vandalism'.

Tha mi a' coinneachadh ri tosgaire nan Stàitean Aonaichte feasgar, Matthew Barzun, agus gus a bheil companach Ameireaganach ann dha, tha mi air iarraidh air Jennifer Erickson, a bha na comhairliche sònraichte, coinneachadh rinn fhad 's a tha i air turas bho na Stàitean. Tha mi a' toirt iomradh air na beachdan aig Obama is a thaic caran fann do CHA BU CHÒIR, agus tha mi a' cur ceist dhìreach air an tosgaire, ciamar a bhiodh e fhèin a' faireachdainn nan rachainn-sa a-null do na Stàitean Aonaichte aig àm an ath thaghaidh airson Ceann-suidhe is mi ag iarraidh air na h-Albannaich ann an Ameireaga bhòtadh airson a' Phàrtaidh Democratic no a' Phàrtaidh Republican?

Tha mi cuideachd ag ràdh, air sgàth 's cho cudromach 's a bha Albannaich Linn an t-Soillseachaidh ri linn Foirgheall Saorsa Ameireaga agus air sgàth nan Albannach a chaidh a mharbhadh ann an Cogadh Catharra Ameireaga, chan eil e cothromach idir gu bheil an riaghaltas Ameireaganach seo a' làimhseachadh dùthaich bheag a bha a-riamh càirdeil ann an dòigh cho leamh.

Airson a' phuing agam a dhearbhadh, tha mi ga thoirt a-null gu Cladh Calton ri taobh Taigh an Naoimh Anndra, far a bheil an aon ìomhaigh chloiche san dùthaich a tha a' comharrachadh Abraham Lincoln ri taobh uaigh Dhaibhidh Hume, is a chaidh togail mar chuimhneachan air na h-Albannaich a chailleadh san t-sabaid ri linn a' Chogaidh Chatharra.

Tha mi a' toirt na coinneimh gu crìch le bhith a' fiathachadh an tosgaire do Chupa Ryder agus tha sinn a' cur geall de bhotal mac-na-braiche no botal bourbon air cò ghlèidheas – 's e sin cò ghlèidheas an Cupa – chan e an reifreann!

Tha mi a' dèanamh air Taigh-òsta Marcliffe an uair sin airson cuirm mhaoineachaidh don iomairt BU CHÒIR. Air sgàth na h-obrach ionmholta aig Elaine C. Nic a' Ghobhainn mar ròpair, Stewart Spence a' stiùireadh na h-oidhche agus an neach-gnìomhachais Harvey Aberdein – uncail do Geoff – thathar a' reic an deilbh dhrùidhtich dhìom le Gerard Burns gu soirbheachail. Tha an dealbh agus an tachartas gu lèir a' togail £120,000.

Latha Seasgad 's a Còig: Dihaoine 15 An Lùnastal

Air an rathad a Ghlaschu airson cuirm fhàilteachaidh Sgioba na h-Alba, agus tha sreath fada de chòmhraidhean fòn agam le luchd-gnìomhachais airson taic fhoillsichte a thrusadh don iomairt, an dèidh soirbheachadh na dìnneir gnìomhachais a-raoir.

Am measg nan daoine as cudromaiche tha Ralph Topping (a bha na Àrd-oifigear aig William Hill agus na Àrd-oifigear na Bliadhna). Tha mi air a bhith eòlach air Ralph mar chathraiche neo-eisimeileach Prìomh Lìog na h-Alba – 's e duine onarach is èasgaidh a th' ann. A chionn 's gu bheil e air a dhreuchd a leigeil dheth a-nis tha e ag ràdh gu bheil e uabhasach deònach a thaic do BU CHÒIR fhoillseachadh.

Tha mi air fònadh gu Philip Grannd aig Lloyds cuideachd airson bruidhinn air beachd an Riaghladair, a chionn 's gu bheil an t-Àrd-oifigear, Señor Antonio Horta-Osorio air saor-làithean. Tha sinn den aon bharail gur e tachartas brosnachail a th' ann a bu chòir cùisean a dhèanamh rèidh, mura tig am barrachd donais phoilitigeach co-dhiù.

Tha an tachartas aig Kelvingrove airson Sgioba na h-Alba a' dol gu math, agus sluagh mòr a' nochdadh airson fàilte mhòr a chur air an sgioba. Chan urrainn do mhuinntir an sgioba creidisinn gu bheil cola-deug air a dhol seachad bho dheireadh nan Geamannan – tha iad gu lèir cho sona sunndach 's a ghabhas fhathast.

Tha mi a' coinneachadh ri Kenyon Wright aig an Grand Central. Rinn Kenyon barrachd na duine sam bith eile airson an Co-chruinneachadh Bun-reachdail a chumail còmhla anns na

1990an, agus tha e a-nis na neach-taic daingeann air taobh neo-eisimeileachd na h-Alba. Tha athair fèin-riaghlaidh na h-Alba a-nis na sheanair neo-eisimeileachd na h-Alba agus tha e fhèin a' tuigsinn nas fheàrr na cha mhòr duine sam bith eile an diofair eadar fèin-riaghladh le ùghdarras glèidhte ann an Lunnainn fhathast agus cumhachd uachdranais a bhith agad fhèin.

Tha an latha a' tighinn gu crìch le cruinneachadh mòr de luchd-ceannaich is luchd-solarachaidh aig United Wholesale Grocers anns a' Kabana ann an Glaschu. 'S e taisbeanadh mòr a' th' ann de thaic airson BU CHÒIR bho choimhearsnachd nan gnìomhachasan Àisianach. Tha Mgr. Ramzan, mar chathraiche na companaidh, a' toirt òraid chumhachdach seachad. Feumar a ràdh gu bheil e fada nas fheàrr mar òraidiche na a bhràthair, Mohammad Sarwar, a tha na Riaghladair na Punjab agus a bha na bhall pàrlamaid Làbarach.

Latha Seasgad 's a Sia: Disathairne 16 An Lùnastal

A' toirt slaic do Phrìomhaire Astràilia, Tony Abbot, ann an agallamh air a' BhBC. 'S e Abbott an t-amadan as gòraiche am measg cheannardan an t-saoghail air an robh an Camshronach a' guidhe.

Madainn an-diugh tha e ag ràdh gun cuireadh 'nàimhdean deamocrasaidh' fàilte air bhòt BU CHÒIR. Abair aghaidh, an duine seo a tha na cheannard air dùthaich a choisinn saorsa bho Lunnainn. Co-dhiù tha fèis deamocrasaidh a' dol ann an Alba an-dràsta.

Bidh na freagairtean agam air leithid a bheachdan caran sèimh, mar as àbhaist, a chionn 's gu bheil mi a' creidsinn gu bheil iad nan cuideachadh don iomairt BU CHÒIR. Ach an turas seo, tha mi a' toirt fìor ionnsaigh air an t-slìomair seo a chaidh oideachadh aig Oxbridge agus aig a bheil fìor dhroch bheachdan mu bhoireannaich. Nach e seo an dòigh Astràilianach co-dhiù!

Air an t-slighe air ais a dh'Obar Dheathain air an trèan còmhla ri Lorraine Kay agus tha cothrom agam an dà chuid obair agus smaoineachadh a dhèanamh. Tha e doirbh a thuigsinn nach eil sinn air mòran gluasaid fhaicinn anns na cunntasan-bheachd fhathast ged a tha mi ga fhaicinn am measg a' mhòir-shluaigh. 'S e mo bharail fhìn gu bheil cùisean nas teinne na 60-40 agus tha mi a' dèanamh fiughair ris an àth chunntas le MORI, System Three agus gu h-àraid le YouGov fhaicinn anns am bi beàrn a tha a' teannadh. 'S ma dh'fhaoidte gum feum tachartas mòr a bhith ann a leithid buannachadh san deasbad air a' BhBC gu furasta gus an toir sinn air na cunntasan gluasad.

Aig barbecue airson a' bhuidhinn sgìre phàrlamaid nas fhaide den latha aig Hamish agus Mo Vernal. Tha Hamish na cheannard den Bhuidheann SNP air Comhairle Siorrachd Obar Dheathain. Tha an luchd-iomairt againn a' sìor-fhàs nas misneachaile. Tha na daoine seo air a bhith a' tadhal air stairsnichean fad dà bhliadhna agus tha misneachd nan daoine ris a bheil iad a' coinneachadh na fìor adhbhar dòchais dhaibh.

Latha Seasgad 's a Seachd: Didòmhnaich 17 An Lùnastal

Tha mi toilichte gu leòr leis mar a chaidh leam air prògram eile le Cailean MacAoidh air Bauer Radio. Saoil a bheil Alasdair? Bha e fhèin air romham agus thòisich e a' trod ris an luchd-èisteachd gun adhbhar sam bith. 'S dòcha gu bheil meangan an cois na misneachd a ghlèidh a' chiad deasbad dha.

Agallamh eile, le STV an turas seo, air ciamar a tha na h-iomairtean an-dràsta fhèin.

Tha sunnd na coinneimh iomairt againn caran ìosal ach tha an naidheachd gun tèid cunntas-bheachd YouGov fhoillseachadh a-màireach anns a bheil toraidhean 'inntinneach' gam misneachadh.

Latha Seasgad 's a h-Ochd: Diluain 18 An Lùnastal

'S e seo an gluasad a bha a dhìth oirnn. Tha a' chiad chunntas-bheachd YouGov bhon deasbad a' sealltainn gu bheil am beàrn air teannadh le seachd puingean taobh a-staigh cola-deug – gu 13 sa cheud.

Agus tha mi fhìn ann an àite uabhasach iomchaidh airson an naidheachd seo a sgaoileadh fad is farsaing: baile eachdraidheil Obar Bhrothaig – 'cho fad 's a tha ceud againn beò, cha ghèill sinn fo riaghladh meadhanan Lunnainn!' Tha sgioba thachartasan riaghaltas na h-Alba, gan stiùireadh leis an duine dhèanadach sin, Scott Rogerson, air obair shònraichte math a dhèanamh an seo.

Tha mi a' cluich geama bobhlaidh do cheathrar aig Club Bobhlaidh na h-Abaid, còmhla ri Darren Burnett, a ghlèidh am bonn òir, agus tha na seann thobhtaichean a' toirt seallaidh eachdraidheil dhuinn. Ma tha thu airson geamannan bobhlaidh a bhuannachadh feumaidh tu na companaich agad a thaghadh gu math.

Tha sinn a' dèanamh cuairt shlàn de dh'agallamhan agus gràisg nam meadhanan gar leantainn – ach chan eil iad air suim a chur anns na cunntasan-bheachd mar a bha mi an dùil. 'S e an duilgheadas a th' ann gu bheil grunnan chunntasan air a bhith ann – Survation, Panelbase – a tha air figearan nas teinne a shealltainn. Ach dhomh fhìn dheth, tha an cunntas le YouGov nas cudromaiche – a' sealltainn gluasaid ann an cunntas-bheachd nach do sheall gluasad bho thoiseach na bliadhna.

Tha sinn a' cumail coinneamh a' Chaibineit ann an Eaglais an Naoimh Anndra ann an Obar Bhrothaig agus coinneamh phoblach

171

ann an talla na h-eaglaise. Bha còir aig meadhanan a' bhaile mhòir fuireach airson an tachartas seo fhaicinn. Tha mòran dhaoine an làthair agus iad uabhasach dòchasach. Tha luchd-taic BU CHÒIR air leth misneachail ach, nas cudromaiche buileach, tha daoine gu leòr ann a tha a' sireadh fiosrachaidh no earbsa mu na bhiodh an dàn do dh'Alba neo-eisimeileach. Tha Anndra Nicoll aig an *Scottish Sun* air aon de na beagan luchd-naidheachd a dh'fhuirich. Cha chanadh tu gur e fear a tha làn dòchais is misneachd a tha' anns an neach-naidheachd aithnichte seo, ach tha a' choinneamh fiù 's a' drùidheadh air fhèin.

Bha mi air iarraidh air Daibhidh Middleton, a tha na àrd-oifigear aig Còmhdhail na h-Alba, a thighinn a-nìos a dh'Obar Bhrothaig. Tha mi a' toirt lioft dha air ais a Dhùn Èideann gus an tèid agam air bruidhinn ris is innse dha gum feum na h-oifigich aige an cothrom turasachd an lùib Rèile nan Crìochan a ghlacadh. Tha Daibhidh, aig a bheil sgioba shoirbheachail a bha an sàs ann am pròiseactan a leithid Drochaid Phort na Bànrighinn, ga ghabhail gu math. Tha sinn a' cur crìoch air an latha le deoch-shlàinte aithghearr don dealbh den t-seòmar-cuideachd aig Bhaltair Scott a tha crochte ann an Taigh Bhòid. Tha an deoch-shlàinte airson na loidhne Waverley ùire do na Crìochan.

Latha Seasgad 's a Naoi: Dimàirt 19 An Lùnastal

Coinneamh iomlan aig àm bracaist còmhla ri cathraiche Buidheann nan Comhairlichean Eaconamach, Iain Swinney agus eaconamairean riaghaltas na h-Alba, An t-Àrd-ollamh Gary Gillespie agus Graeme Roy. Tha Graeme air a dhòigh glan is e na shàr phìobaire ann an Còmhlan Pìoba Field Marshal Montgomery a tha air duais co-fharpais an t-saoghail a thoirt air ais a dh'Èirinn a Tuath a-rithist.

Tha Crawford a' foillseachadh aithisg dheireannach a' Choimisein Airgid ann an cruth òraid aig Oilthigh Ghlaschu Caledonian a-nochd. Tha e stòlda agus misneachail mun tachartas fhad 's a tha sinn a' dol tro na ceistean a dh'fhaodas nochdadh.

Tha mi a' dèanamh air Abaid Dryburgh airson dìnneir le Mike Cantlay aig VisitScotland, Daibhidh Parker aig Comhairle nan Crìochan agus Peadar de Vink, a tha na chomhairliche neo-eisimeileach ann am Meadhan Lodainn agus na mhargaiche-saor. Cuspair: foillseachadh nam beachdan againn airson Rèile nan Crìochan. Tha Mike uabhasach sgileil air dìorras riaghaltasan is buidhnean fhaighinn air moladh, agus tha ro-innleachd againn a bheir air Iomairt na h-Alba buidheann a chur air dòigh, anns am bi VisitScotland agus a' Chomhairle, airson am pròiseact a thoirt gu buil shoirbheachail.

Tha mi air naidheachd fhaighinn gun do dh'èirich duilgheadas beag do Crawford anns an òraid aige ann an Glaschu. An dèidh dhomh cluinntinn na thuirt e an dà-rìreabh feumar a ràdh nach eil e airidh air an othail leanabail a tha ri fhaicinn anns a' *Telegraph* agus *The Times*.

Latha Seachdad: Diciadain 20 An Lùnastal

Tha mi a' cur fòn gu Crawford Beveridge airson beagan cofhurtachd a thoirt dha a thaobh cuid de na cinn-naidheachd ris am bitheamaid an dùil agus innse dha gun robh na h-agallamhan telebhisein anabarrach math. Tha Crawford, a bha na shàr-àrd-oifigear aig Iomairt na h-Alba, a' toirt a leisgeulan seachad, ach cha leig e a leas. Tha sinn fada seachad air an àm a bheireadh sgàthan meallta nan naidheachdan Albannach buaidh air an iomairt againn.

Tha mi a' foillseachadh sreath naidheachdan an-diugh a tha iomchaidh airson an latha mu dheireadh ron ghreis *purdah*. Tha foillseachadh iomairt Rathad-iarainn nan Crìochan a' dol gu math agus leis na tha an làthair aig a bheil dealas, dìorras agus eòlas, tha mi cinnteach gum bi an iomairt soirbheachail.

Nas fhaide den latha ann am Bearuig a Tuath, Lodainn an Ear, tha sinn a' sgaoileadh na naidheachd gum bi sinn, an com-pàirteachas le Aberdeen Asset, a' cur farpais goilf nam ban, Scottish Women's Open, air an aon stèidh 's a tha farpais nam fear, agus an fharpais Albannach a' tachairt air sàr-raon-machrach an t-seachdain ron cho-fharpais, Ladies' Open Championship. 'S e naidheachd iomchaidh a th' ann a chionn 's gu bheil a' Phàrlamaid a' deasbad 'chothrom do bhoireannaich' an-diugh.

Fhad 's a tha mi a' cluich air an seann raon ghrinn seo tha sinn a' faighinn brath gu bheil Sir Ian Wood air beachdan eu-dòchasach mu na tha an dàn don Chuan a Tuath a sgaoileadh. 'S e a phrìomh ghearan gu bheil Riaghaltas na h-Alba air ar rannsachadh a stèidheachadh air sgrùdaidhean leis a' bhuidheann N24, a bha iad fhèin air aithisg fhoillseachadh a chuir an cèill gun robh na tuairmsean air stòrasan ola a' Chuain a Tuath ro ìosal.

Ach ged as e daoine a tha a' cur taic ri BU CHÒIR a tha os cionn N24 chan e buidheann riaghaltais a th' ann. B' e beachd an riaghaltais a-riamh gun cleachdadh sinn an tuairmse aig UK Oil and Gas gu bheil 'gu ruige 24 billean baraille' de stòrasan anns a' Chuan a Tuath. 'S e an dearbh fhigear sin a tha a' nochdadh anns an aithisg dheireannaich aig Wood fhèin air ola a' Chuain a Tuath, air taobh duilleig 7, far a bheil e ag ràdh nan rachadh a mholaidhean fhèin a chur an sàs b' urrainnear 'figear ìosal' de 15 billean – 16 billean baraille a thoirt às agus 'figear àrd' de 24 billean baraille. 'S e sin as adhbhar gu bheil an naidheachd obann seo mun neach-ghnìomhachais chliùiteach seo caran annasach.

Tha dà chòmhradh fòn eile agam. A' chiad fhear don Àrd-ollamh Ailig Kemp, a tha na fhìor eòlaiche ola agus tha fios agam gu bheil e den bharail gu bheil an tuairmse le UK Oil and Gas reusanta gu leòr. Tha mi a' fònadh an uair sin gu Aonghas Roxburgh, a bha na neach-naidheachd Eòrpach aig a' BhBC. Tha mi a' sireadh taic Aonghais airson an dàrna deasbad ullachadh.

Latha Seachdad 's a h-Aon: Diardaoin 21 An Lùnastal

Tha beachd agam ciamar as urrainn dhuinn Ferguson Shipbuilders a shàbhaladh – agus tha mi air a bhith ag obair air còmhla ris an dithis riochdaire-aonaidh, Ailig Logan agus Iain McMunagle.

Chaidh Blair Nimmo aig KPMG fhastadh mar rianaire airson na companaidh coimeirsealta mu dheireadh a tha a' togail bhàtaichean air Abhainn Chluaidh. Dh'fhoillsich e beachd cuideachail air-loidhne a-raoir gum b' fheàrr leis tairgsean fhaighinn bho dhaoine a tha airson an gàrradh a chumail fosgailte an àite dhaoine a dh'fhaodadh feum a dhèanamh à goireasan is ainm Ferguson ach nach biodh ag iarraidh an luchd-obrach. Tha mi ag iarraidh cead fhaighinn bhuaithe gu h-àraid a thighinn don ghàrradh airson bruidhinn ris an luchd-obrach. Feumaidh mi an dìcheallachd airson an gàrradh aca a shàbhaladh a chur gu feum. Tha mi air iomadh dùnadh gnìomhachasach agus soirbheachadh fhaicinn. Tha an aon fhreumh a' ruith tron fheadhainn shoirbheachail agus 's e sin gun tèid aca air smaoineachadh mar dhaoine soirbheachail fiù 's ri linn cruaidh-chàs.

Tha còmhradh fòn eadar mi fhìn is Blair madainn an-diugh mar ullachadh airson Cheistean don Phrìomh Mhinistear airson faighinn a-mach dè an clàr-ama a bhiodh an lùib pròiseas tairgse. Tha na

Ceistean fhèin stèidhichte, mar a bhiodh dùil, air an ola. Ach tha deagh fhiosrachadh agam, a leithid rannsachaidh le BP a tha an dùil ri 27 billean baraille agus le Ailig Kemp aig a bheil tuairmse de 16 billean – 17 billean baraille gu ruige 2050 – ach tha e cuideachd a' cur an cèill gu bheil e comasach gu bheil 24 billean uile gu lèir, seachad air a' bhliadhna 2050. Mar sin dheth, saoilidh mi gu bheil e reusanta gu leòr gum biodh Riaghaltas na h-Alba a' cleachdadh suas ri 24 billean mar thuairmse gnìomhachais.

Tha crìoch bhrosnachail ga chur air an t-seisean feasgar an-diugh. Tha mi fhìn a' moladh a' ghluasaid air neo-eisimeileachd, tha Nicola a' co-dhùnadh agus tha an deasbad a' tighinn gu crìch. Cha mhòr nach eil am Pàrtaidh Làbarach a' dol às an rian fhad 's a tha mi a' mìneachadh na h-argamaid gu bheil an t-seirbheis shlàinte fo chunnart prìobhaideachaidh, chan ann an Sasainn a-mhàin, ach ann an Alba. Tha ball pàrlamaid airson Lìte ann an Dùn Èideann, Calum Siosalach, a tha mar as àbhaist air fear de na buill as smuaineachaile, den bharail nach rachadh riaghaltas Breatannach a thaghadh air prògram airson an t-seirbheis shlàinte a phrìobhaideachadh no cosgaisean a thoirt a-steach. Ach 's e sin an dearbh rud a tha na Làbaraich a' cur às leth nan Tòraidhean ann an Sasainn. Tha mi làn dòchais gun cleachd Alistair Darling an argamaid seo Diluain.

Tha Pàrlamaid na h-Alba a' toirt aonta 61 gu 47 don ghluasad air neo-eisimeileachd. Tha NBC a' toirt iomradh air mar 'bhòt ainmeach' a-mhàin – 's e abairt caran inntinneach a tha sin nuair a tha pàrlamaid nàiseanta air gluasad air neo-eisimeileachd nàiseanta aontachadh!

'S e tachartas a tha an dà chuid drùidhteach is brosnachail a tha anns a' choinneamh Bhuidhne aig 5.30 is sinn air tighinn gu deireadh an t-seisein. Tha na buill phàrlamaid air am piobrachadh leis an smuain gur ma dh'fhaoidte gum bi sinn a' coinneachadh an ath thuras anns a' Phàrlamaid an dèidh dhuinn bhòtadh airson neo-eisimeileachd. Abair brosnachadh a bheir sinn leinn air rathad an reifreinn – nuair a thig sinn cruinn còmhla a-rithist 's ma dh'fhaoidte gum bi sinn a' deisealachadh na h-Alba airson a saorsa.

Tha naidheachdan bho na sgìrean pàrlamaid ag innse dhuinn gu bheil an taic airson neo-eisimeileachd a' sìor-dhol am meud agus gu bheil an iomairt BU CHÒIR a' fàs nas treasa aig ìre ionadail.

Nas fhaide den latha, aig a' chiad dìnnear airson Gnìomhachas na h-Alba ann an Glaschu, tha an dealbh dhìom a rinn Gerard Burns a' togail £50,000 don charthannas airson aillse chloinne, CLIC Sargent.

Latha Seachdad 's a Dhà: Dihaoine 22 An Lùnastal

'S urrainn dhomh adhbhar dòchais a thoirt don luchd-obrach aig Fergusons an-diugh.

Tha iad a' tighinn cruinn còmhla aig a' ghàrradh ann am Port Ghlaschu airson coinneimh far an urrainn dhomh innse dhaibh gu bheil trì tairgsean co-dhiù ann airson a' ghàrraidh – agus tha fios agam gur e miann aonan dhiubh sin a thoirt thairis mar ghnìomhachas leantainneach.

'S urrainn dhomh fios a leigeil cuideachd, a rèir a chumhachan iomraidh, gu bheil an trusaiche air cur an cèill gum bi e taobhadh ri tairgsean a ghlèidheas dreuchdan anns a' bhaile. Tha na riochdairean aonaidh, Ailig agus Iain, stòlda agus èifeachdach. Tha fear aca a' leantainn Celtic agus am fear eile a' cur a thaic ri Morton agus Rangers, ach tha iad a' cumail an luchd-obrach còmhla. Tha sunnd nan daoine caran muladach ach tha iad daingeann fhathast. Ach tha fealla-dhà is dibhearsan dorcha a' ghàrraidh-shoithichean a' dol fhathast cuideachd. 'S e daoine gasta dha-rìreabh a th' annta agus tha mi mionnaichte gun dèan mi mo dhìcheall dhaibh.

Tha mi a' faighinn cuairt mu thimcheall a' ghàrraidh agus a' dol a-steach do sheada far a bheil cruinn-togail a bhuineas do na 1920an. 'S iongantach gun urrainn do na fir sgileil seo soithichean cho math a thogail air an t-seann uidheam seo. Tha mi ag ràdh riutha gum bi feum mòr againn air a' chùis againn a sgaoileadh air telebhisean airson an gàrradh a ghlèidheadh.

'S e an fhreagairt an làrach nam bonn – 'Dè mu dheidhinn *The Antiques Roadshow*?'

'S e a' phàirt as fheàrr de dhreuchd a' Phrìomh Mhinisteir gu bheil mi ann an suidheachadh uaireannan far an tèid agam air daoine a chuideachadh a tha fìor airidh air an taic. Agus tha an suidheachadh sin air leth follaiseach an-diugh. Tha na bràithrean Seumas agus Sandy Easdale a' tarraing às agus a' leigeil leis an neach-gnìomhachais iomairteach Jim MacColla, aig a bheil tairgse phoblach a-nis, cumail air. Tha dà thairgse eile ann ach chan eil iad air brath a chur don riaghaltas airson barrachd fiosrachaidh mu chùmhnantan nam bàtaichean-aiseig. Chanainn, às bith dè eile anns a bheil iad an-sàs, nach eil iad an dùil soithichean a thogail.

Tha mi a' cur coinneimh air dòigh eadar Jim agus na riochdairean aonaidh madainn a-màireach aig Port-adhair Ghlaschu. Tha an t-uabhas an crochadh air an earbsa eatarra. Ma tha sin againn, 's dòcha nach eil fuasgladh fad às, agus thaitneadh tairgse fhìor aig a bheil taic an luchd-obrach leis an trusaiche.

Tha diofar bheachdan air dè cho glic 's a tha e a thighinn an sàs gu poilitigeach ann an connspaid ghnìomhachail. Tha mi fhìn air a bhith uabhasach deònach a' tighinn an sàs ann an cùis, gu h-àraid ma tha e coltach gun tèid àite-obrach a dhùnadh. 'S e mo bheachd-sa gun dèan thu barrachd feum na cron. Tha an t-eòlas agam ag innse dhomh gu bheil fàilleadh sa mhargaidh nas cumanta na tha a' mhòr-chuid a' creidsinn, agus gu tric tha sgaradh gu tur air tighinn eadar dà bhuidheann leis an urrainn do neach eadar-mheadhanach cuideachadh.

Mar Bhall Phàrlamaid 's urrainn dhomh coimhead air soirbheachadh no dhà thar nam bliadhnaichean san sgìre phàrlamaid agam. Agus mar phrìomh mhinistear tha barrachd chothroman agam a dhol an sàs ann an cùisean agus tha mi air sin a dhèanamh tric is minig, mar eisimpleir anns a' chùis aig ionad-ola Inbhir Ghrainnse. Tha mi air a dhol an sàs ann an connspaid ghnìomhachail dà thuras mar Phrìomh Mhinistear nuair a bha an t-ionad-obrach, agus an eaconamaidh da rèir, fo chunnart. Anns an dàrna cùis sin, ann an 2013, tha nithean dìomhair an sàs ann fhathast nach fhaodar sgaoileadh. Anns a' chiad shuidheachadh, ann an 2008, chan eil bacadh sam bith ann. Thòisich an stailc air 27 An Giblean 2008 is lean i gu 29 An Giblean. Thug an stailc buaidh air solarachadh connaidh ann an Alba, agus air sàilleabh ceannaich èiginneach bha stèiseanan-peatroil air feadh na dùthcha air a dhol tioram. Bha an t-ionad le BP ann an Ceann an Fhàil an crochadh air cumhachd bhon ionad-ola ann Inbhir Ghrainnse aig an àm. B' fheudar do 70 cruinn-ola sa Chuan a Tuath dùnadh no an cuid obrach a lùghdachadh an dèidh dùnadh ionad Ceann an Fhàil. Chosg dùnadh na pìob-ola £50 millean do dh'eaconamaidh na Rìoghachd Aonaichte a h-uile latha a bha i dùinte agus bha solarachadh peatrail na dùthcha air a lùghdachadh cuideachd.

Nuair a ràinig an stailc dà latha suidheachadh anns am biodh e doirbh tilleadh, agus beachd ann gum biodh làithean no seachdainean eile ann mus b' urrainnear an t-ionad-ola a thoirt air ais do làn-sholarachaidh, bha comharran ann gun robh an dà chuid Unite agus a' chompanaidh cheimigich INEOS airson bruidhinn ri chèile, a chionn 's gun robh a h-uile coltas ann gum b' urrainn don aonadh is a' chompanaidh, an ionad-ola agus cuid mhòr de dh'eaconamaidh na h-Alba, a dhol far na creige còmhla. Choinnich Tony Woodley, co-neach-gairm Unite, agus Jim Ratcliffe, Àrd-oifigear INEOS, ri chèile airson a' chiad uair ann an Lunnainn agus, gu h-iongantach, ro dheireadh na coinneimh bha iad mòr aig a chèile. 'S e a bha a dhìth an uair sin ach gun cuireadh Roinn na Malairt is a Ghnìomhachais a taic ri aonta – cha bhiodh airgead an sàs ach co-rèiteachadh. Agus bha iad an crochadh orm fhìn airson sin a chur air chois.

Chuir mi fios don Phrìomhaire, nach tug feart dhomh, mar sin leig mi fios do na naidheachdan gum biodh coinneamh ann co-dhiù. Mar sin b' fheudar do Ghòrdan Brown coinneachadh rinn ann an oifis a' Phrìomhaire, air cùl cathair an Labhraiche air Diluain 28 An Giblean. Chuir Gòrdan a' chiad deich mionaidean den choinneimh seachad a' gearan mun dòigh a thug mi air a thighinn don choinneimh. Anns an ath dheich mionaidean rinn e òraid air carson nach bu chòir dhut a dhol an sàs ann an cùisean gnìomhachail. Agus anns na deich mionaidean mu dheireadh mhìnich e an 'dìleab nimheil' (a dh'fhàg Blair dha) ris an robh e a' dèiligeadh agus bheachdaich e air carson a bhithinn fhìn a' faighinn nam molaidhean mòra sna meadhanan fhad 's nach faigheadh e fhèin ach droch chliù.

Mu dheireadh thall, fhuair sinn cothrom bruidhinn mu Inbhir Ghrainnse agus cha tug e ach mionaid no dhà airson tighinn gu aonta air dè bha a dhìth. An ath-latha chaidh Rùnaire Gnìomhachais Bhreatainn, Iain Hutton agus Iain Swinney a dh'Inbhir Ghrainnse agus chaidh a' chùis a rèiteach.

Bha truas agam ris a' bheachd aig Gòrdan air an 'dìleab nimheil' agus cha robh ann ach aon choinneamh, 's dòcha air droch latha dha. Ach dh'fhàg mi a' choinneamh den bheachd làidir nach robh sunnd an duine seo freagarrach airson dreuchd a' Phrìomhaire.

Air ais don taigh-òsta Hilton airson an deasbad ullachadh. Tha seo calg-dhìreach an aghaidh ullachadh a' chiad deasbaid. Tha fios againn dè na puingean a dh'fheumas sin soilleireachadh agus tha sinn ag obair air loidhnichean airson an cur an cèill. Tha am ball pàrlamaid, Aonghas Robasdan, agus an seann BPA, Donnchadh Hamilton, Tasmina Ahmed-Sheikh agus Kevin Pringle còmhla rium. Tha an neach-naidheachd, Aonghas Roxburgh, aig a bheil eòlas is sgilean a tha a' toirt na h-argamaid mun Roinn Eòrpa air adhart gu ìre ùr, gar cuideachadh. Tha e feumail aig amannan cuideigin fhaighinn bhon taobh a-muigh a chuireas an cèill an dòigh as fheàrr air puingean deasbad a mhìneachadh. Tha mi uabhasach toilichte leis mar a tha cùisean a' dol. Bidh ruith-thairis shlàn ann an Dùn Dè Didòmhnaich.

Nas fhaide den latha tha mi a' coinneachadh ri riochdairean bhon choimhearsnachd Iùdhaich a tha draghail air sgàth grunn chùisean a tha air tachairt an aghaidh Iùdhaich ri linn na còmhstri ann am Palastain. Chan eil fianais uabhasach soilleir ann agus tha an droch-dhìol a tha clàraichte aig ìre ìosal, ach chan urrainnear a dhol as àicheadh gu bheil iad draghail mun t-suidheachadh.

Tha mi a' fònadh don Mhorair Thagraidh, an Àrd-chonstabal agus gu Ministear nan Coimhearsnachdan, Humza Yousaf. Feumar dèiligeadh ri cùisean a leithid seo gu luath agus gu cùramach.

A' tadhal air m' athar aig Taigh Arasgain mus dèan mi air Inbhir Nis a-nochd.

Latha Seachdad 's a Trì: Disathairne 23 An Lùnastal

Air ais air an raon-goilf, ach tha e coltach gu bheil sinn air a' chùis a dhèanamh aig Fergusons. Tha mi air mo dhòigh an dèidh bruidhinn ri Jim MacColla agus na riochdairean aonaidh air a' fòn. Bha mi an dòchas gun rachadh cùisean gu math eatarra an dèidh dhomh na riochdairean aonaidh a mholadh do Jim agus Jim do na riochdairean aonaidh fad na seachdain. Agus tha cùisean air a dhol gu math. 'S dòcha gun tig adhartas gu luath agus gum bi buil mhath ann airson a' ghàrraidh.

Tha mi a' coinneachadh ri càraid Ameireaganach air a' chùrsa aig Caisteal Stiùbhairt. Tha iad a' cluich le camain fhiodha agus a' cluich gu math. Aig an toll mu dheireadh, tha mi a' faighneachd de mo charaidean ùra carson nach eil iad air iomradh a thoirt air poileataigs.

'Seadh,' tha am fear ag ràdh, 'chunnaic sinn thu air na naidheachdan a-raoir aig a' ghàrradh-shoithichean, ach shaoil sinn nan robh thu airson bruidhinn mu phoileataigs gum biodh tu fhèin air an cuspair a thogail.'

Latha Seachdad 's a Ceithir: Didòmhnaich 24 An Lùnastal

An sàs ann an ullachadh iomlan airson an deasbaid, agus a' dèanamh fiughair ris an turas seo – fiù 's an dèidh mo fhliuchadh ann an Dùbhlan nam Bucaidean Deighe.

Tha e freagarrach gu bheil sinn a' dèanamh na ruith-thairis anns an taigh-òsta Apex ann an Dùn Dè. Thagh sinn e a chionn 's gum biodh e goireasach gu leòr airson an sgiobaidh, ach tha mi fhìn uabhasach measail air an àite air sàilleabh 's gur ann an seo a dhealbh sinn an ro-innleachd againn airson an taghadh ann an 2007 a bhuannachadh. Agus a rèir coltais 's ann an Dùn Dè a bhios a' bhòt as àirde air taobh BU CHÒIR.

Thachair rudeigin cudromach fhad 's a bha sinn ag ullachadh airson an taghaidh sin a bha mar shamhla air mar a bha an SNP air atharrachadh. Bha seisean càirdeis aig na ceannardan fo stiùireadh Clare Howell. Mar phàirt den eacarsaich b' fheudar dhuinn an neach as dòchasaiche san t-seòmar ainmeachadh. Dh'ainmich a h-uile duine Jim Mather, a bha na neach-labhairt gnìomhachais den phàrtaidh agus a chaidh na Mhinistear Gnìomhachais an Riaghaltas na h-Alba an dèidh sin.

Ach bha Jim air m' ainmeachadh-sa. Dh'aidich e an dèidh làimh nach dèanadh e a leithid roimhe. ''S dòcha nach buannaich thu ged a tha dòchas agad,' thuirt e rium. 'Ach mura h-eil dòchas agad cha bhuannaich thu a-chaoidh.'

Chuir mi romham bhon uair sin fhèin gun robh mi air cus ùine a chosg anns an t-saoghal phoilitigeach gam ghiùlan mar neach-poileataigs dùbhlanach is gun a bhith a' cosg ùine a' taisbeanadh dè dhèanadh am Pàrtaidh Nàiseanta mar riaghaltas. 'S e mearachd a bh' ann a chuir mi ceart is a chuir mi ceart gu h-iomlan.

An toiseach, mus tòisich sinn air an ullachadh airson an deasbaid, tha gnothach fìor chudromach fa-near dhuinn. Tha Dùbhlan nam Bucaidean Deighe air feadh an eadar-lìn an-dràsta. Tha fiù 's Alistair Darling air fheuchainn aig an deireadh-seachdain, ged nach robh coltas uabhasach cofhurtail air. Tha buannachdan an lùib mo bhogadh ann an Dùn Dè. An toiseach tha cothrom agam èideadh polo an Fhreiceadain Duibh a chosg – bha mi a' lorg àm freagarrach airson a chosg bhon a chuir Màrtainn Gilbert thugam e bho Ameireaga a Deas.

Agus tha cothrom agam Daibhidh Camshron ainmeachadh a chionn 's gu bheil fios agam nach dèan e e, agus Nicola Sturgeon, a chionn 's gu bheil fios agam gun dèan. Tha i fhèin an seo còmhla rium agus chan eil dòigh às dhi!

Cho luath 's a tha sinn tioram tha sinn ag ullachadh airson Darling a theasachadh. Nan suidhe mu thimcheall a' bhùird, tha Nicola, a comhairliche sònraichte dìomhaireach Noel Dolan, Geoff Aberdein, Kevin Pringle, Stewart MacNeacail, Donnchadh Hamilton agus Tasmina Ahmed-Sheikh.

Tha Donnchadh, a bha na BPA agus a tha na thagraiche sgileil, a' cluich Darling fhad 's a tha sinn a' cur ruith-thairis cheart air dòigh agus an seòmar air a sgeadachadh coltach ri Kelvingrove. Tha Kevin, am prìomh neach-naidheachd againn, agus a th' air a bhith air an turas phoilitigeach seo còmhla rium nas fhaide na duine sam bith eile, ag ràdh gu h-eirmseach: 'Gu dearbh, Ailig, tha fios againn uile gun do chaill thu a' chiad deasbad a dh'aona-ghnothach gus am buainnicheadh tu le dùilean an dàrna deasbaid. A thaobh dùilean an luchd-naidheachd, tha sinn ann an suidheachadh fìor mhath a-nis!'

Tha an ruith-thairis a' dol gu math. Tha Tasmina, aig a bheil deagh eòlas ann an saoghal film, uabhasach math le comhairle air stoidhle, seallaidhean camara agus sgilean taisbeanaidh. Tha sinn a' cur romhainn nu rudan a dh'obraich gu math sa chiad deasbad fhilleadh a-steach ach le ro-innleachd eadar-dhealaichte san dàrna fear. Tha loidhne gheur agam mun Roinn Eòrpa, stèidhichte air obair Aonghais Dihaoine. Ach 's iad prìomh amasan a tha a' nochdadh anns an ullachadh seo: smachd a ghabhail tràth air ceist an airgid airson Darling a dhèanamh ain-fhoiseil, agus a' cur às a leth gu bheil a thaic do na Tòraidhean mun t-seirbheis shlàinte na chomharra math air dè tha Nas Fheàrr Còmhla agus caidreachas Tòraidh/Làbarach a' ciallachadh an dà-rìreabh.

Tha Donnchadh fìor mhath air a' chiad cheist agus tha Nicola is Noel glè èifeachdach air an dàrna tè. Tha Kevin is Stuart airson 's gun ceasnaich mi Darling air cumhachdan sa phàrlamaid airson dreuchdan a chruthachadh – tha iad den bharail nach tèid aig Darling air a' cheist shìmplidh sin a fhreagairt.

Tha an deasbad seo gu bhith math (tha mi an dòchas).

Latha Seachdad 's a Còig: Diluain 25 An Lùnastal

Agus tha e math dha-rìreabh! 'S dòcha air sgàth Lucozade. Tha mi a' dol ann gu dàna agus chan eil ach tacsa nan ròpan a cumail Darling na sheasamh.

'S e àite deasbaid eireachdail a th' ann an Kelvingrove ann an Glaschu. Tha coltas math air an-còmhnaidh, ach mar as àbhaist tha e doirbh bruidhinn ann a chionn 's gu bheil buil mar uaimh air fuaimean san togalach. Feumar a ràdh gun do rinn sgioba teicnigeach a' BhBC a' chùis le bhith a' cur luchd-èisteachd car coltach ri *Question Time* air dòigh ann an teis-meadhan an talla mhòir.

An toiseach tha an luchd-èisteachd a' leantainn a' phàtrain a bha stèidhichte air na cunntasan-bheachd, ach ro dheireadh na h-oidhche tha iad gu deimhinn air taobh BU CHÒIR. Tha mi a' buannachadh an deasbaid nuair a tha mi a' greimeachadh cùis an airgid bhon chiad cheist – air an eaconamaidh. Tha mi a' fàgail an lectern is a' conaltradh ris an luchd-èisteachd fhad 's a tha Alistair na sheasamh trèigte air mo chùlaibh. Dh'obraich an dearbh chleas aig deireadh a' chiad deasbaid agus tha mi ga chur an sàs bhon fhìor thoiseach an turas seo, agus a' cruthachadh càirdeis eadar mi fhìn is an luchd-èisteachd gu luath.

An dèidh dhomh ceist an airgid a mhìneachadh gu h-iomlan, a h-uile turas a tha Alistair gam bhruthadh air a' chuspair tha coltas pìobair an aona phuirt air. Tha an luchd-èisteachd an uair sin ag osnaich is a' gearan nuair a tha e ga togail a-rithist, agus tha e fiù 's ag aideachadh 'gum faod sibh an not a chleachdadh gu dearbh'. A chionn 's gu bheil mi a' mùchadh nan loidhnichean as fheàrr aige tha Alistair a' dol bhuaithe agus chan eil càil susbainteach aige ri ràdh. Mar as fhaide a tha an deasbad a' dol, 's ann as miosa a tha cùisean a' fàs aig Nas Fheàrr Còmhla.

Nuair a tha sinn a' ruigsinn na pàirt air cumhachdan airson dreuchdan a chruthachadh tha e a' meabadaich, agus fhad 's a tha e a' fàs nas frionasaiche tha e a' tòiseachadh air tomhadh rium le a chorrag agus tha a chomharran bodhaige a' sìor-dhol nas miosa. Tha e fiù 's a' tòiseachadh air trod ris an luchd-èisteachd. Agus tha e coltach gu bheil e a' dìon a charaidean Tòraidheach na ionnsaigh air a' phuing againn mun t-seirbheis shlàinte. Nuair a tha boireannach ga cheasnachadh air a chuid òraidean pàighte do chompanaidhean slàinte phrìobhaideach chan eil toll ann an Kelvingrove dhan tèid Alistair.

Tha e air tighinn a-steach orm anns an deasbad gu bheil seo nas coltaiche ri co-fharpais eadar dithis luchd-poilitigs a-nis. Tha dà fheallsanachd eadar-dhealaichte do dh'Alba an geall. Tha Alistair anns an aon dùthaich 's a bha an neach-iomairt ud air starsnaich m' athar o chionn fhada an t-saoghail, a' bruidhinn air nach urrainn do dh'Alba dèanamh. 'S e sin an t-àite daingeann aige, ach a-nochd tha an luchd-èisteachd seo air an cùl a chur ris an dùthaich thrèigte sin. Tha mi a' cur crìoch air an deasbad – mar a dh'fheumas sinn crìoch a chur air an iomairt fhèin – le tagradh dòchasach mu nas urrainn do dh'Alba dèanamh ma chreideas i innte fhèin.

Nuair a tha sinn a' coiseachd far an àrd-ùrlair agus air ais don t-seòmar uaine tha Geoff na thosd. Tha e a' teannachadh a dhòrn, gam ghlacadh teann agus, an dèidh greis, gam leigeil às. Tha e a' caoineadh.

Cha tug mi ach deoch Lucozade a-steach leam don deasbad. Nuair a bha mi nam sheinneadair nam òige dhèanainn cinnteach gun robh ultach mòr agam dheth a bheireadh spionnadh dhomh sa bhad agus a ghlanadh mo ghuth. Rinn mi an dearbh rud anns an deasbad, 's dòcha gun robh mi gun fhiosta airson 's gun toireadh seo beagan misneachd dhomh. Nuair a bha an deasbad seachad chunnaic mi gun robh botail air fhàgail agus shluig mi e gu lèir ann an aon sùpaig. Bha suaicheantas YES air a' bhotal a thug gàire mhòr don sgioba iomairt. Sgaoil iad tweet le dealbh dhìom fhìn a' cumail greim air a' bhotal.

Nas fhaide den oidhche aig Òran Mòr ann an Glaschu tha an sgioba BU CHÒIR a' cruinneachadh còmhla a choimhead air an deasbad agus tha mi fhìn a' tighinn a-steach – tron doras cheàrr – is iad a' cur fàilte an t-seòid orm. Tha mi a' toirt brosnachaidh dhaibh airson a' chòrr den iomairt. Tha e follaiseach gu bheil an deasbad air am piobrachadh mar-thà.

Mus ruig sinn an taigh-bìdh Alishan, tha an cunntas-bheachd le ICM a' sealltainn gun do ghlèidh mi gu furasta 71-29, agus boireannaich, daoine neo-thaobh agus bhòtairean Làbarach uile uabhasach fàbharach. An coimeas ris a' chiad deasbad nuair a bha bhòtairean CHA BU CHÒIR den bheachd gun do bhuannaich Alistair agus bhòtairean BU CHÒIR den chaochladh beachd, tha fiù 's bhòtairean CHA BU CHÒIR den bharail gun do ghlèidh mi fhìn an turas seo.

Siuthad! Tha a h-uile nì comasach a-nis.

Latha Seachdad 's a Sia: Dimàirt 26 An Lùnastal

Tha mi aig Fergusons madainn an-diugh far a bheil an luchd-obrach ann an sunnd aoibhneach agus tha mi a' smaoineachadh: Nach biodh e math an reifreann a chumail an-dràsta fhèin anns a' ghàrradh-shoithichean seo.

An dèidh dhomh dùsgadh bha mi ag èisteachd ri agallamh le Jim MacColla, a tha air ainmeachadh mar neach-tairgse taghte airson a' ghàrraidh, air Good Morning Scotland. Nas fhaide den latha, rè an turais, tha an luchd-obrach a' tighinn a-mach a choinneachadh rium gun rabhadh sam bith. Cha mhòr nach eil fios aca gu lèir air suidheachadh a' ghàrraidh agus bha iad air an deasbad a choimhead is iad a-nis ann am fìor dheagh shunnd. Abair dà latha. Dihaoine sa chaidh bha mi ann a' feuchainn ri togail a thoirt dhaibh. A-nis tha mi a' feuchainn ri an cumail rèidh.

Seo aithris a' Press Association air an turas agam:

An dèidh làimh tha e [sin mi fhìn] a' toirt rabhaidh seachad gur dòcha gum bi 'amannan' draghail ann is e ag ràdh: 'Bidh dà sheachdain ann co-dhiù mus tèid obair a thòiseachadh a-rithist sa ghàrradh seo. Tha an t-uabhas co-rèiteachaidh ri dhèanamh fhathast le Clyde Blowers, am buidheann tairgse taghte.'

Ach thuirt e: 'Tha an riaghaltas a' dèanamh fiughair ris a' cho-rèiteachadh seo, tha na riochdairean aonaidh seo a' dèanamh fiughair ris a' cho-rèiteachaidh seo agus tha sunnd an luchd-obrach a' sìor-fhàs nas misneachaile. Tha na daoine seo air obrachadh còmhla, tha iad airidh air soirbheachadh agus tha a h-uile coltas ann gu bheil iad air an t-slighe gus buaidh a thoirt.'

Thuirt e gur e 'roghainn mhath' a bh' ann an Clyde Blowers Capital mar bhuidheann tairgse taghte, is a' toirt iomradh orra mar 'chompanaidh aig a bheil eachdraidh dhearbte air dreuchdan a chruthachadh ann an Alba agus a' leasachadh chompanaidhean, an dearbh rud a tha a dhìth ann an Alba'.

An sàbhail na daoine gasta seo an gàrradh-shoithichean aca? Tha mi a' smaoineachadh gun sàbhail. Tha e na bhuannachd dhaibh gu bheil buidheann riochdairean aonaidh aca a tha cho stòlda 's a chunnaic mi a-riamh. 'S e fear den luchd cruthachadh dhreuchdan as cudromaiche an Alba a th' anns an neach-seilbh ùr a tha san amharc. Chanainn gu bheil adhbharan math dòchais ann.

A' gabhail lòin còmhla ri Moira agus Iòsaph Stiglitz aig Ondine ann an Dùn Èideann. A thuilleadh air a bhith na eaconamair a tha air duais Nobel a bhuannachadh, 's e fìor dhuine gasta a th' ann an Joe. Fhreagair e na ceistean ann an tachartas aig an Fhèis Leabhraichean gun strì sam bith. 'S e buannachd mhòr a tha aig duine le eanchainn cho tuigseach gum faicear na ceistean carach a' tighinn nad rathad mus tèid an cur ort. Tha an t-Ard-ollamh Gary Gillespie, a tha na Àrd-eaconamair aig Riaghaltas na h-Alba, a' toirt iomradh èibhinn seachad air strì inntleachdail mhì-chothromach eadar luchd-naidheachd nam pàipearan Albannach agus an t-eòlaiche Nobel seo. Nam b' e sabaid bhogsaidh a bh' ann bhiodh an rèitire air stad a chur air an t-sabaid an dèidh ceist a trì!

Tha Joe a' cur Joe eile nam chuimhne, Joe Scarborough aig NBC, aig a bheil prògram còmhraidh maidne air an robh mi na bu tràithe den bhliadhna. Le a làn-mhisneachd Ameireaganach, chuir e mi ann an teagamh fad tiotain, nuair a chuir e a' cheist orm: 'Carson NACH BITHEADH a h-uile duine ann an Alba ag iarraidh bhòtadh airson neo-eisimeileachd?'

Tha an aon fheallsanachd ri chluinntinn anns an òraid aig Joe air eaconamachd an-diugh. Tha e ag innse dhuinn gu bheil saothrachadh àrd, gnìomhachasan math, sàr oilthighean eadar-nàiseanta, calpa daonna susbainteach, ìomhaigh eadar-nàiseanta air leth math agus goireasan nàdarra am pailteas ann an Alba. Tha e follaiseach gur e aon de na dùthchannan as soirbheachaile san Roinn Eòrpa a bhiodh annainn mar stàit neo-eisimeileachd. Carson a-rèist NACH gabhadh duine leis a bheachd gum b' urrainn do dh'Alba a bhith soirbheachail gu h-eaconamach?

Tha Joe ag innse dhuinn gu bheil e air a bhith a' leantainn deasbad an reifreinn agus a' guidhe gach soirbheis dhuinn air sàilleabh, tha e ag ràdh, gu bheil sinn airidh air ar saorsa a chosnadh. 'S dòcha gum b' e sin a' chiad rud poilitigeach a thuirt e rium a-riamh.

Tha mi a' cur beagan ùine seachad a' sgrùdadh nan naidheachdan mun deasbad mhòr air telebhisean agus cha mhòr nach eil a h-uile aithris math, ach an *Daily Telegraph*, a tha air tighinn don cho-dhùnadh gun robh e coltach gun robh an gaisgeach aca, Darling, air fulang ri linn obair mheallta a' BhBC. Agus gu dearbh fhèin tha iad ceart mu charan a' BhBC – ach 's ann air an taobh eile a tha iad ag amas.

Aig a' choinneimh iomairt tha an sunnd air atharrachadh gu tur. Tha misneachd am pailteas ann agus tha sreath iomairtean luath gan ullachadh airson an gluasad mòr a tha fa-near dhuinn a chur an sàs.

Latha Seachdad 's a Seachd: Diciadain 27 An Lùnastal

Tha Sean Connery air bhioran nuair a tha mi a' fònadh thuige – an dèidh dha an deasbad a choimhead air a' BhBC.

Bha mi air cur romham gum buailinn orm fhad 's a tha an deasbad an cuimhne dhaoine agus tha mi a' cur sreath chòmhraidhean fòn air dòigh is mi ag iarraidh gum foillsich barrachd dhaoine an taic phoblach. Bu mhath le Sean nochdadh aig deireadh na h-iomairt againn – agus tha sinn a' bruidhinn air ciamar a b' urrainn dhuinn a chur air dòigh. Tha beachdan math daonnan aig Sean, tha eanchainn gheur aige agus tha ùidh dhealasach aige anns an reifreann. Tha e a' bruidhinn air coltas Darling mar a chaidh an deasbad air adhart agus ag ràdh gun robh e coltach ri fear a bha air leth-chrùn a chall is bonn-a-sia a lorg.

Tha litir an aghaidh neo-eisimeileachd leis na daoine àbhaisteach a' faighinn àrd-mholaidh bhon a' BhBC. Tha an *Telegraph* agus an *Daily Mail* air a bhith a' dubh-chàineadh a' BhBC air sgàth na casaid leanabail le Nas Fheàrr Còmhla gun robh am BBC air an deasbad ullachadh a dh'aona-ghnothach gus an cailleadh CHA BU CHÒIR. Tha e coltach gu bheil am BBC a' feuchainn ri faighinn air ais fon sgèith leis mar a tha iad a' sgaoileadh an amaideis seo. Co-dhiù chì sinn ciamar a nì iad aithris air an 200 neach-gnìomhachais airson BU CHÒIR nuair a thèid an litir aca fhèin a sgaoileadh a-màireach.

Tha dà sgeul iomairt math a' piobrachadh an latha againn. An toiseach, 's dòcha am brath-craolaidh poilitigeach as miosa a bh' ann a-riamh: anns an t-sanas iomairteach ùr le Nas Fheàrr Còmhla tha boireannach airtnealach ann is tha poileataigs caran duilich dhith a thuigsinn agus tha an sanas air a dhol fad is farsaing air feadh an eadar-lìn. Tha an ìomhaigh seo cho eu-coltach ri Alba an latha an-diugh agus boireannach Albannach an latha an-diugh 's a tha dannsa mu chuairt a' chabair Bhealltainn ann an Sasainn an latha an-diugh. Bhiodh an iomairt chearbach sin a tha làn seann bhumalairean air sìoladh às na sprùilleach mura b' e na caraidean dìleas aca anns na pàipearan naidheachd.

Tha an dàrna sgeulachd a' nochdadh gu bheil an CBI air na bhios iad a' cosg air deoch-làidir aig an dìnneir bhliadhnail aca ìsleachadh gus an cùm iad ri riaghailtean an reifreann leis mar a tha iad a' cumail taic mhì-chinntich ris an iomairt Nas Fheàrr Còmhla. Bha iad ann. An uair sin cha robh iad ann. A-nis tha am buidseat iomairt a tha ceadaichte air a chaitheamh is chan fhaod iad dad a chosg air deoch-làidir aig an dìnneir aca! A bheil duine sam bith ag iarraidh crogan Irn-Bru?

Latha Seachdad 's a h-Ochd: Diardaoin 28 An Lùnastal

A' feuchainn ri taic dhaoine ainmeil fhaighinn bho dhithis a tha cliùiteach ann an saoghal an spòrs is saoghal a' chiùil.

Tha mi a' fònadh caiptean na h-Alba agus Celtic, Scott Brown, a tha na fhìor dheagh chluicheadair ball-coise. 'S e duine dealasach a th' ann an Scott, air a' phàirc is far na pàirce agus tha e a' cur a thaic ri BU CHÒIR. Ach tha e a' co-rèiteachadh cùmhnaint ùr le Celtic an-dràsta agus tha beagan cudroim ga chur air gun a bhith a' foillseachadh a bheachd poilitigeach.

Tha an suidheachadh aig an t-seinneadair Amy NicDhòmhnaill a cheart cho doirbh is i dìreach an dèidh gluasad gu companaidh clàraidh ùr agus i fo bhrùthadh gun a bhith a' foillseachadh a taobh poilitigeach. Tha Amy na neach-taic dìoghrasach air taobh BU CHÒIR agus tha i ag innse dhomh gum b' e an cothrom a fhuair i air 'Flower of Scotland' a sheinn aig Pàirc Hampden ro gheama le Alba an t-urram as motha na beatha.

Tha an dithis sin uabhasach gasta agus sgileil agus bheireadh an taic buannachd mhòr don iomairt againn. Ach ma tha iadsan den bheachd gu bheil uallach orrasan, dè an t-uallach a th' air muinntir na h-Alba. Nan toirinn tuairmse air an dithis, chanainn gur i Amy a dh'fhoillsicheas a taic gu poblach. Co-dhiù, bidh Alba an crochadh air a h-uile foillseachadh taic anns na trì seachdainean ri tighinn. Tha i an crochadh air a cloinn gu lèir.

Tha sinn air taic air leth math fhaighinn ann an saoghal a' ghnìomhachais. Tha sin follaiseach nuair a tha mi a' tadhal air Ionad Gàrraidh Foxlane ann an Obar Dheathain, far a bheil mi a' coinneachadh ri luchd-taic dian BU CHÒIR. Am measg an luchd-gnìomhachais iomraiteach a tha a' cur taic rinn tha Brian

Souter, Jim MacColla agus Seòras Mathewson – ach nas fheàrr na sin buileach 's e farsaingeachd nan gnìomhachasan: eadar Footsie 100 agus Ionad Gàrraidh Foxlane.

Tha sinn air tòiseachadh a-nis air obrachadh mar iomairt aonaichte anns gach prìomh roinn.

Nas fhaide den latha tha coinneamh dhealbhan leis a' chluicheadair ball-coise do dh'Obar Dheathain (agus Rangers, Cardiff, Dùn Dè agus Alba) Gavin Rae. 'S e duine laghach tuigseach a th' ann agus tha e a' falbh a Chosta Òir Astràilia airson obair coidsidh. Tha mi a' gealltainn dha gun tèid mi a chèilidh air aig Geamannan a' Cho-fhlaitheis. Tha Mìcheal Stiùbhairt, a bha na shàr chluicheadair aig Hearts agus Hibs, air a bhith a' brosnachadh ùidh anns an iomairt BU CHÒIR am measg luchd-spòrs eile a leithid Gavin.

Ach 's ann aig Ionad Coimhearsnachd Ghart Dè a tha a' chèilidh as fheàrr den latha. Tha Gart Dè air aon de na sgeamaichean taigheadais as motha ann an Obar Dheathain. Tha mi a' faighinn cothroim seinn còmhla ris a' chòisir choimhearsnachd aca (agus cluich nan drumaichean), ach thadhail mi orra cuideachd airson sealladh fhaighinn air an adhartas san deasbad bho thaobh an luchd-obrach coimhearsnachd san ionad. Tha boireannach fiosrach ag innse dhomh: 'Tha thu a' tuigsinn – anns an sgìre seo co-dhiù – cha mhòr nach eil sibh air an gnothach a dhèanamh.'

À Obar Dheathain a Dhùn Èideann …

Latha Seachdad 's a Naoi: Dihaoine 29 An Lùnastal

A rèir a' phlana iomairt againn tha sinn a' cur dhreuchdan, slàinte is foghlaim aig teis-mheadhan an deasbaid, agus an àrd-mhiann a dh'fhaodadh neo-eisimeileachd a thoirt do dh'Alba. An dèidh an deasbaid air a' BhBC tha coltas fad às agus faoin air na rabhaidhean èiginneach air an airgead is an Roinn Eòrpa. Tha e cudromach gun cùm sinn an clàr-deasbaid againn a' dol ma tha sinn airson buannachadh.

Tha an latha a' tòiseachadh le agallamh air *Good Morning Scotland*. Tha Gary Robasdan caran biorach an-diugh ach ma thogair oir tha mi fhìn ann am fìor dheagh shunnd. An uair sin, air adhart don phrògram *Call Kay* far a bheilear a' togail na ceist air beachdan an aghaidh Shasannach ann an Alba. Tha mi a' cur an cuimhne an luchd-èisteachd gur e am BBC a stèidhich prògram fòn gu lèir air àrdachadh fìor bheag ann am figearan eucoir an aghaidh Shasannaich. An da-rìreabh bha na figearan air ìsleachadh – 's e na figearan air cùisean eucoir an aghaidh Albannaich a bha air àrdachadh. Cha deach leisgeul a chur an cèill aig an àm, cha deach aideachadh gun robh am beachd ceàrr, cha robh freagairt sam bith ann bhon BhBC. Chùm iad orra leis an rùn fhollaiseach aca fhèin is iad coma mun t-saoghal fhìrinneach a bha mun cuairt orra.

'S e seo a' chiad uair a chaidh droch-rùn do Shasannaich a thogail leam anns an reifreann, mar sin, chanainn fhìn, taobh a-muigh tìr annasach a' BhBC, nach eil a' chùis a' togail ceann idir.

'S e foghlam sgoil-àraich an cuspair againn fhìn agus tha mi a' tadhal air an ionad-cluiche TimeTwisters ann an Sighthill ann an Dùn Èideann, airson am plana againn airson cùraim-chloinne an dèidh neo-eisimeileachd a thaisbeanadh a bhios a' sàbhaladh cha mhòr £5000 airson gach pàiste gach bliadhna.

Tha an t-uabhas luchd-naidheachd ann agus tha mise a' toirt mo bhrògan dhìom gus an tèid mi a-steach don àite-cluiche còmhla ris a' chloinn. Tha gràisg an luchd-naidheachd a' dèanamh a leithid de dh'othail 's gu bheil agam ri a' mhòr-chuid de na h-agallamhan agus na dusanan de dh'fhèineagan a dhèanamh nam stocainnean!

'S e obair an eaconamair chliùitich air cor nam ban, Ailsa

NicAoidh, as adhbhar don mhiann mhòr a th' agam fhìn airson foghlam sgoil-àraich agus gu bheil e cho follaiseach anns an iomairt BU CHÒIR. B' i Ailsa a mhìnich dhomh gur e deagh bheachd a th' ann (ris a bheil cha mhòr a h-uile duine ag aontachadh) gum biodh solarachadh sgoil-àraich air prìs reusanta agus ri fhaotainn airson a h-uile duine agus gu bheil e air aon de na h-amasan riatanach eaconamach airson dùthchannan leasaichte.

Nuair a bhios mi a' smaoineachadh air a' chùis a-nis tha an argamaid cho soilleir agus follaiseach 's nach eil mi a' tuigsinn carson a dh'fheumadh Ailsa a' chùis a mhìneachadh dhomh anns a' chiad dol a-mach. Tha dùbhlan deamografach aig Alba mar a tha aig iomadh dùthaich leasaichte eile. Uaireannan thèid cus suim a chur ann – mearachd caran cunbhalach aig an Institute for Fiscal Studies – ach a dh'aindeoin sin feumaidh Alba agus a' mhòr-chuid den Roinn Eòrpa dèiligeadh ris. Airson a' chùis a mhìneachadh gu sìmplidh, tha an àireamh den t-sluagh aig aois obrach a' dol an lughad an coimeas ris an t-sluagh gu lèir.

Tha iomadh dòigh ann airson fuasgladh a lorg don chùis seo, agus tha mi air casaid a dhèanamh airson a h-uile gin dhiubh. Bu chòir dhuinn a bhith nas libearalaich a thaobh imrich a-steach agus bu chòir dhuinn oileanaich eadar-nàiseanta a bhrosnachadh a thighinn a dh'Alba agus an cuid sgilean a chur gu feum san eaconamaidh againn. Feumaidh sinn saothrachadh àrdachadh gus an dèan sinn cinnteach gu bheil gach neach-obrach a' cur ris an toradh eaconamach cho math 's as urrainn agus feumaidh sinn cur às do chion-obrach tàmailteach nan daoine òga.

Ach tha freagairt ann a th' air a bhith cho follaiseach 's a ghabhas ged nach do chuir sinn gu feum i: 's e sin a bhith a' cleachdadh nan sgilean gu lèir a th' aig a h-uile duine den aois-obrach an-dràsta. Bhiodh àrdachadh mòr anns an àireamh de bhoireannaich ann an cosnadh. 'S e solarachadh sgoiltean-àraich is cùraim-chloinne an aon dòigh air an stòras-obrach taisgte seo fhuasgladh.

Tha Riaghaltas na h-Alba air iomairtean a chur an sàs san roinn seo le bhith ag àrdachadh nan uairean de dh'fhoghlam sgoil-àraich a tha ri fhaotainn le 50 sa cheud gu 600 uair airson gach pàiste gach bliadhna, agus ann an com-pàirteachadh leis na h-aonaidhean-ciùird, a' briseadh cnapan-starra an àite-obrach. Ach 's e ar-a-mach a tha a dhìth oirnn: solarachadh sgoiltean-àraich is cùraim-chloinne a tha an asgaidh don a h-uile duine, agus uairean subailte is co-ionnan ri uairean sgoile bho dhà bhliadhna a dh'aois. Rinn Ailsa fhèin taisbeanadh do Bhuidheann nan Comhairlichean Eaconamach gus am faigheadh i taic airson na dòigh radaigich seo. Gun fhiosta dhòmhsa aig an àm bha i ris an obair seo nuair a bha i a' fulang tinneis bhàsmhor. B' e aon de na h-oidhirpean pearsanta a bu threuna is a bu shònraichte a chunnaic mi a-riamh.

Mar thoradh air seo tha an cuspair seo air a dhol na chùis phearsanta agus na chùis phoilitigeach dhomh. Chuir mi romham gun cuirinn i ann an teis-mheadhan na h-argamaid airson neo-eisimeileachd. 'S i a' phuing as cudromaiche gum bi cosgaisean na h-iomairt nas reusanta nuair a bhios teachd a-steach nas àirde ri linn barrachd gnìomh eaconamach a' sruthadh a-steach do dh'Oifis Ionmhais na h-Alba, an àite a bhith ga cur sìos gu deas far an caith Seòras Osborne i.

Tha toraidhean àibheiseach againn ri linn na ciad cheuman cugallach againn ann an foghlam sgoil-àraich. Tha Alba air èirigh gu h-àrd air a' chlàr Eòrpach air boireannaich ann an cosnadh. Tha buannachd de dh'iomadh seòrsa an lùib an atharrachaidh seo, mar eisimpleir, gluasad mòr a dh'ionnsaigh cothromachd a thaobh cothroman obrach. Ach nuair a thig an t-ar-a-mach, agus 's e a thig, seasaidh e mar chomharra air saothair an Àrd-ollaimh Ailsa NicAoidh.

An dèidh dhomh mo bhrògan a lorg a-rithist tha mi a' cumail orm ag iomairt aig Crois Stenhouse. Tha an t-sìde sgràthail, agus tha an fhàilte bhlàth, agus dùdan nan càraichean gar brosnachadh cho math ris an t-sluagh mhòr dhealasach de luchd-taic BU CHÒIR a tha air nochdadh.

A' gabhail lòin còmhla ri Pat Cox, a bha air fear de na prìomh luchd-poileataigs Eòrpach ann an Èirinn agus a bha na Cheann-suidhe air Pàrlamaid na h-Eòrpa. Tha Pat na charaid dìleas do dh'Alba agus tha e fhèin, agus daoine eile ann an saoghal poilitigeach na Roinn Eòrpa, nach eil a' tuigsinn beachd Barroso agus tha e air freagairt ullachadh. Tha Pat air a bhith an sàs ann am barrachd iomairtean reifreinn ann an Èireann na duine sam bith eile cha mhòr. 'S e a bheachd fhèin gum b' urrainn don reifreann againne a dhol taobh seach taobh ach a rèir an eòlais mhòir aige fhèin 's e an taobh aig a bheil an gluasad a ghlèidheas.

Tha e ag innse dhomh, a rèir muinntir a' Bhruiseal, gun robh Barroso an dùil gum faigheadh e taic na Rìoghachd Aonaichte agus nan Stàitean Aonaichte is e a' cur ainm fhèin air adhart airson dreuchd Àrd-rùnaire NATO. A chionn 's gur e Jens Stoltenburg (a bha na phrìomhaire air Nirribhidh agus a bha roimhe sin an aghaidh NATO agus armachd niùclasach) a chaidh a thaghadh san dreuchd sin, tha e coltach nach bi e a cheart cho sodalach ri Lunnainn air cùisean Albannach no air poileasaidh Eòrpach nas motha. Ach tha Pat ag ràdh gur e ullachadh airson an àm ri teachd an obair as cudromaiche agus tha sinn a' bruidhinn air na planaichean mionaideach Eòrpach againn ri linn bhòt BU CHÒIR.

Tha mi cuideachd a' coinneachadh ri Tom Farmer. Tha meas mòr agam air Tom agus tha spèis mòr aig saoghal a' ghnìomhachais dha cuideachd. Thug Tom taic airgid don Phàrtaidh Nàiseanta ann an 2007 nuair a bha e airson an strì phoilitigeach a dhèanamh nas cothromaiche, ach dhiùlt e ann an 2011 nuair a bha e am beachd gun rachadh an latha leinn gu furasta. Bha e air a thaic a chur ri devo-max o chionn fhada, ach a-nis tha e an impis a thaic airson neo-eisimeileachd fhoillseachadh. Tha e ag innse dhomh gu bheil e air a h-uile brùthadh bho CHA BU CHÒIR a dhiùltadh. Ach tha e fhathast eadar dà bharail am foillsich e a bheachd gu poblach gus nach foillsich.

Latha Ochdad: Disathairne 30 An Lùnastal

Tha mi a' faighinn tuigse nas fheàrr an-diugh air ciamar a tha an luchd-iomairt againn a' togail lìonraidh làidir stèidhichte air na bùithtean BU CHÒIR a tha a' fosgladh mar bhlàthan an t-samhraidh air feadh na dùthcha. 'S e co-dhùnaidhean aig ìre ionadail na h-iomairt a th' annta. Tha iad cho pailt a-nis nach eil fios aig BU CHÒIR Alba cia mheud dhiubh a th' ann. Chaidh cuid aca stèidheachadh le buill a' Phàrtaidh Nàiseanta ach tha mòran dhiubh mar chruth fiosaigeach air na h-iomairtean air na meadhanan sòisealta anns a bheil National Collective, Women for Independence agus Radical Independence Group an sàs.

Tha sinn ann an Ealain far a bheil an luchd-iomairt ann an sunnd math agus an t-àite a' cur thairis le misneachd. Tha mi a' fosgladh na bùtha BU CHÒIR gu h-oifigeil a tha air aon de na bùithtean a thug an SNP gu buil.

Tha an sgeama comhairle ann an Ealain gu daingeann air taobh BU CHÒIR. Ach tha beachdan nas measgaichte ann nuair a tha sinn a' tadhal air sgeama ùr faisg air Inbhir Uraidh. Tha fìor bhlàths ann cho math ri draghan. Tha neach-obrach anns a' bhaile ag innse dhomh gun robh neach seilbh Score Group Engineering ann an Ceann Phàdraig, Charlie Ritchie, air na foghlamaichean-ciùird aige a thoirt a-steach airson innse dhaibh gum biodh aca ri dreuchd ùr a lorg nam faigheadh Alba neo-eisimeileachd. Tha e ag ràdh an uair sin gun do dh'innis a sheanair dha gum biodh uachdarain na sgìre o chionn fhada ri a leithid a mhealladh leis an tuath agus e ag ràdh: 'Fiù 's mura bitheadh adhbhar sam bith eile ann, tha mi a' bhòtadh BU CHÒIR a-nis.'

Latha Ochdad 's a h-Aon: Didòmhnaich 31 An Lùnastal

Tha sinn air cur romhainn an t-seachdain sa gum bi sinn ag amas air luchd-bhòtaidh nach eil air co-dhùnadh a dhèanamh le beachd glè shìmplidh – litrichean gam fiathachadh gu coinneamh phoblach. Thèid mi fhìn a Dhùn Dè, Pheairt, an Eaglais Bhreac is Chill Mheàrnaig agus an uair sin air adhart do na Crìochan mus crìochnaich mi ann an Siorrachd Inbhir Àir.

Ach cha mhòr nach eil mi saor an-diugh aig an taigh ann an Srath Eachainn. Tha agallamh agam còmhla ri Jim Murphy bho na Làbaraich air *Murnaghan* air Sky. 'S e gearan mu ugh a chaidh a thilgeil air an aon rud a tha Murphy air cur ris an reifreann gu ruige seo. Anns an t-saoghal annasach anns a bheil Mgr. Murphy a-mhàin beò, 's e sgeul an reifreinn am fàirdeal airson a dheise a ghlanadh. Ann an slocan dorcha meadhanan Lunnainn 's e gaisgeach sràidean na h-Alba a th' ann. Ann am fìreantachd, agus mura h-eil thu fortanach, nochdaidh e air an t-sràid agad fhèin ag èigheach is a' sàrachadh dhaoine. Anns an agallamh tha Murphy airson cur an cèill nach e gealtair a th' ann. Tha e a' cur nam chuimhne a' chiad turas a choinnich mi ris nuair a bha e na Rùnaire na h-Alba fad greiseig agus b' fheudar dha innse dhomh nach robh mi a' cur eagail air. Saoilidh mi, ma tha cuideigin mionnaichte gun cuir e an cèill nach e gealtair a th' ann is nach eil eagal air gu bheil deagh adhbhar ann air a shon.

A rèir nan caraidean agam anns a' Phàrtaidh Làbarach, chan eil mòran ùidh aig Mgr. Murphy anns an reifreann. Tha e air bàidh a' phàrtaidh ann an Lunnainn a chall agus tha a shùil air dreuchd Johann NicLaomainn ann an Alba. Tha iad gòrach, mas e sin a' chùis. Tha i fada fichead uair nas comasaiche na esan.

Tha mi a' gabhail a' chothroim làrach-lìn a chunnaic mi an latha roimhe a shanasachadh air a bheil Still Raining, Still Dreaming. Tha cunntas glè èibhinn is uabhasach mionaideach ann air Murphy ag èigheach air muinntir Sròn na h-Aibhne aig àirde a' chlaiginn. Tha dealbh coltach ri sgiobannan buill-coise air an làraich cuideachd as toigh leam, a tha a' sealltainn cò th' air gach sgioba. Air aon taobh tha co-obrachadh ann eadar an t-ùghdarras mì-thaitneach agus a h-uile nì eile a tha mì-thaitneach. Agus air an taobh eile tha measgachadh ann de na pàrtaidhean adhartach agus na h-iomairtean beaga a tha ag iarraidh atharrachaidh. Tha an dealbh sin air leth iomchaidh air sàilleabh 's gu bheil mi ag obair air 'glaodh Hampden' airson nan coinneamhan poblach an t-seachdain sa a chuireas grìs tro fhreumhan an ùghdarrais sin.

Tha Moira a' toirt maitheanais dhomh a-rithist agus sinn a' gabhail lòin anmoch anns an taigh-bidhe as fheàrr leatha, Eat on the Green, ann an Udny Green, còmhla ris an iasgair ainmeil às an ear-thuath, Willie Tait agus a bhan-chompanach laghach, Ya Chu.

Latha Ochdad 's a Dhà: Diluain 1 An t-Sultain

Cha mhòr nach eil mi a' caoineadh airson a' chiad turais anns an reifreann an dèidh sealladh iongantach fhaicinn de dhaoine àbhaisteach ann an ciudha air an t-sràid.

Chaidh mi suas a Dhùn Dè còmhla ri Lynsey-Anne Marwick, a bha na manaidsear oifis dhomh, agus feumaidh mi ràdh gur i an neach as dòchasaiche ris an do choinnich mi a-riamh. Tha e na thoileachas mòr dhomh a bhith ag iomairt còmhla rithe.

Am measg othail nan iomairtean mòra agus nan sluaghan air na sràidean, tha mi a' faicinn rudeigin iongantach a tha a' samhlachadh na tha a' tachairt a-nis aig ìre coimhearsnachd.

Tha ciudha ann anns a bheil daoine a' feitheamh gu foighidneach airson nam foirmichean a leigeas leotha clàradh airson bhòtadh. Tha mi a' cabadaich ri fear, a tha anns na ceathradan 's dòcha. Tha e ag innse dhomh nach eil e air bhòtadh a-riamh roimhe, nach robh ùidh aige a-riamh ann am bhòtadh, gu bheil e den bheachd gur e daoine neo-onarach a th' ann an luchd-poileataigs, ach a-nis tha rudeigin ann agus 's fhiach bhòtadh air a shon. Tha e ag ràdh rium gu bheil e a' smaoineachadh gu bheil seo air aon de na rudan as cudromaiche a rinn e a-riamh agus chan eil e na aonar, tha mòran dhaoine eile ann coltach ris a tha den aon bharail.

Fhad 's a tha mi a' meòrachadh air seo air an rathad gu coinneamh ann am Mosg Dhùn Dè, tha mi air tighinn don cho-dhùnadh gur dòcha gur e sin an còmhradh as cudromaiche den reifreann gu ruige seo. Gu dearbh, 's ma dh'fhaoidte gur e an còmhradh as cudromaiche a bh' agam a-riamh nam bheatha phoilitigeach. Airson a' chiad uair, tha deòir nam shùilean.

'S e aon de na h-amannan as iriosaile nam bheatha a th' ann.

Tha daoine àbhaisteach againn an seo nan seasamh nan sreathan anns a' ghrèin ann an Dùn Dè gus an clàraich iad iad fhèin airson a' bhòt. 'S e brìgh deamocrasaidh a th' ann, 's e brìgh misneachd a th' ann: daoine a' beachdachadh air nì nas motha na iad fhèin. Anns an tiotan bheag sin tha mi a' smaoineachadh: cha mhòr nach eil sinn ann. Tha rudeigin sònraichte a' tachairt.

Tha seisean cheistean agus lòn agam aig a' mhosg agus an uair sin tha mi a' bruidhinn ris na daoine a tha os cionn stàile clàraidh aig an doras an dèidh nan ùrnaighean. Tha iad ag ràdh bheil iad air a bhith uabhasach trang.

Tha seisean dealbhan inntinneach ann an uair sin còmhla ri luchd-leantainn an dà sgioba ann am baile mòr Dhùn Dè. Tha e a' tachairt air an t-sràid eadar Pàirc Dens agus Tannadice, còmhla ris an neach-aithris spòrs, Jim Spence. 'S iad an dà chlub buill-coise as fhaisge anns an dùthaich agus tha an iomairt BU CHÒIR a-nis air an aonachadh air cùis choitcheann.

Air ais aig oifisean a' Phàrtaidh Nàiseanta, tha agallamh còmhla ris a' *Courier* air a' chlàr-ama agam, ach tha muinntir na factaraidh mar coinneimh gam fhaicinn agus ag iarraidh gun tadhail mi air an àite-obrach aca, a tha mi deònach a dhèanamh gun dragh sam bith. Tha an iomairt ann an Dùn Dè air a deagh stiùireadh leis na Buill Pàrlamaid Albannach, Joe Fitzpatrick is Shona Robison, agus an duine aig Shona, Stewart Hosie. Ma tha an còrr den dùthaich coltach ris a' bhaile mhòr seo tha an gnothach cho cinnteach 's a ghabhas.

Agallamh aig Radio Tay. Tha Ally Ballingall aig an stèisean ag innse dhomh, anns a' phrògram fòn mu dheireadh air an robh mi Didòmhnaich sa chaidh a bha iad a' stiùireadh ann an Dùn Dè, bha suidheachadh èiginneach ag èirigh nuair a bhris cuideigin a-steach a dh'fheuch ris an stèisean a mhilleadh. Nas coltaiche ri cùis slàinte inntinn na cùis phoilitigeach ach a' sealltainn cho proifeiseanta 's a bha muinntir Radio Tay is iad a' cumail a' phrògraim air an àidhear.

'S e seo a' chiad choinneamh phoblach airson bhòtairean mì-chinnteach – ann am Peairt. Tha an t-àite loma-làn, tha a h-uile duine air bhioran, tha na ceistean èibhinn is tuigseach agus tha a' choinneamh fada. Tha e fìor, ceart gu leòr, gu bheil mòran den luchd-iomairt am measg an t-sluaigh neo-iompaichte a-nochd. Ach 's e fìor dheagh thoiseach-tòiseachaidh a th' ann ma tha an luchd-èisteachd fiù 's leth is leth. Feumaidh gum faicear na tha mi a' faireachdainn air na sràidean anns na cunntasan-bheachd mòra a-nis.

Tha mi a' toirt Lynsey-Anne do thaigh a màthar ann am Port na Creige ann am Fìobha, agus an uair sin a' dèanamh air Cill Rìmhinn far an cuir mi an oidhche seachad. Fhad 's a tha mi a' tighinn tron doras aig an taigh-òsta Fairmount, tha an dorsair a' dèanamh na sùil bhig rium is a' foillseachadh a bhràiste air a bheil BU CHÒIR Alba sgrìobhte a tha am falach fo choilear a sheacaid.

Dh'fheuch mi na bu thràithe den làtha ri iarraidh air Nick Nairn a thighinn nar cuideachd. Às bith dè eile a thachras ann an Alba neo-eisimeileach, bidh biadh math againn. Cha mhòr nach eil a h-uile sàr chòcaire san dùthaich – Anndra Fairlie, Roy Brett, Albert Roux agus Cailean Clydesdale nam measg – air an taic airson BU CHÒIR fhoillseachadh. Bhiodh Nick air am buidheann a choileanadh ach, ged a tha e taiceil don iomairt, tha e dìreach an dèidh gnìomhachas ùr fhosgladh agus tha e airson connspaid phoilitigeach a sheachnadh.

Tha an latha a' tighinn gu crìch anabarrach math nuair a tha mi a' cur Sky News air aig meadhan-oidhche is a' faicinn air a' chinn-naidheachd gu bheil cunntas-bheachd ùr aig YouGov a tha 'iongantach'.

Latha Ochdad 's a Trì: Dimàirt 2 An t-Sultain

Deagh naidheachd: tha an cunntas-bheachd iongantach a' sealltainn gu bheil am beàrn nas lugha na bha e a-riamh aig YouGov. Deagh naidheachd eile a dh'fhaodadh a bhith ann: 's ma dh'fhaoidte gun tig Eanraig MacLeish a-nall gu BU CHÒIR.

'S e cùis mhòr a tha anns a' chunntas seo. Ann am mìos agus thar trì chunntasan-bheachd, tha am beàrn air dùnadh bho 22 phuing gu 14 agus a-nis gu dìreach 6. Tha mi a' faighinn comhairle bhon eòlaiche chunntasan againn, Iain MacAonghais. Tha Iain a' gluasad air adhart do na gluasadan mionaideach sa bhad. Tha e ag ràdh gur ann am measg bhoireannach agus dhaoine òga a chithear na gluasadan as motha. Tha bhòtairean nas sine nar n-aghaidh gu mòr fhathast ach chan eil sinn air a dhol an lughad ann an roinn sam bith. Tha e a' smaoineachadh gum b' urrainn dhuinn a bhith air thoiseach air an deireadh-seachdain mu dheireadh. Tha an gluasad sin agus an clàr-ama gu h-àraid cho maiseach ri gathan geal na grèine. Tha gràisg nan naidheachdan a' feitheamh orm air sgàth a' chunntais-bheachd nuair a tha mi a' tadhal air Taigh-staile is Taigh-grùdaidh Eden Mill faisg air Cill Rìmhinn a tha na phròiseact ùr inntinneach far a bheilear a' toirt fìor leann agus taigh-staile còmhla. Tha grunn luchd-iomairt BU CHÒIR air nochdadh agus tha mi a' bruidhinn riutha mus tòisich mi air a' chuairt agam mu thimcheall an taigh-staile. Tha cuid aca air a bhith a' feitheamh orm fad uairean a thìde.

Tha am BBC air Nick Robinson a chur thugainn, a tha na dheagh chomharra air an iomagain a tha air a' phrìomh oifis ann an Lunnainn. Anns an agallamh againn, tha an t-uabhas cuideim ga chur air an not Shasannach – mar nach do thachair an deasbad le Alistair Darling. Ma chuireas sinn na beachdan agam air a' BhBC agus an taobhachd dhearbhte an aghaidh a' Phàrtaidh Nàiseanta is neo-eisimeileachd an dàrna taobh, carson a dh'fheumas iad luchd-naidheachd an lìonraidh a sparradh oirnn aig nach eil dad den eòlas 's a tha aig an deasaiche phoilitigeach aca, Brian Mac an Tàilleir, cuideigin a tha air barrachd mu cheist mhòr phoilitigeach na h-Alba a dhìochuimhneachadh na thuigeas a cho-obraichean à Lunnainn gu bràth? Tha mi a' smaoineachadh gum biodh Brian comasach gu leòr air an suidheachadh a mhìneachadh do luchd-amhairc an lìonraidh.

Tha an tuilleadh deagh naidheachd ann nuair a tha sinn a' cluinntinn gu bheil Stephen Gallacher air aon de roghainnean a' chaiptein a chosnadh ann an sgioba Cupa Ryder. Tha amannan ann nar beatha nuair a bhios sinn a' smaoineachadh gu bheil a h-uile rud a bha an dàn a' tighinn gu buil dìreach mar a chaidh òrdachadh.

A' gabhail lòin aig taigh-òsta Bilbirnie House, faisg air Marg Innis ann am Fìobha còmhla ris an t-seann Phrìomh Mhinistear Eanraig MacLeish, an dèidh dhomh stad aig bùth BU CHÒIR eile a tha air nochdadh sa bhaile airson coinneachadh ris na daoine an sin. Tha Eanraig na fhìor dheagh eisimpleir air ciamar a bu chòir do sheann PM e fhèin a ghiùlain agus e ro dheònach a bhith na chathraiche airson iomairtean math agus a' toirt aithisgean cudromach gu buil air iomadh diofar cuspair a leithid ceartais eucoireach agus leasachadh ball-coise na h-Alba. 'S e Eanraig a leig fios an toiseach gum biodh Ralph Topping a bh' aig William Hill deònach a thaic a chur ri BU CHÒIR, agus an-diugh, a thuilleadh air a bhith a' bruidhinn air iomadh cùise eile anns a bheil Eanraig an sàs, tha mi airson 's gun toir e fhèin a thaic dhuinn mar an ceudna. Tha mi air iarraidh air Tasmina Ahmed-Sheikh a bhith còmhla rinn. Tha ise air Bòrd Cholaistean Ghlaschu còmhla ris agus 's dòcha gu bheil an t-earbsa gu leòr aig Eanraig innte a leigeas leis a thaic a ghairm.

Tha Eanraig ag iarraidh barrachd ùine airson meòrachadh air a' chùis ach tha e follaiseach gu bheil e na èiginn, eadar dìlseachd don phàrtaidh is dìlseachd don dùthaich. Tha e ag aideachadh gu bheil an t-àite anns a bheil e a' suidhe eatarra a' sìor-fhàs nas mì-chofhurtaile.

An dèidh agallaimh luath le Kingdom FM tha sinn a' dèanamh air Bo'ness airson obair iomairt fhollaiseach taobh a-muigh bùth BU CHÒIR a' bhaile. Tha e a' fìor-chòrdadh ris an t-sluagh mhòr is na daoine a tha a' siubhal seachad nuair a tha mi ag innse dhaibh gun do rugadh mo mhàthair ann am Bo'ness agus, a dh'aindeoin na tha iad air leughadh mu na ceanglaichean agam ris a' bhaile agam fhìn, Gleann Iucha, 's e seo an tilleadh dhachaigh ceart agamsa. Tha mi a-nis a' cur dùbhlan ron dà bhaile, Bo'ness agus Gleann Iucha, cò aig am bi a' bhòt BU CHÒIR as àirde?

Mus falbh sinn, tha màthair Challum Timms, an neach-iomairt òg a chuir an turas air dòigh, ag iarraidh orm, gun fhiosta dha fhèin, rud no dhà a shoidhneadh, a chuireas i ann am bogsa chuimhneachan a bheir i dha an dèidh an reifreinn. Tha i ag innse dhomh dè cho moiteil 's a tha i às a mac.

Tha sinn a' cumail oirnn don Park Hotel anns an Eaglais Bhreac airson coinneimh eile airson nan daoine nach tàinig gu co-dhùnadh fhathast. Tha cathraiche BU CHÒIR, Denis Canavan, a' gabhail chùisean os làimh agus tha an gnothach a' fìor-chòrdadh ris (an seann sgìre aige fhèin). Tha cruinneachadh mòr eile ann. Tha na th' ann de mhisneachd anns an iomairt an-dràsta dìreach iongantach. Cha chòrdadh an oidhche a cheart cho math ri muinntir slàinte is sàbhailteachd nam faiceadh iad na tha ann de dhaoine a tha air an teannachadh a-steach do thalla mòr an taigh-òsta.

Tha mise a' cur às mo chorp anns a' choinneimh mu na sreathan de dhaoine ann an Dùn Dè a bha a' feitheamh gu foighidneach gus an clàraicheadh iad agus gus am faigheadh iad an cothrom bhòtaidh.

'Chunnaic mi an-dè ann am baile mòr Dhùn Dè, rudeigin iongantach, rudeigin a bha mi am beachd nach fhaicinn fad mo bheatha phoilitigeach. An sin ann am baile mòr Dhùn Dè, rudeigin nach gabh creidsinn …'

'Tòraidh!' tha cuideigin anns an luchd-èisteachd ag èigheach.

A-rithist, tha an t-uabhas dhaoine ann a tha air co-dhùnadh a ruighinn o chionn fhada, ach a rèir nam beachdan air sgrùdaidh na h-oidhche tha gluasad mòr ann a dh'ionnsaigh BU CHÒIR.

An dèidh na coinneimh tha mi a' falbh còmhla ri Campbell Gunn airson seisean dealbhan aig an *Daily Record*. Gu ruige seo, chan eil an *Record* air a bhith cho mosach, airson pàipeir a tha air a stiùireadh cha mhòr leis na Làbaraich. Feumaidh iad a bhith faiceallach air sgàth an luchd-leughaidh aca. Aig toiseach an reifreinn bha mu 40 sa cheud de luchd-leughaidh an *Record* a' cur an taic ri BU CHÒIR. Bidh an àireamh nas àirde na an dàrna leth a-nis. Bidh e inntinneach faicinn dè an rathad a ghabhas am pàipear fhad 's a theannaicheas na cunntasan-bheachd leis an latha mòr air fàire.

Air sgàth nan dòighean ùra nas cothromaiche aca, tha an deasaiche, Murray Foote, air iarraidh orm a thighinn a-steach agus dreach den phàipear a dheasachadh fhad 's a dheasaicheas CHA BU CHÒIR dreach eile. 'S e cothrom math inntinneach a th' ann agus cha b' e ruith ach leum a rinn mi da ionnsaigh.

An dèidh an *Record*, tha mi a' nochdadh aig a' BhBC airson agallamh a dhèanamh air a' phrògram *Scotland 2014*. Chaidh an t-agallamh gu math agus an dèidh nam prògraman còmhraidh tha sunnd luchd-naidheachd a' BhBC air sìor-atharrachadh. Tha iad a' tuigsinn, mu dheireadh thall, gu bheil an geama air tòiseachadh.

Tha mi a' fònadh gu Jim MacColla air an rathad air ais a Thaigh Bhòid airson dèanamh cinnteach gu bheil cùisean aig Fergusons a' tighinn air adhart mar bu chòir.

Latha Ochdad 's a Ceithir: Diciadain 3 An t-Sultain

Tha mi anns na Crìochan a tha, 's dòcha, air an sgìre as dùbhlanaiche dhuinn. Chan ann air sgàth 's gu bheil gainnead luchd-taic SNP ann – tha gu leòr. Tha gainnead luchd-bhòtaidh Làbarach ann a tha a' tighinn a-nall do BU CHÒIR agus 's e sin as adhbhar gum bi e air leth doirbh dhuinn buannachadh anns na Crìochan. Mar sin, tha na sluaghan mòra taobh a-muigh oifisean ùra BU CHÒIR ann am Peighinn na Cuthaig agus na Pùballan gam mhisneachadh gu mòr.

Tha mi a' dèanamh dà òraid ann am Peighinn na Cuthaig – air a' bhlàr a-muigh agus air an taobh a-staigh – gus an urrainn don a h-uile duine èisteachd. Tha mi a' coinneachadh ri teaghlach gasta cuideachd. Isaac òg a tha a' fulang leukaemia, a bhràthair mòr, Tadhg, agus am màthair shònraichte, Ruth. Tha an teaghlach gu lèir a' cur an làn-thaic ri BU CHÒIR. Tha mi a' cur seachad beagan ùine còmhla riutha. Am measg othail na h-iomairt, tha e cudromach gu bheil cothroman ann stad fad tiotain gus an cùm sinn nar cuimhne ma tha aon rud sònraichte ann a tha BU CHÒIR a' riochdachadh, tha e a' riochdachadh an dòchais.

Air an t-slighe a Shiorrachd Àir, tha sinn a' tadhal air tuathanas organach Whitmuir ann an West Linton airson obair iomairt de sheòrsa eile agus agallaimh còmhla ri Peadar MacMathain aig Border Television. 'S e na daoine laghach anns an àite laghach seo a tha air leasachadh mòr a thoirt air cosnaidhean anns an sgìre dhùthchail seo.

Fhad 's a tha mi an seo, tha mi a' fònadh gu Niels Smedegaard aig DFDS Seaways, an dèidh brath fhaighinn gu bheil iad an impis stad a chur air Aiseig Ros Saoithe. Tha mi ag iarraidh, gu soirbheachail, gun toir Mgr. Smedegaard beagan ùine dhuinn gus an tèid againn agus aig Forth Ports air tagradh a chur ri chèile airson an aon slighe aiseig eadar Alba is an Roinn Eòrpa a ghlèidheadh. Tha e ag aontachadh an dèidh beagan deasbaid.

A' togail orm a-rithist gu gnìomhachas bèicearachd ann am pàirc ghnìomhachais ann an Cill Mheàrnaig far a bheil sluagh mòr eile air nochdadh gun rabhadh. Tha dealbh sgoinneil ga thogail dhìom fhìn agus dà chèic mhòr air a bheil AYE nam shùilean. 'S e mo bheachd fhìn nach bu chòir dhuinn cus dragh a ghabhail mu na rudan seo. Ma tha teagamh ann, bidh mi a' toirt sùil air Allan Milligan, ceannard sgioba an luchd-deilbh, feuch a bheil e a' cromadh a' chinn. Ma bhios cùisean ceart gu leòr le Allan, bidh mise a' cumail orm. An turas seo tha Allan a' cromadh a chinn.

Anns a' choinneimh naidheachd tha mi a' toirt pacaid liquorice allsorts do neach-naidheachd an *Telegraph*, Ben Riley-Smith, airson a dheagh fhrithealaidh aig a h-uile tachartas naidheachd. Bidh e daonnan ann, peann na làimh, is e an làn-dòchas gun dèan mi mearachd air choireigin. Tha e ga ghabhail san t-sròin mar sin tha mi a' toirt nan siùcairean do chlann na h-iomairt taobh a-muigh an togalaich. 'S dòcha gu bheil am frionas sin na chomharra nach eil an sunnd ann an uaimh an *Telegraph*, a tha na roinn den iomairt CHA BU CHÒIR, buileach mar bu chòir.

Tha mi ag innse do chruinneachadh eile de dhaoine a tha air nochdadh aig a' Park Hotel ri taobh Pàirc Rugby aig sgioba Chille Mheàrnaig nach bu chòir dhaibh dragh a ghabhail mu na casaidean le Westminster is iad ag ràdh gu bheil veto aca air cò a dh'fhaodas an not Shasannach a chleachdadh. Tha mi a' mìneachadh an t-suidheachaidh le bhith ag aithris an sgeòil fhìor mu mhorair na dùthcha a thàinig a chèilidh orm ann an Taigh an Naoimh Anndra.

Thàinig morair an aonaidh seo a-steach. 'S e duine a fhuair togail iriosal a bh' ann, ach a chùm cainnt nan gàrraidhean-iarainn air a theanga:

Tha thu eòlach orm, Ailig, 's e fear an [guidheachan air a thoirt às] aonaidh a th' annam. Ach, ma tha an [guidheachan] sin Osborne a' canail aon [guidheachan] turas eile nach fhaod sinn an [guidheachan] not againn fhìn a chleachdadh ged as e sinn fhìn a chuir [guidheachan] Banca [guidheachan] Shasainn air chois agus cha mhòr a h-uile [guidheachan] rud eile, thig mise agus gabhaidh mi ris a' [guidheachan] taobh agaibhse.

Tha e follaiseach gu bheil an sgeulachd seo air cuideigin san luchd-èisteachd a bheò-ghlacadh, oir dà uair an uaireadair an dèidh dhomh aithris tha e a' tighinn thugam is ag ràdh: 'Tha fios agam cò bh' ann.'

'Cò?' tha mi a' freagairt.

'Am morair ud,' tha e ag ràdh is e làn misneachd. 'B' e Willie Haughey a' bh' ann.'

'An dearbh dhuine,' tha mi fhìn ag ràdh is mi ri breug!

Latha Ochdad 's a Còig: Diardaoin 4 An t-Sultain

Tha Nicola a' sìor-fhàs nas misneachaile mu na tha an dàn do BU CHÒIR ann an Glaschu. Agus, tha mi a' tuigsinn carson, an dèidh dhomh fhìn a bhith ag iomairt air sràidean a' bhaile an-diugh.

Tha sinn a' coinneachadh airson bruidhinn air an t-seachdain againn a tha làn choinneamhan air feadh na dùthcha. Tha cruinneachadh cianail fhèin mòr de dhaoine nan cearcall timcheall air Sràid Bhochanan gus am faic iad an dithis againn le chèile. Bha an cruinneachadh luchd-naidheachd uabhasach mòr cuideachd agus tha a h-uile coltas ann gu bheil an iomairt againn a' gluasad air adhart.

Bha e doirbh àite a lorg airson na h-agallamhan telebhisein a dhèanamh leis an othail a bha a' dol, ach chùm sinn smachd air choireigin air an t-sluagh agus a h-uile duine ann an sunnd math, co-dhiù bho thaobh na h-iomairt. Dh'fhàs an luchd-naidheachd caran frionasach agus cha mhòr nach robh sabaidean ann eadar an luchd-deilbh agus na sgiobannan telebhisein.

Fhad 's a bha seo a' dol air adhart, bha barrachd deagh naidheachd ga sgaoileadh agus buill RMT ann an Alba air bhòtadh airson taic a chur ri BU CHÒIR. Tha e inntinneach gur iad na h-aonaidhean a tha air beachdan slàn am ball a shireadh an fheadhainn a tha air an taic a chur ri neo-eisimeileachd, no a tha air fanachd neo-thaobhach mar a rinn UNISON. 'S ma dh'fhaoidte gum b' urrainn do na ceannardan chompanaidhean rud no dhà mu chomhairleachadh cothromach ionnsachadh bhon RMT.

Thachair tuiteamas beag inntinneach nuair a bha sinn a' falbh. Bha luchd-iomairt CHA BU CHÒIR ann a bha ri obair caran buaireasach le sanasan mòra, ag obair air an luchd-taic againn fhìn. Cha do dh'adhbharaich iad trioblaid sam bith a chionn 's nach robh ann ach dithis aca. Ach fhuair mi a-mach an dèidh làimh gun robh co-dhiù fear dhiubh na eagraiche pàighte ann an Glaschu. 'S e cnag na cùise: ma dh'fheumas tu eagraichean proifeiseanta a chur a-mach a mhilleadh tachartasan naidheachdan an taoibh eile, feumaidh gu bheil thu fhèin uabhasach gann de luchd-taic.

Air ais a Thaigh Bhòid airson coinneamh Deisealachd a thaobh àrdachadh na h-ìre èiginnich le riaghaltas na RA. Chan eil e soilleir dè a dh'adhbharaich an ceum seo, agus an dèidh na coinneimh chan eil e dad nas soilleire dhomh.

Tha mi a' fònadh gu Stephen Gallacher airson meal an naidheachd a chur air an dèidh mar a chaidh a thaghadh airson sgioba Cupa Ryder. Tha a sheanmhair uabhasach bochd an-dràsta ach tha e fhathast airson beagan ùine a chur seachad air a' fòn. Bidh e na riochdaire math dha-rìreabh do dh'Alba agus don Roinn Eòrpa.

211

Tha an sunnd math aig a' choinneimh iomairt. Tha na figearan cunntais is air-loidhne as ùire againn fhìn ag innse dhuinn gu bheil sinn fhìn agus CHA BU CHÒIR cha mhòr co-ionnan – ach gu bheil iad a' gluasad leinne. Ma chumas sinn oirnn mar a tha sinn, bu chòir gum bi sinn air thoiseach orra mun deireadh-sheachdain mu dheireadh. Mun àm sin, tha sinn an dòchas nach bi ùine aca airson stad a chur air a' ghluasad mhòr.

A' tilleadh a Shrath Eachainn an dèidh dìnneir BU CHÒIR aig Locanda De Gusti ann an Dùn Èideann airson ionmhas a thogail don iomairt againn. Crìoch ghasta air latha trang.

Latha Ochdad 's a Sia: Dihaoine 5 An t-Sultain

Tha coinneamh agam le gnìomhachas an iasgaich aig talla-rùp Ùghdarras Port Cheann Phàdraig. Tha port Cheann Phàdraig air a bhith fortanach thar nam bliadhnaichean leis na th' air a bhith aca de dheagh chathraichean is àrd-oifigearan ionadail, agus 's e sin a th' ann an Iain Wallace gun teagamh.

Tha taic làidir airson BU CHÒIR anns a' ghnìomhachas gu dearbh ach chan eil a h-uile duine air ar son idir. 'S e àrd-oifigear Iasgairean na h-Alba, Bertie Armstrong, a tha a' stiùireadh luchd-taic CHA BU CHÒIR. Tha e fhathast goirt an dèidh litir gheur a chuir mi thuige o chionn beagan mhìosan. Tha an deasbad againn air a' chuspair sin agus nithean eile a' cur sradag san t-seòmar ag adhbharachadh còmhraidh bheothail.

Chan eil an aon eòlas agam air iasgach 's a bh' agam nuair a bhithinn a' riochdachadh nan daoine dàna laghach seo anns a' phàrlamaid, ach tha barrachd eòlais agam na tha aig neach-poileataigs eile ach 's dòcha Rùnaire Chùisean Dùthchail, Richard Lochhead. 'S math as fhiach a' choinneamh. O chionn fhada a-nis, dh'innis seann chathraiche a' phuirt, J. D. Buchan, an seanchas fìor-ghlic seo dhomh: 'Cuimhnich gum bi na sgiobairean roinnte eadar SNP is Tòraidh ach bidh an sgioba gu lèir a' bhòtadh air do shon – ma bhòtas iad idir.' Saoilidh mi gur ann mar sin a bhios cùisean anns an reifreann seo.

Air ais a Shrath Eachann, agus an uair sin gu Co-labhairt Tasgaidh Mhanaidsearachd aig Aberdeen Asset ann an taigh-òsta Ardoe House ann an Obar Dheathain – suidheachadh gu tur eadar-dhealaichte. Tha Màrtainn Gilbert air a bhith uabhasach cothromach ag eagrachadh na co-labhairt. Fhuair Alistair Darling fiathachadh an-uiridh, fhuair mi fhìn fiathachadh am-bliadhna.

Tha a' cho-labhairt a' dol gu math agus tha na ceistean gu sònraichte a' toirt air cuid den luchd-tasgaidh beachdachadh air a' chùis a-rithist. Gu dearbh tha an taic fhoillsichte cho mòr an seo, a' mhòr-chuid aca nach fhaod bhòtadh ge-tà, a chionn 's nach eil iad a' fuireach ann an Alba, 's gu bheil mi a' gabhail beachd nach e a bhiodh math nan robh a' chòir-bhòtaidh air a leudachadh. 'S ma dh'fhaoidte gum bu chòir dhuinn a' cheist air neo-eisimeileachd na h-Alba a chur air muinntir an t-saoghail gu lèir!

Tha mi a' cabadaich le Anndra Neil aig a' BhBC an dèidh làimh a tha ag innse dhomh gu bheil Lunnainn dìreach an dèidh dùsgadh is e air tighinn a-steach orra gu bheil strì dha-rìreabh ann a-nis. Tha mi ag innse dha gu bheil mi an dòchas gun gabh iad norrag bheag eile!

P.S. Tha mi uabhasach modhail nuair a tha mi a' bruidhinn ri Dùghlas Flint, a tha air fear den luchd-ionmhais as motha air cùl na h-iomairt CHA BU CHÒIR agus na chathraiche aig HSBC. Tha mi airson 's gum faic Dùghlas cho misneachail 's a tha BU CHÒIR a-nis. Cha mhòr gu bheil meur aig HSBC ann an Alba. O chionn fhada chuir Banca Shasainn stad air aonadh eadar HSBC agus Banca Rìoghail na h-Alba a chionn 's nach robh iad airson 's gum biodh am buidheann seo an sàs ann an Comataidh nam Bancaichean Rèiteachaidh.

Latha Ochdad 's a Seachd: Disathairne 6 An t-Sultain

'S e seo an latha a tha beachd an t-sluaigh leinn mu dheireadh thall – ach tha eagal orm gu bheil e ro thràth.

Tha mi air an raon-goilf aig Caisteal Stiùbhairt a' feuchainn ri beagan fois fhaighinn an dèidh nan seallaidhean mìorbhaileach nuair a bha sinn a' coiseachd ann an Inbhir Nis. Tha mi a' cluich còmhla ri dithis às an sgìre bhon dà thaobh – BU CHÒIR agus CHA BU CHÒIR. Tha mi an impis a' chiad bhuille agam fhuasgladh nuair a tha Geoff Aberdein ag innse dhomh gun tèid cunntas-bheachd ùr leis a' *Sunday Times* a sgaoileadh a dh'aithghearr.

Aig an dàrna toll, tha Geoff a' fònadh thugam a-rithist airson innse dhomh gu bheil toradh a' chunntais iongantach dha-rìreabh. Tha mi ag iarraidh air fònadh air ais don phàipear feuch am faigh e a-mach dè tha dol.

'S e pàr ceithir goirid a th' anns an treas toll agus tha mi a' cluiche gu math. Tha a' chiad bhuille agam a' landadh faisg air an lèanaig agus a' leum air adhart ann an slocan air an làimh chlì. 'S e cothrom doirbh a th' ann agus chunnaic mi Mickelson a' cluich bhon dearbh àite anns an Scottish Open. Tha mi ag ullachadh na buille agam nuair a tha am fòn-làimhe agam air chrith a-rithist. 'S e Geoff a th' ann is e air bhoil.

'An cunntas,' tha e ag ràdh is e a' call anail. 'Tha e aig 51-49.'

'Glè mhath, ma-thà,' tha mi a' freagairt. 'Tha mi a' cur a' fòn dheth a-nis. Bruidhnidh mi riut nuair a chuireas mi crìoch air a' gheama seo.'

Tha mi den bharail gu bheil coltas math air a' chunntas sin. Chan eil ach dà phuing eadarainn. Gluasad leantainneach. Cha b' urrainn a bhith na b' fheàrr, feumaidh mi ràdh. Ach tha mi a' dèanamh brochan den bhuille agam.

Tha mu fhichead brath a' feitheamh rium air a' fòn-làimhe nuair a tha mi a' tilleadh don taigh-club.

Tha mi a' fònadh gu Geoff: 'Dè the dol?'

'Dh'innis mi dhut mar-thà, a Phrìomh Mhinisteir. Tha sinn air thoiseach!'

'Daingead,' tha mi ag ràdh, is mi a' tuigsinn na mearachd.

'Daingead? Tha e mìorbhaileach,' tha Geoff air a dhòigh.

'Geoff, tha an cunntas seo air nochdadh seachdain ro thràth.'

Seachdain ro thràth, ach toradh mìorbhaileach co-dhiù air latha a thòisich le cuairt taobh cladach Mhoireibh. Bha sluagh sràidean Ghlaschu cho eadar-dhealaichte an coimeas ri dìnnear ionmhais Aberdeen Asset, ged a bha na dhà brosnachail nan dòigh fhèin. Bha mi airson faighinn a-mach dè an sunnd a th' air na daoine ann an sgìre a tha taiceil don Phàrtaidh Nàiseanta.

Bha còir againn stad greiseag bheag ann am meadhan baile Eilginn ach feumaidh sinn cuairt coiseachd is tachartas a chur air dòigh airson nan daoine a tha air nochdadh. Tha Lisa Ghòrdan bhon oifis sgìreil agam a' feuchainn ri cumail ris a' chlàr-ama ach cha ghabh a dhèanamh air sgàth brosnachadh nan daoine. Tha teaghlaichean air an cuid chloinne a thoirt ann còmhla riuth airson m' fhaicinn agus tha an stad goirid a' mairsinn uair an uaireadair. Tha sunnd aoibhneach air muinntir BU CHÒIR agus, dìreach mar a bha iad ann an Glaschu Diardaoin, tha iad a' sùileachadh ri buannachadh.

Cha do dh'ullaich aoibhneas Eilginn mi airson fàilte mhòr baile Inbhir Nis. Chan fhaicear an stàile BU CHÒIR leis na th' ann de dhaoine. Tha daoine shuas air solais-sràid, a' crochadh air uinneagan agus tha an t-àite air bhoil.

Chan eil fhios cia mheud fèineag anns an robh mi agus tha e doirbh gun a bhith a' gabhail ri boile an t-sluaigh. Tha mi a' toirt na h-òraid as fheàrr leam seachad, eadar èigheachd is bualadh bhasan, is ag ràdh gu bheil na seann ùghdarrasan ann an Westminster an impis 'glaodh Hampden' a chluinntinn bhon 'mhillean a dhìth'.

Chan fhaca mi a leithid ann an Inbhir Nis ach aon turas. Ann an 2001, dh'aontaich Sean Connery ri cuairt a ghabhail anns a' bhaile airson an neach-tagraidh òig, a tha na bhall pàrlamaid a-nis, Aonghas Briannan MacNèill. Bha mi air Inbhir Nis a thaghadh gus nach faigheadh luchd-naidheachd na h-Alba a-mach mun turas ach rinn mi cinnteach gum biodh na camarathan telebheisein ann fhathast.

Nochd Sean aig a' phort-adhair agus chaidh sinn don bhaile mhòr. Thuirt e rinn an uair sin gun robh e airson a dhol don toileat, mar sin stad sinn aig taigh-òsta Taigh Chùil Lodair, far an do chuir an duine mòr a' cheist air an luchd-obrach anns a' ghuth ainmeil àraid sin: 'Gabh mo leisgeul. Am faod mi an taigh beag agaibh a chleachdadh?'

Ann am meadhan a' bhaile fhèin, chaidh an dearbh fhàilte a chur air Sean 's a chaidh cur orm fhìn an-diugh. Chuir Teàrlach Òg Stiùbhart an oidhche seachad ann an taigh mòr Chùil Lodair an oidhche ron bhlàr. Cha do chuir Sean seachad ach dà mhionaid ann an taigh beag Chùil Lodair ron chuairt againn.

Tha mi air eòlas a chur air a' mhanaidsear, Stephen Davies, agus an luchd-obrach aig Taigh Chùil Lodair bhon uair sin, agus thuirt mi riutha, air sgàth 's gu bheil soidhne aca mar chuimhneachan air Teàrlach, bu chòir dhaibh soidhne eile a chur suas, ann an àite freagarrach, mar chuimhneachan air an tadhal nas giorra le Sean, a tha nas ainmeil co-dhiù.

Latha Ochdad 's a Ochd: Didòmhnaich 7 An t-Sultain

Tha a h-uile duine an làthair gus an obraich sinn air plana a dhèiligeas ris an t-suidheachadh ùr seo gu bheil sinn air thoiseach.

Tha sinn a' sùileachadh ri freagairt mhòr bho na h-ùghdarrasan poilitigeach is iad a' tuigsinn airson a' chiad uair gu bheil cunnart ann gun caill iad. Tha an sgioba againn fhìn a' tuigsinn gu bheil sinn air thoiseach nas tràithe na bha sinn an dùil. Ach feumaidh sinn an gluasad mòr sin a chumail a' dol. 'S urrainnear mòran a dhèanamh le gluasad mòr poilitigeach.

Tha sinn an dùil gum bi an fhreagairt aca ann an dà leth. Cumaidh iad orra mar a bha ach le oidhirpean nas làidire. Chan eil na h-ionnsaighean eagail aca air a bhith uabhasach soirbheachail gu ruige seo. Tha daoine cho cleachdte riutha a-nis 's nach eil iad a' toirt feart orra.

Ach tha sinn cuideachd an dùil ri 'tairgse ùr'. Tha adhbhar follaiseach ann. Tha am plana aca stèidhichte air na thachair anns an reifreann ann an Quebec. Lorg Dùghlas beag Alexander Quebec o chionn bliadhna agus shaoil e gum biodh e uabhasach glic nan stèidhicheadh e an iomairt CHA BU CHÒIR ann an Alba ann an 2014 air an iomairt CHA BU CHÒIR ann an Quebec ann an 1995. An àite 'Non Merci', tha 'Cha Bu Chòir' againn.

Tha coltas uabhasach sìmplidh air a' phlana seo ach tha iomadh duilgheadas an lùib a leithid seo a dhòigh-obrach, mar eisimpleir, 's ann air èiginn (51-49) a shoirbhich leis an iomairt ann an Quebec. Cha chòrdadh beàrn cho beag rium fhìn. Chaidh 'tairgse ùr' a thoirt do mhuinntir Quebec. Mar sin tha sinn fhìn a' sùileachadh ris an 'tairgse ùir' againn fhìn.

Tha earbsa agam anns na comasan againn airson dèiligeadh ri seo a chionn 's gu bheil duilgheadas mòr aca fhèin. Tha cho mòr nach eil mi a' faicinn dè am fuasgladh a dh'fhaodadh a bhith aca. Chan eil creideas aig an t-sluagh anns na daoine a dhèanadh an tairgse. Ann an cunntasan-bheachd nan ceannardan ann an Alba, tha Camshron aig 40 fo neoni, Miliband aig 50 fo neoni agus Clegg far na sgèile uile gu lèir. Ciamar as urrainn do dhaoine aig nach eil creideas rudeigin a thairgsinn a ghabhas creidsinn?

Tha Seòras Osborne a' daingneachadh mo bheachd-sa air *The Andrew Marr Show* is e a' cur an cèill gun tèid tairgse ùr fhoillseachadh an t-seachdain seo fhèin, ged a tha Rùnaire na h-Alba, Alistair MacIlleMhìcheil, a' dol às àicheadh gum bi a leithid a' tachairt.

'S e naidheachd mhath a th' ann ach faodaidh sinn a bhith cinnteach às gum feum iad am bùrach a chur ceart a dh'aithghearr. Tha sinn fhìn feumach air leum mòr a bheireadh sinn seachad air greim feachdan an aonaidh.

Tha mi a' fònadh gu Rupert Murdoch airson bruidhinn air a' chunntas-bheachd agus tha mi a' faighneachd dheth am foillsich an *Scottish Sun* an taic airson BU CHÒIR. Tha Mgr. Murdoch a' freagairt, mar as dual dha, gu bheil e 'an urra ris na deasaichean agam'.

Tha duilgheadas ann ge-tà. Tha dà dheasaiche ann: ann an Alba agus ann an Lunnainn.

Tha an latha àibheiseach seo a' tighinn gu crìch ann an dòigh car annasach le òraid don Cho-labhairt Eadar-nàiseanta de Luchd-naidheachd Àiteachais aig Taigh Raemoir faisg air Beannchar. Gheall mi do dheagh charaid dhomh, Brian Pack, gum bithinn deònach a dhèanamh.

Tha mi a' bruidhinn nuair a tha an geama Eòrpach – eadar an sgioba a ghlèidh Cupa na Cruinne, a' Ghearmailt, an aghaidh an sgioba a dhiùlt pàirt a ghabhail ann, Alba – a' tighinn gu crìch. Tha Alba air cluich gu math ach chaidh an latha leis na Gearmailtich aig a' cheann thall. Tha mi ag innse do bhuidheann de luchd-naidheachd Gearmailteach ann am meadhan na h-òraid agam dè an sgòr a bh' ann is iad air an dòigh glan. Tha mi an dòchas nach e samhla an reifreinn a th' ann.

Latha Ochdad 's a Naoi: Diluain 8 An t-Sultain

Tha feum againn air Eli Gold, manaidsear carach na h-iomairt poilitigich anns a' phrògram *The Good Wife*. Ach cha mhòr nach eil e ann a chionn 's gu bheil an cleasaiche a tha ga chluich, Alan Cumming, còmhla rinn.

Tha Nicola agus Alan ag iomairt ann an Glaschu mar phrìomh thachartas an latha. 'S e duine gasta a th' ann agus tha ùidh mhòr aige ann am poileataigs. Chunnaic mi an dealbh-chluich aon-neach aige, *MacBeth* ann taigh-dhealbh an Tron o chionn bliadhna no dhà, agus b' e an seisean cheistean aig an deireadh a chòrd rium a cheart cho math 's a chòrd an taisbeanadh iongantach le Alan.

Chaidh iarraidh air daoine am beachdan a thoirt seachad air dè bha a' dol air adhart san dealbh-chluich an dà-rìreabh, a bha stèidhichte ann an taigh-caothaich fhad 's a ghluais Alan bho charactar gu caractar. Bha cuid de na mhìnich iad gun chiall, cuid eile uabhasach domhainn agus cuid eile a bha glè èibhinn. Co-dhiù, dhèilig Alan ris a h-uile duine le àbhachdas agus modh. 'S e neach-poileataigs nàdarra a th' ann ged a rachadh e fhèin às àicheadh a' bheachd sin. Tha daoine measail air – rud air am bu chòir dhuinn barrachd luach a chur ann am poileataigs. Mas toigh le daoine thu, bheir iad maitheanas dhut airson cha mhòr rud sam bith. Mura toigh leat thu chan fhaigh thu maitheanas sam bith.

Tha a' choinneamh iomairt ann an taigh-òsta Grand Central ann an Glaschu stèidhichte air ullachadh airson na seachdain mu dheireadh agus ciamar a dhèiligeas sinn ris an ionnsaigh mhòir mu dheireadh. A chionn 's nach eil pàipear-naidheachd làitheil ann a tha ag iomairt airson BU CHÒIR, feumaidh sinn cumail oirnn agus na dealbhan as fheàrr is na sgeulachdan as fheàrr a thoirt seachad sinn fhìn, feumaidh sinn ar naidheachd a sgaoileadh air feadh nam meadhanan-sòisealta agus feumaidh sinn gach cothrom a ghlacadh air telebhisean gus an cùm sinn ris na cuspairean iomairt againn.

Tha mi a' dèanamh agallaimh anmoch air an oidhche le Bernard Ponsonby. Cha mhòr nach eil Bernard air a bhith an sàs ann an saoghal poileataigs na h-Alba nas fhaide na mi fhìn. Tha e uabhasach math is èibhinn air atharrais a dhèanamh agus tha e air fear den luchd-agallaimh as cruaidhe a tha ann. Fhad 's a tha sinn a' còmhradh às dèidh làimh tha Bernard a' dearbhadh a' bheachd gu bheil BU CHÒIR a' buannachadh air na sràidean is na sgeamaichean comhairle.

Latha Naochad: Dimàirt 9 An t-Sultain

Tha an suidheachadh trom-chùiseach a-nis.

Dh'fhòn triùir luchd-gnìomhachais as aithne dhomh thugam an-diugh airson rabhadh a thoirt dhomh gun robh gairm gu coinneamh ann bho Shràid Downing a-raoir do na companaidhean as motha, ag iarraidh orra fios a sgaoileadh gu bheil iad airson bhòt CHA BU CHÒIR. 'S iad an fheadhainn a dhiùlt a tha air fònadh thugam. Tha aon neach aig companaidh cumhachd ag ràdh gun robh a' choinneamh annasach. Tha e ag ràdh gun robh an Camshronach a' bruidhinn air a' chogadh agus spiorad Dunkirk. 'S ann ann am buncair a bha e co-dhiù.

Tha an obair iomagaineach seo calg-dhìreach an aghaidh an dòchais am measg luchd-iomairt BU CHÒIR. Saoilidh mi gu bheil an deagh shunnd gabhaltach.

Tha dòchas ann madainn an-diugh cuideachd. Ghabh mi cofaidh còmhla ri Pat Cox, a bha na Cheann-suidhe na Pàrlamaid Eòrpaich. Tha Pat air obair mhath a dhèanamh air ar son le artaigeal anabarrach math anns a' *Scotsman* agus sreath de dh'agallamhan anns a bheil e a' cur an cèill gun leig an t-Aonadh Eòrpach Alba a-steach.

Tha sinn, airson a' chiad uair, air làmh an uachdair fhaighinn air a' cheist Eòrpaich.

Airson a' phuing a dhearbhadh tha mi an làthair aig tachartas meadhanan ann an Ceàrnag na Pàrlamaid, anns a bheil meadhanan an t-saoghail ceart gu leòr ach cuideachd 'Albannaich ùra' às a h-uile dùthaich fon ghrèin – is iad ag ràdh BU CHÒIR anns a h-uile cànan as urrainn dhuinn a lorg, mar sin, an-diugh, tha sinn ag ràdh oui, ja, si, yes agus bu chòir. 'S e tachartas sona tarraingeach a th' ann ann an cànan sam bith agus chaidh a chur air dòigh airson farsaingeachd na h-iomairt BU CHÒIR a thaisbeanadh agus airson dhealbhan làn spionnaidh is iomadachd a sgaoileadh fad is farsaing.

Tha na meadhanan airson 's gum freagair mi ris na sgeulachdan amaideach seo anns an *Telegraph* is anns an *Daily Mail* mun Bhànrigh a' tighinn an sàs anns an deasbad, an dèidh do Chamshron tadhal aig Caisteal Bhaile Mhoireil aig an deireadh-seachdain. Feumaidh gun do chòrd naidheachd a' chunntais-bheachd san *Sunday Times* ris aig àm bracaist! 'S e mo bharail-sa nach bu mhiste sinn fhìn ma tha iad airson an ùine aca a chaitheamh air faoineas a leithid seo.

Air an rathad do phrìomh oifisean a' Phàrtaidh Nàiseanta air seisean cheistean air Facebook agus tha mi a' stad aig cuirm a chaidh eagrachadh le Boireannaich sa Choimhearsnachd Ghnìomhachais. 'S e Kat Heathcote agus Dame Mariot Leslie, a bha na tosgaire do NATO a tha a' stiùireadh na cuirme. Tha mi a' dol bho bhòrd gu bòrd is a' bruidhinn ris na boireannach ann am buidhnean. Tha taic uabhasach làidir againn am measg bhoireannach proifeiseanta. 'S ma dh'fhaoidte, mar thoradh air an iomairt seo, gum faigh barrachd de na boireannaich ealanta seo cothrom a dhol an sàs ann am beatha phoblach na dùthcha.

Latha Naochad 's a h-Aon: Diciadain 10 An t-Sultain

Tha na Trì Amigos air nochdadh – agus ma-thà, ma thogair!

Tha e coltach gu bheil an gluasad mòr a' putadh na h-iomairt againn air adhart. Chan eil an tadhal aig Camshron, Miliband is Clegg a' cur dragh orm – tha an sàr chleasaiche Albannach (agus neach-taic BU CHÒIR) Brian Cox a' toirt 'Na Trì Amigos' orra. Gu dearbh, saoilidh mi gur e sinn fhìn a gheibh buannachd às an tadhal aca a chionn 's gu bheil e a' sealltainn dhuinn dè cho cudromach 's a tha Alba a-nis agus dè cho èiginneach 's a tha a' chùis dhaibhsan a-nis: chaidh Ceistean don Phrìomhaire a chur dheth gus an tig iad a-nìos a chèilidh oirnn. Ach 's e a' phuing as cudromaiche nach eil creideas ga chur ann an duine aca. Chan eil e gu diofar dè their iad mura h-eil an rud luachmhor sin aca.

Thàinig iad a-nìos còmhla, cho fad 's fiosrach leam, agus ghabh iad an rathad aca fhèin nuair a ràinig iad. Chan eil mi a' toirt feart do na tha iad ris.

Mar fhreagairt air na Trì Amigos, tha sinn a' feuchainn ri 'Sgioba na h-Alba' a thoirt cruinn còmhla an aghaidh 'Sgioba Westminster' aig a' chruinneachadh iomairt BU CHÒIR ann an Ceàrnag Piershill, faisg air Baile nam Feusgan ann an Lodainn an Ear. Tha mi fhìn, Jim Sillars, ceannard a' Phàrtaidh Uaine Pàdraig Harvie, Cailean Fox aig Pàrtaidh Sòisealach na h-Alba agus Nicola a' caismeachd an achlais a chèile don 'Margomobile', anns a bheil Jim air a bhith air chuairt mu thimcheall sgeamaichean taigheadais na h-Alba. Tha Piershill còmhdaichte le suaicheantasan BU CHÒIR agus 's e àite iomchaidh a th' ann airson na tha a' tachairt air feadh Alba sa chlas-obrach a thaisbeanadh.

Cha thuigeadh luchd-mheadhanan Lunnainn an samhla mòr sin gu bheil mi fhìn agus Jim ag iomairt còmhla ri chèile ged a thuigeadh luchd-naidheachd na h-Alba e an làrach nam bonn. Chaidh sinn a-mach air a chèile gu dona o chionn fichead bliadhna agus is gann gun do bhruidhinn sinn ri chèile bhon uair sin. Ach chuir sinn an droch-fhaireachdainn eadarainn an dàrna taobh nuair a chaidh mi a chèilidh air a bhean, Margo NicDhòmhnaill BPA, anns na seachdainean mu dheireadh den tinneas an-iochdmhor aice.

Bhiodh Margo air a bhith na buannachd mhòr don iomairt BU CHÒIR againn. Bha i cho rag-mhuinealach aig amannan ach bha a spiorad daonnan blàth agus a gliocas dìan. 'S tric a bhiodh am pàrtaidh a' trod rithe air sàilleabh a h-eanchainn ghnìomhach ach bha na bhòtairean measail oirre a-riamh. 'S mi fhìn an aon cheannard nach do chuir i às a' Phàrtaidh Nàiseanta. Leig i a ballrachd dhi fo cheannardas Ghòrdain MacUilleim agus b' e Iain Swinney a chuir i às a' phàrtaidh. 'S ann fo cheannardas Ailig Salmond a chaidh a leigeil a-steach a-rithist.

Chaidh Margo a thaghadh gu soirbheachaile trì tursan mar bhall neo-eisimeileachd do Phàrlamaid na h-Alba. Bhiodh i air a bhith na buannachd luachmhor do BU CHÒIR.

Tha Jim is mì fhìn a' cur na droch-fhaireachdainn eadarainn an dàrna taobh anns na làithean mu dheireadh den iomairt air sàilleabh na tha sinn air a bhith ag amas air fad ar beatha phoilitigeach agus 's e teachdaireachd làidir a th' ann. Tha an teachdaireachd nas cumhachdaiche buileach is sinn nar seasamh air beulaibh a' bhus aig Margo. Tha an tachartas iomchaidh a chionn 's gun do dhealbh an dithis againn 'am bus snappy' mar dhòigh iomairt sràide a bha fìor shoirbheachail nuair a bhuannaich Jim am fo-thaghadh ann am Baile a' Ghobhainn airson a' Phàrtaidh Nàiseanta ann an 1998.

An dèidh an tachartais iomairt thraidiseanta ann am Baile nam Feusgan, tha mi a' dèanamh air a' chafaidh Hemma ri taobh na Pàrlamaid airson còmhradh-lìn le Mumsnet. Tha Alistair Darling a' dèanamh còmhraidh-lìn aig a' cheart àm ann an àite eile agus tha e soilleir, fiù 's anns na freagairtean goirid aige, nach eil a h-uile nì mar bu chòir ann an saoghal CHA BU CHÒIR.

Tha na dealbhan telebhisein gam shealltainn-sa a' cabadaich le màthraichean is leanaban sona, an coimeas ri ìomhaighean Nas Fheàrr Còmhla anns a bheil Alistair na shuidhe ri taobh neach-taic gruamach agus postair.

Air an rathad a Ghlaschu airson an agallaimh mu dheireadh le Jackie Bird nuair a tha mi a' cluinntinn gu bheil BP air an taic fhoillseachadh gu oifigeil airson CHA BU CHÒIR. Chan e faoineas pearsanta gun bhrìgh leis a' chathraiche Bob Dudley a th' ann a-rithist ach tha am brath air a sgaoileadh mar bheachd na companaidh. Gu dearbh cha deach co-chomhairleachadh a dhèanamh le luchd-earrainn na companaidh. Tha seo stèidhichte air a' bheachd àrdanach gum faod companaidh, a tha air fàs reamhar a' sùghadh stòrasan na h-Alba fad dà fhichead bliadhna, innse do dhaoine ann an dùthaich dheamocratach, an dèidh achanaich a' phrìomhaire a tha ann an dubh-èiginn, ciamar a bu chòir dhaibh bhòtadh.

Chan e seo a' chiad turas a chleachd BP an cumhachd chorporra gu buannachd na companaidh. Ann an 2007 shoirbhich leotha ag atharrachadh suidheachadh riaghaltas na RA air saoradh an duine a chaidh a dhìteadh airson bomadh Lockerbie, Abdelbaset Ali Mohmed al-Megrahi. Nuair a chaidh Jack Straw na Àrd-sheansalair ann an riaghaltas Ghòrdain Brown, thadhail e orm aig Taigh Bhòid. Ghabh sinn bracaist còmhla agus dh'aontaich e ri Megrahi a chumail às an Aonta Tar-aiseig Phrìosanach a bhathar a' co-rèiteachadh le riaghaltas Libya. Da rèir fhèin cha robh duilgheadas ann nuair a mhìnich mi nan rachadh Megrahi a chumail anns an Aonta bhiodh buaidh ga toirt air pròiseas lagh na h-Alba, a chionn 's gun robh e an sàs ann an cùis ath-thagraidh an aghaidh a dhìtidh.

Beagan sheachdainean an dèidh na coinneimh seo dh'fhòn Straw gu Rùnaire a' Cheartais, Kenny MacAsgaill airson fios a leigeil nach b' urrainn dha a ghealladh a thoirt gu buil. A rèir Kenny, thuirt Straw gur e 'BP as adhbhar'. Nuair a dh'fhòn mi gu Straw, dh'innis e dhomh gun do shoirbhich le ùidhean BP an aghaidh beachd riaghaltas na Rìoghachd Aonaichte. Bha BP aig an àm a' rèiteachadh thagraidhean airson chùmhnantan le Gaddafi agus bha riaghaltas Libya soilleir nach biodh cùmhnantan ann mura biodh Megrahi an lùib an Aonta. Choitich BP agus leum riaghaltas na RA.

Chan eil fhios agam an deach dad a ghealltainn do BhP airson briseadh a-steach air an reifreann. 'S ma dh'fhaoidte gun deach an 'còmhradh' air dìoladh ann an Camas Mheagsago a shìneadh, far an do dhiùlt Camshron a thighinn an sàs sa ghnothach an toiseach ach ro dheireadh 2013 bha e a' dèanamh tagraidh ri Ceann-suidhe nan Stàitean Aonaichte às leth na companaidh. Chan eil fhios agamsa ma tha riaghaltas na Rìoghachd Aonaichte is BP air dad a rèiteachadh eatarra gus nach eil. Ach tha fios agam, mar a tha cùis Megrahi a' sealltainn, mar chompanaidh tha iad air leth comasach air a leithid a chluaineas poilitigeach agus fèin-ùidh a thaisbeanadh.

An dèidh am BBC fhàgail tha mi a' dèanamh air Mosg Ghlaschu far a bheil coinneamh glè chumhachdach. Tha am prìomh luchd-taic againn bhon choimhearsnachd an làthair far a bheil mu mhìle neach air tighinn cruinn còmhla. An uair sin air adhart don taigh-bidhe Sichuan far a bheil mi a' gabhail bidhe còmhla ris a' choimhearsnachd Shìnich. Air an t-slighe tha mi a' faighinn brath uabhasach duilich air a' fòn anns a' chàr – fios as ùire air suidheachadh nan daoine a tha ISIS a' cumail ann am bruid, agus an t-Albannach Daibhidh Haines nam measg.

Tha an ceòl a' dol air feadh na fìdhle nuair a tha mi air an taigh-bidhe Sichuan a ruighinn …

A rèir na naidheachd seo bhiodh am Banca Rìoghail, ri linn bhòt BU CHÒIR, ag ath-stèidheachadh a phrìomh oifis ann an Lunnainn, agus tha Lloyds air brath a sgaoileadh cuideachd. Tha Catrìona NicMhathain no Cat – am prìomh neach-taic agam a-nochd – a' faighinn brath-fòn bho Geoff Aberdein. 'S i fhèin a tha an seo a-nochd air sàilleabh 's nach bi ann ach uair no dhà agus dìnnear bhlasta aig taigh-bidhe Sìneach. Tha mi a' fàgail an t-seòmair airson brathan-fòn gu math sgiobalta a chur, agus a' tilleadh le faite-ghàire smuaineachail orm. Tha Cat is mì fhìn a' fàgail a' chòrr den dìnneir againn. Tha mi a' stad airson dealbhan is fhèineagan agus a' fàgail aig a' char as iomchaidh.

'S e naidheachd mhòr ris nach robh fiughair a tha seo bho na bancaichean gu h-àraid air sgàth 's gu bheil iad air cur an cèill tric is minig nach robh iad airson a thighinn an sàs anns an taghadh seo a tha airson muinntir na h-Alba a-mhàin. B' e Lloyds a chuir a' chiad bhrath an cèill agus an uair sin bha aithris ann leis a' BhBC air a' Bhanca Rìoghail. Air an rathad air ais a Thaigh Bhòid, tha mi a' feuchainn iomadh turas ri fònadh gu àrd-oifigear RBS, Ross MacEòghainn.

Tha mi a' faighinn greim air beagan ro mheadhan-oidhche agus tha e ag innse dhomh gu bheil iad an dèidh coinneamh bùird a chumail a tha dìreach an dèidh crìochnachadh agus gum bi iad a' cur brath a tha mothachail air a' mhargaidh an cèill. Tha e a' dol an urras nach bi am prìomh oifis aca a' dèanamh imrich agus gum bi iad a' sgaoileadh litir a bhios a' mìneachadh nam planaichean tuiteamais aca agus a' soilleireachadh an diofar eadar oifis chlàraichte agus prìomh-oifisean ghnìomhach. Tha e ag ràdh gun soilleirich an litir gur e cùis theicnigeach an àite cùis ghnìomhach a th' anns an oifis chlàraichte.

'Ach Ross,' tha mi ag ràdh ris, 'bha e air *News at Ten* air a' BhBC.'

'Chan fhaodadh sin a bhith,' tha e a' freagairt. 'Cha do chrìochnaich am bòrd againn gu mu aon uair deug. Thèid am brath a sgaoileadh a-màireach mar bu chòir.'*

---

* Tha am fiosrachadh gu lèir air mar a làimhsich Roinn an Ionmhais am brath leis a' Bhanca Rìoghail air a thighinn am follais bhon uair sin. An dèidh dhaibh iarraidh air Lloyds brath fhoillseachadh airson am Banca Rìoghail a bhruthadh, sgaoil Roinn an Ionmhais an dìomhaireachd naidheachd mu na bha fa-near don Bhanca Rìoghail ron choinneimh bùird airson a shuidheachadh a shoilleireachadh fiù 's mus do chrìochnaich a' choinneamh.

Ann am post-d don BhBC aig 22.15 agus 35 diogan air Oidhche Chiadain, tha oifigeach Roinn an Ionmhais a' toirt iomradh air 'tùs' is e ag ràdh: 'Mar a bhiodh dùil, tha am Banca Rìoghail air fios a chur thugainn cuideachd agus tha planaichean acasan cuideachd airson imrich a dhèanamh a Lunnainn.'

Cha do chrìochnaich coinneamh bòrd a' Bhanca Rìoghail gu 22.40. Dh'innis am Banca Rìoghail do Roinn an Ionmhais aig 22.45 agus chaidh fios a chur do na margaidhean aig 7.00 an ath mhadainn. Rinn earrannan a' Bhanca Rìoghail gluasad tron oidhche.

'S e cùis briseadh earbsa a th' ann a thaobh sgaoileadh fiosrachaidh a bheireadh buaidh air margaidhean ach, a dh'aindeoin sin, chan eil an Rùnaire Caibineit no Ùghdarras Giùlain Ionmhasail airson cùis rannsachaidh a chur air chois. Tha Poileas Baile Mòr Lunnainn a' rannsachadh na cùis fhathast ach tha fios aca gu bheil dìon sònraichte aig searbhantan catharra a rèir Achd Ceartas Eucoirean 1994 air marsantachd mheallta air an taobh a-staigh far a bheil neach ag obair às leth na roinn poblaich air tòir poileasaidh airgid – agus 's e seo leisgeul Roinn an Ionmhais. Dh'fheumadh am poileas dearbhadh gun deach cùis eucoireach a dhèanamh air nach eil dìon a leithid seo.

B' e Raibeart Mackie an t-oifigeach aig Roinn an Ionmhais a bu choireach don sgaoileadh fiosrachaidh, agus gu h-annasach, 's e Mackie mac Catrìona NicLeòid, a bha na comhairliche sònraichte do Alistair Darling, ceannard na h-iomairt CHA BU CHÒIR. 'S e Sir Nicholas Mac a' Phearsain ceannard roinn Mhaighstir Mackie – an duine a tha den bharail gum faodar na riaghailtean air neo-thaobhachd na seirbheis catharra a bhriseadh anns an Reifreann!

Feumaidh Catrìona is mi fhìn òraid gu lèir ath-sgrìobhadh a bhios mi a' toirt seachad a-màireach agus litir a sgrìobhadh don Rùnaire Chaibineit ag ràdh gum feumar cùis rannsachaidh a chur an sàs a thaobh an sgaoileadh fiosrachadh seo a thàinig bho 'thùs' aig Roinn an Ionmhais a rèir a' BhBC. Mas urrainn dhuinn an naidheachd a stèidheachadh air sin, 's ma dh'fhaoidte gun tèid againn air car eile a chur den sgeul. Ach nas cudromaiche buileach, feumaidh mi lethbhreac fhaighinn, cho luath 's a ghabhas, den litir le Ross MacEòghainn don luchd-obrach aige. Gu fortanach, chan eil an naidheachd seo – gu bheil co-dhùnaidhean a bhùird gan sgaoileadh mus tèid an dèanamh – a' còrdadh ri Ross idir.

Tha sinn a' feitheamh ris a' chomhairliche shònraichte eaconamach agam, Liz Lloyd, a bheir fiosrachadh a bharrachd dhuinn, agus aig 3.00 sa mhadainn tha mi a' toirt Cat air chuairt mu thimcheall Taigh Bhòid, a' dòrtadh tè mhòr dhi agus a' leigeil leatha crìoch a chur air an òraid.

Latha Naochad 's a Dhà: Diardaoin 11 An t-Sultain

Tha mi air lethbhreac fhaighinn den litir a sgrìobh Ross MacEòghainn don luchd-obrach aige. Tha i uabhasach math agus tha e a' cur na ceist air an oifis chlàraichte na h-àite ceart. Tha mi deiseil airson cath a chur.

'S e an seachdamh ceann-bliadhna deug den reifreann air fèin-riaghlaidh a th' ann an-diugh agus thagh sinn an ceann-latha seo a dh'aona-ghnothach airson coinneamh-naidheachdan mhòr do na meadhanan eadar-nàiseanta. B' e bha an dùil, Nicola Sturgeon, ceannard a' Phàrtaidh Uaine, Pàdraig Harvie, àrd-rùnaire Caraidean Muslamach a' Phàrtaidh Làbaraich agus neach-iomairt BU CHÒIR, Anum Qaisar, agus Kenyon Wright uile a bhith bruidhinn còmhla.

Tha mi deiseil airson a' chath air *Good Morning Scotland*, is mi a' dìon agus a' mìneachadh suidheachaidh a' Bhanca Rìoghail – agus tha mi fhìn a' cur na ceist ciamar a b' urrainn don BhBC a leithid a cho-dùnadh a chraoladh mus deach a dhèanamh.

Tha fios agam gun tèid ar ceasnachadh air a' chùis aig Ionad Co-labhairt Eadar-nàiseanta Dhùn Èideann, ach tha mi ullaichte leis an litir aig Ross a tha na cuideachadh gu mòr. Tha an litir a' dearbhadh gur e cùis theicnigeach a th' ann an suidheachadh na h-oifis clàraichte nach toireadh buaidh ghnìomhach air maoineachadh no dreuchdan.

Tha na h-òraidean ann an Dùn Èideann a' dol gu math, agus nuair a tha na ceistean gan cur tha mi freagairt beagan dhiubh bhon luchd-naidheachd eadar-nàiseanta agus an uair sin tha Nick Robinson aig a' BhBC a' cur a' chiad cheist orm, ceist chudromach mun Bhanca Rìoghail, agus a' bhuaidh a bheireadh imrich a' phrìomh oifis air teachd a-steach nan cìsean. Tha e a' cur ceist a bharrachd an uair sin – carson a tha saoghal a' ghnìomhachais gu lèir an aghaidh neo-eisimeileachd.

Chan eil e a' faighinn na freagairt ris a bheil e a' sùileachadh. Tha mi a' cur tàir air buaidh phragtaigeach oifisean clàraichte, a' fanaid air a' BhBC is iad a' creidsinn gu bheil prìomh oifisean Lloyds ann an Alba agus an uair sin a' toirt ionnsaigh air ais is mi ag iarraidh gun tèid cùis rannsachaidh a chur an sàs a thaobh an sgaoileadh fios bho Oifis an Ionmhais don BhBC. Tha mi a' toirt iomradh air an litir le Ross MacEòghainn, air nach robh fios aig muinntir nan naidheachdan. Tha mi a' mìneachadh gun deach an sgaoileadh fios aithris a-raoir agus gu bheil mi an dùil, mar chraoladair poblach, gun co-obraich iad leis a' chùis rannsachaidh a thèid cur an sàs.

Tha a bhriseadh-dùil a' fàgail Nick car frionasach. Tha mi a' moladh gum bu chòir dha sgur a bhristeadh a-steach orm, agus a' toirt freagairt iomlan eile dha agus ag innse dha a-rithist gu bheil buailteachd airson cìs chorporra stèidhichte air a' bhuaidh eaconamaich, chan eil i stèidhichte air àite na h-oifis clàraichte.

Tha barrachd ùidh aig an luchd-naidheachd eadar-nàiseanta anns an dà iomairt agus cho faisg 's a tha sinn air a chèile agus tha iad a' cur sreath cheistean càirdeil is fiosrach oirnn. Tha seo an coimeas ri boile luchd-naidheachd Lunnainn.

'S e beachd na mòr-chuid gun deach a' choinneamh-naidheachd cho math 's a b' urrainn. Fhad 's a tha sinn fhathast aig an ionad cho-labhairt tha brath fòn a' tighinn thugam bho neach a tha mòr ann an roinn an ionmhais a tha gam ullachadh gu luath air dè bu chòir dhomh faighneachd de Roinn an Ionmhais. Tha e ag ràdh, anns an deich air fhichead bliadhna eòlais-obrach nach fhaca e riamh giùlan a leithid seo am measg shearbhantan catharra. Tha mi a' cur litir a dh'ionnsaigh an Rùnaire Chaibineit is mi a' cur an cèill gu daingeann gun tèid cùis rannsachaidh air sgaoileadh co-dhùnadh bòrd a' Bhanca Rìoghail bho Roinn an Ionmhais.

Tha mi a' gabhail lòin còmhla ri Kenyon is a nighean aig Taigh Bhòid. Tha e ag ràdh gum faod BU CHÒIR a chur gu feum mar a thogras iad agus chan urrainn dha giùlan a' BhBC a chreidsinn. Abair dà latha – an reifreann air neo-eisimeileachd agus saoghal an reifreinn air fèin-riaghladh anns an robh Kenyon an sàs.

Tha mi a' cumail sreath agallamhan feasgar aig oifisean a' Phàrtaidh Nàiseanta airson nam pàipearan Didòmhnaich, ach tha an sgioba naidheachd ag innse dhomh gu bheil na meadhanan-sòisealta air bhoil le gearanan mun aithris le Nick Robinson air na naidheachdan aig 1.00 feasgar. Gu h-iongantach, tha e air dèanamh a-mach nach do fhreagair mi a cheist! Tha e fhèin den bharail gur ann air creideas nan ceannardan gnìomhachais is luchd-poileataigs a bha a cheistean stèidhichte an àite a' Bhanca Rìoghail. Fiù 's nam b' e sin a' chùis, cha bhiodh e fìor a ràdh nach do fhreagair mi a cheistean. Bha mi air sealltainn dha, is mi a' toirt iomradh air daoine a leithid Aonghais Grossart agus Mhàrtainn Gilbert, gun robh daoine mòra ann an gnìomhachas air cur an cèill gun soirbhicheadh le roinn ghnìomhachais na h-Alba às bith dè an suidheachadh reachdail a bhiodh ann. Agus nas miosa buileach, bha aithris telebhisein air a deasachadh gus nach tug mi fhìn iomradh air a' Bhanca Rìoghail. 'S bochd nach do dheasaiche na h-aithris aig a' BhBC gun robh a' choinneamh-naidheachd gu lèir air a craoladh beò air an eadar-lìon far am faiceadh duine sam bith i. Mar sin, tha mi ag innse don sgioba gun cuir iad am pìos air fad sin den choinneimh air-loidhne air a h-uile fòram-lìn iomchaidh.

Feumar a ràdh gu bheil am BBC air a bhith fìor nàimhdeil anns an reifreann. Tha an roinn naidheachdan aca air deasbadan anabarrach math a dhèanamh agus prògraman math a leithid a' chunntais thuigsich le Robert Peston air eaconamas neo-eisimeileachd. Ann an Alba, stiùirich Seumas Cook sreath de dheagh dheasbadan reifreinn ann an dòigh chothromach.

Ach anns an fharsaingeachd, tha susbaint nan naidheachdan air a bhith na cùis mhaslach leis cho taobhach 's a tha i, mar a mhìnich an t-Oll. Iain Robasdan na chuid rannsachaidh. 'S e ceist air structar a tha seo an àite mì-chothromach le neach-naidheachd fa leth. Chan fhaighear cothromachd phoilitigeach le bhith a' stèidheachadh do chuid naidheachdan air an sgeul iomagaineach as ùire anns na pàipearan nàimhdeil agus an uair sin a' leigeil le neach-iomairt BU CHÒIR freagairt a thoirt air a' chuspair sin. Tha an trioblaid air a dhol am meud on a thàinig daoine mòra Lunnainn a-nìos is iad ag ath-aithris nan sgeulachdan iomagaineach a shad muinntir na h-Alba o chionn iomadh mìos.

Tha deagh eisimpleir de phrògram math ri fhaicinn aig an deasbad a-nochd aig an Hydro far a bheil deich mìle neach òga eadar sia bliadhna deug is ochd bliadhna deug agus pannal air a bheil Nicola Sturgeon, Pàdraig Harvie, Rut NicDhaibhidh agus fear uabhasach annasach a tha a' cosg ad neònach air a bheil Seòras Galloway.

Cha mhòr gun do nochd Pàdraig idir is e air a bhith cho fiadhaich gun do thagh Nas Fheàrr Còmhla Galloway a bhith air a' phannal. Cha robh còir aige dragh a ghabhail. Tha e fhèin agus Nicola a' pronnadh an taoibh eile. Ach nas cudromaiche buileach, tha am prògram a' sealltainn gu soilleir carson a b' fhiach an cuspair a shadail air na bhòtairean òga seo.

Tha puing chudromach an seo. Ma tha thu aosta gu leòr 's gum faod thu pòsadh no cìsean a phàigheadh, feumaidh gu bheil thu aosta gu leòr airson bhòtadh. Nuair a chuir sinn am beachd seo an gnìomh chaidh innse dhuinn nach biodh na daoine òga seo airson bhòtadh agus bhiodh an fheadhainn a bhiodh airson bhòtadh air taobh CHA BU CHÒIR. Tha e coltach gum bi an dà bharail sin ceàrr.

Tha coltas fad às air na seann phàipearan-naidheachd is telebhisean a rèir ginealach nam meadhanan sòisealta agus tha iad uabhasach measail air teachdaireachd BU CHÒIR. Agus, mar a chithear anns an deasbad aig a' Hydro, chan eil gainnead ùidh, agus cha bhi gainnead bhòtaichean bho dhaoine den aois sin air an toir na tha an dàn do dh'Alba a' bhuaidh as motha. Mar thoradh air an iomairt seo, chan fhaodar còraichean is uallach deamocratach a dhiùltadh don òigridh tuilleadh.

Latha Naochad 's a Trì: Dihaoine 12 An t-Sultain

Cuairt chliobhar mu thimcheall na h-Alba ann an seachd bailtean mòra. Tha dòchas mìorbhaileach nan sluaghan gam fhìor-bhrosnachadh.

Tha mi a' dèanamh air Obar Dheathain, Inbhir Nis agus Dùn Dè ann an heileacoptair – agus tha Nicola a' tadhal air Glaschu, Dùn Èideann agus Sruighlea. Agus tha an dithis againn a' coinneachadh ri chèile ann am Peairt. 'S e sin a bha sinn an dùil …

Tha duilgheadasan teicnigeach buailteach a bhith ag èirigh ann am prògram a leithid sin, agus an-diugh 's e an ceò thiugh a tha air tuiteam air costa an ear na dùthcha a tha ag adhbharachadh trioblaid dhuinn madainn an-diugh, mar sin tha sinn a' siubhal a Dheis anns a' chàr an àite an heileacoptair.

Tha sinn a' cur an latha air chois le bhith gnogadh air dorsan faisg air port-adhair Obar Dheathain, an dèidh dhomh dèiligeadh ris an luchd-naidheachd, a tha deònach gu leòr Roinn an Ionmhais a bhruthadh air ceist a' Bhanca Rìoghail. Tha naidheachd a' nochdadh cuideachd mu na companaidhean a chaidh a ghairm don choinneimh ann an Sràid Downing Diluain. Bu chòir dhuinn na brathan le ASDA agus John Lewis fhaicinn, a tha air a ràdh gur dòcha gun èirich prìsean ann an Alba neo-eisimeileach, anns a' cho-theacsa sin. Gu dearbh, air na stairsnichean, 's e argamaid làidir a th' ann nach bu chòir do dh'Alba a bhith a' gèilleadh ri linn bruthadh nan companaidhean mòra, na h-ola mòire, na bùithtean mòra no an riaghaltais mhòir.*

---

* Tha an argamaid is an deasbad a thaobh beachdan chompanaidhean ann am poileataigs air a bhith a' dol bho àm an reifreinn. Mar eisimpleir, bha am Pàrtaidh Làbarach, agus iad fhèin ag obair air na bùithtean mòra feuch am foillsicheadh iad an taic airson CHA BU CHÒIR, a' gal is ag èigheach anns a'

Fhad 's a tha mi gnogadh air dorsan ann an Deis, tha mi a' cèilidh air Iain MacIain a bha na shaighdear air D-Day, agus nach eil, a rèir an sgioba iomairt, air a thighinn gu co-dhùnadh fhathast. Tha còmhradh math againn mu a bheatha sa chogadh. Thàinig e slàn fallainn à D-Day gun lot agus an uair sin bhris e a chas ann an Nirribhidh is e a' tighinn a-mach à càr Gearmailteach a bh' air a ghabhail thairis. Tha e coltach nach robh e mì-chinnteach ach gum bi e gu deimhinne a' bhòtadh BU CHÒIR. Ach tha teagamh ann an inntinn a mhnà ghasta, Rosalind, agus tha e ag iarraidh gun tarraing mi i don taobh againne.

Ghearran 2015 nuair a chuir ceannard Boots a bheachdan air Ed Miliband an cèill.

Tha an suidheachadh a bu chòir a bhith ann soilleir gu leòr. Faodaidh luchd-gnìomhachais fa leth, mar a dh'fhaodas duine sam bith eile, beachdan poilitigeach fhoillseachadh no taic airgid a thoirt do phàrtaidh no do dh'iomairt, mar a chì iad iomchaidh. Agus tha e reusanta gu leòr ma tha companaidh (mar a nì na companaidhean adhair) airson argamaid a chur an cèill airson cìsean luchd-siubhail adhair ìsleachadh no (mar a nì na bùithtean mòra) an aghaidh cìs reic. 'S ann mar sin a tha cùisean ri thaghaidhean, reifreannan agus anns an deasbad phoblach san fharsaingeachd.

Ach 's e cùis gu tur eadar-dhealaichte a th' ann ma tha companaidh phoblach a' cur beachdan stèidhichte air pàrtaidh poilitigeach an cèill no a' cur tabhartais airgid do phàrtaidh poilitigeach. Bu chòir dhaibh an uair sin co-chomhairleachadh a chur an sàs le luchd-earrannan is luchd-ùidhe eile. Agus feumar a ràdh gur e rud uabhasach amaideach a th' ann co-dhiù. Nì am brath poilitigeach le ASDA, mar eisimpleir, barrachd cron san àm ri teachd a thaobh beachdan an luchd-cleachdaidh ann an Alba. B' fheudar do cheannard John Lewis a bheachdan ath-sgrìobhadh air sgàth nan draghan a bh' air an luchd-obrach a tha nan com-pàirtichean anns a' ghnìomhachas. Feumaidh gu bheil Bob Dudley, a bhuineas do shaoghal poilitigeach gu tur eadar-dhealaichte anns na Stàitean Aonaichte, a' smaoineachadh gu bheil e cumhachdach gu leòr 's gum b' urrainn dha na cleachdaidhean deamocratach a chur an dàrna taobh. 'S e nach eil. Aig an ìre as àirde ann am BP bha draghan ann, chan ann mu dheidhinn a bheachd pearsanta a dh'fhoillsich e sa Ghearran nach robh e airson 's gum biodh Alba a' snàigeadh air falbh, ach mu na chuir e an cèill anns an t-Sultain is e a' dèanamh a-mach gun robh a' chompanaidh den aon bharail. Tha a' chompanaidh nas motha na Bob.

Fhad 's a tha sinn a' falbh tha brag mòr ann. Tha cuideigin air tighinn far a motor-baidhsagal an dèidh tubaist le càr. Cha mholainn gun tigeadh duine sam bith far baidhsagail ach, ma dh'fheumas tu, mholainn gun dèanadh tu e mar seo nuair a tha sgioba mòr poileis agus banaltram an làthair. Tha am boireannach òg air a toirt don ospadal ann an carbad-eiridinn. Tha sinn a' faighinn brath nas fhaide den latha gu bheil i a' tighinn am feabhas agus tha mi a' cur fhlùraichean thuice.

Gu fortanach, 's e Seonaidh 'Hydro' MacCoinnich am paidhleat againn an-diugh – chan eil fhar-ainm stèidhichte air dreuchd aig Scottish and Southern Electricity ach air sàilleabh 's gu bheil ionad dealain-uisge aige air an tuathanas aige faisg air a' Mhanachainn ann an Siorrachd Inbhir Nis. Bha Seonaidh anns na feachdan armaichte agus mar phaidhleat tha e làn eòlais agus misneachd. Ma tha dòigh ann air ar toirt don cheann-uidhe gu sàbhailte lorgaidh Seonaidh i.

Aig 11.00 faodaidh Seonaidh an heileacoptair a chur gu dol agus tha sinn a' siubhal a thaigh-òsta Taigh Chùil Lodair, faisg air Inbhir Nis. Tha an neach-naidheachd bhon *Observer*, Kevin McKenna, air bòrd cuideachd.

Tha Kevin ag innse dhomh gun robh deasbad mòr aig an *Observer* air dè an taobh a ghabhadh iad anns an reifreann agus gu robh e fhèin, mar neach-coilbh, a' cur a thaic ri BU CHÒIR. Chan eil e an dùil gum bi am pròiseas a cheart cho cothromach anns na pàipearan eile.

Fhad 's a tha sinn air ar slighe, tha an cunntas-bheachd as ùire le ICM a' nochdadh, agus tha BU CHÒIR air 49, is sinn air a dhol suas le 3 puingean. Tha sin feumail a chionn 's gun robh na pàipearan làn den naidheachd mun chunntas aig YouGov anns an robh CHA BU CHÒIR air thoiseach le ceithir puingean, far an robh sinn air thoiseach le dà phuing anns a' chunntas mu dheireadh. Tha sinn an dòchas nach eil ann ach fiaradh anns na h-àireamhan. Ach fiù 's an dèidh sin, bhiodh e air a bhith na b' fheàrr nan robh BU CHÒIR air dheireadh le ceithir puingean Didòmhnaich 's a chaidh agus sinn air a dhol suas le dhà an-diugh.

Tha an ceò a' falbh agus tha fàilte anabarrach mòr ga cur oirnn ann an Cùil Lodair aig an ionad bhùithtean. Tha sinn an uair sin a' dèanamh air a' Mustard Seed is a' faighinn greim bìdhe còmhla ri ar seann charaidean, Dennis agus Glynis MacLeòid, a tha air tighinn a-nall à Canada air iomairt a dhèanamh airson BU CHÒIR. Tha sinn a' togail oirnn a Dhùn Dè an uair sin.

Tha Seonaidh Hydro gar toirt far ar slighe gus an toir sinn sùil air rudeigin a chunnaic e an-dè. Gu dearbh cha bhiodh e comasach gun an rud seo fhaicinn, bho na speuran no air talamh tròcair. Fhad 's a tha sinn a' sgèith thairis air Drochaid Ceasaig, tha soidhne mòr BU CHÒIR, cho mòr ri taigh, ceangailte ris an drochaid.

Air dhuinn Dùn Dè a ruighinn, tha mi a' freagairt cheisteanan nam meadhanan air an raon-laighe mus tèid mi don chafaidh air bruach na h-aibhne far a bheil mi a' coinneachadh ris a' chleasaiche Brian Cox, a tha na reactar aig Oilthigh Dhùn Dè. Tha Brian eòlach air ainmean a h-uile duine san sgioba iomairt fhad 's a tha e gar cur an aithne a chèile. Tha e ag innse dhomh gur e cleas a th' ann a dh'ionnsaich e fad iomadh bliadhna is e a' feuchainn ri loidhnichean a chumail air a theanga.

Tha sinn air dheireadh a-nis agus tha an t-àm ann dèanamh air Peairt. Tha sinn air seisean dealbhan a chur air dòigh còmhla ri Nicola, ach chan eil mòran ùine againn mus feum i fhèin togail oirr a choinneamh eile. Tha sinn a' dèanamh a' ghnothaich air èiginn. Tha sinn a' ruighinn prìomh shràid Pheairt taobh caol-shràid bheag, agus nuair a tha sinn ga ruighinn tha an sluagh a tha air nochdadh dìreach iongantach – agus chan eil an seo ach cuid bheag den chruinneachadh oir tha a' mhòr-chuid aca nas fhaide air falbh. Tha e mìorbhaileach. Fèineagan gu leòr, soighneadh gu leòr, luchd-iomairt gu leòr nan glòraidh.

Tha sinn a' dèanamh beagan clàraidh airson an telebhisein agus a' coimhead air nas fhaide den latha, tha coltas àibheiseach air. Tha an t-sràid loma-làn feasgar agus soidhnichean BU CHÒIR air feadh an àite. Tha a' ghrian a' deàrrsadh.

Chì mi a' chiad luchd-iomairt CHA BU CHÒIR a tha mi air fhaicinn o chionn fhada – buidheann beag de dhaoine gruamach, an gàirdeanan paisgte is iad a' greimeachadh air dòrlach phostairean. Tha mi ag ràdh 'hallo' riutha gu sunndach fhad 's a tha mi a' coiseachd seachad orra. Tha iad gruamach fhathast. 'S e taisbeanadh caran truagh a th' ann an coimeas ris an t-sluagh iongantach air an t-sràid ann am Peairt.

Fhad 's a tha sinn a' coiseachd a dh'ionnsaigh an heileacoptair tha sinn a' cluinntinn dithis a tha ag èigheach orm. Tha mi a' coiseachd a-null a bhruidhinn riutha. 'S ann às a' chlub bogsaidh ionadail a th' iad agus iad dìreach an dèidh YES mòr a sgrìobhadh le peann dubh air a' bhòrd taobh a-muigh a' chlub. Tha iad ag ràdh gun robh an luchd-iomairt CHA BU CHÒIR air an sàrachadh, a bha a' feitheamh orm fad uairean a thìde, agus chuir iad romhpa gun cuireadh iad an iomairt aca fhèin air dòigh. Tha dealbhan gan togail agus tha sinn a' cabadaich mun reifreann agus mun dòchas a th' aca gun tèid sgoil bogsaidh ùr a stèidheachadh. Tha mi a' cur air dòigh gun tèid bratach cheart YES a chur thuca agus botal uisge-beatha airson taic a chur riutha san iomairt mhaoineachaidh aca.

Tha sinn a' cumail oirnn a Ghleann na h-Eaglais far a bheil sealladh iongantach againn bhon adhar air obair ullachaidh Cupa Ryder. Tha Moira air a bhith a' coimhead air mar a nochd turas nan seachd bailtean mòra air an telebhisean. Tha i uabhasach toilichte leis is i ag ràdh gun robh na dealbhan làn dhaoine sona anns a' ghrèin is iad làn dòchais.

A' coinneachadh ris an Oll. Iain Kay ron dìnneir aig Taigh Dormie ann an Gleann na h-Eaglais. 'S e eaconamair cliùiteach a tha ann an Iain, a tha na neach-coilbh anns an *FT* agus a bha na bhall de Bhuidheann nan Comhairlichean Eaconamach. Tha mi a' gabhail dìnneir còmhla ris gus an tèid againn air cuid den obair ullachaidh air na thachras an dèidh bhòt BU CHÒIR a chur an gnìomh.

Tha sinn air a bhith ag obair còmhla ri Pat Cox air an taobh Eòrpach, gus an dèan sinn cinnteach nach can an Coimisean dad nach bu chòir anns a' choinneimh-naidheachd Dihaoine an dèidh bhòt BU CHÒIR agus cuideachd gus an sònraich sinn àite agus clàr-ama airson obair co-rèiteachaidh cho tràth 's a ghabhas. Tha an obair seo a' dol glè mhath agus na prìomh dhaoine a' sìor-fhàs nas taiceil mar as motha a dh'fhàsas e nas coltaiche gun tèid an latha le BU CHÒIR. Mar eisimpleir, tha an oifis aig Ceann-suidhe ùr a' Choimisein, Jean-Claude Juncker, air freagairt làidir a chur an cèill an aghaidh bheachdan CHA BU CHÒIR, is iad fhèin a' dèanamh a-mach gun robh an t-iomradh a thug e air dùthchannan a dh'fheumadh feitheamh fad còig bliadhna gus an rachadh an t-Aonadh Eòrpach a leudachadh iomchaidh ann an suidheachadh na h-Alba.

Feumaidh mi adhartas a dhèanamh cuideachd air na margaidhean ionmhais a dhèanamh nas seasmhaiche, agus 's e aon dòigh air sin a choileanadh ballrachd a dheisealachadh an latha an dèidh an reifreinn ann an Ùghdarras Airgid na h-Alba aig am bi inbhe agus cliù a dhearbhas gun deach am meòrachadh a dhèanamh agus gu bheil smachd againn air cùisean. Dhèanadh am beachd seo a' chùis còmhla ri seasamh daingeann Banca Shasainn a stiùireadh chùisean tron àm rèiteachaidh.

B' e Mervyn King a mhol Iain. Tha e a' gabhail ris a' chlàr-obrach aig Gleann na h-Eaglais agus tha sinn ag ullachadh phlanaichean ri linn bhòt BU CHÒIR, anns a bheil susbaint is clàr-ama foillseachadh nam prìomh chlachan-mìle agus ballrachd an Ùghdarrais Airgid. Tha sinn ag obair tro liosta eòlaichean aig a bheil eòlas air prìomh bhancaichean agus luchd teicnigeach ionmhais aig a bheil cuideam agus eòlas-obrach dearbhte. Bidh mi a' cur fios thuca gach neach mu seach anns na làithean ri teachd feuch an tèid againn air an cuid sgilean a chleachdadh.

Latha Naochad 's a Ceithir: Disathairne 13 An t-Sultain

Thathar ag innse dhomh gu bheil sluagh mòr air a thighinn cruinn còmhla airson fàilte a chur orm ann an Ros Abhartaich ann an Siorrachd Obar Dheathain – ach 's e Rupert Murdoch a th' air nochdadh.

Tha mi fhìn anns an heileacoptar a-rithist a' siubhal eadar Dùn Phrìs agus Glaschu ann an cuideachd neach-naidheachd proifeiseanta is gasta a' BhBC, Seumas Cook, a tha ag innse dhomh gu bheil Rupert air nochdadh anns an Ear-thuath gus an dèan e tomhas pearsanta air an teas phoilitigeach. Tha sgioba iomairt Bhanbh is Bhuchan a' coinneachadh ris ann an Ros Abhartaich, far an robh a shinn-seanair na mhinistear. Tha ball pàrlamaid na sgìre, Eilidh Whiteford a' tuigsinn nach e mi fhìn ach Mgr. Murdoch a tha a' tighinn agus gur e as adhbhar gu bheil camarathan STV an sin.

Mar a thuigear, chan eil Rupert uabhasach toilichte gu bheil na camarathan ann, ach tha Eilidh ga thoirt air chuairt mu thimcheall sgìre a shinnsir. Bidh Eilidh a' strì gu làidir airson còraichean nam ban ach tha i ag innse dhomh nas fhaide den latha gun robh iad mòr aig a chèile ro dheireadh na cuairt. Tha beachd ann ann am meadhanan Lunnainn gu bheil an sealladh aig Rupert Murdoch air neo-eisimeileachd na h-Alba stèidhichte air ciamar a bheir e sgailc do na h-ùghdarrasan. Cha tàinig e a-steach orra gur dòcha gur e na tha gu math muinntir na h-Alba a tha fa-near dha air sgàth a cheanglaichean ri paraiste Ros Abhartaich.

Bha còmhradh doirbh agam le Jim Sillars a-raoir mu na beachdan a chuir e an cèill gum biodh 'latha a' bhreitheanais' aig na companaidhean ola a bha air an taic do CHA BU CHÒIR fhoillseachadh. Thuirt mi ris, a dh'aindeoin cho iomchaidh 's a bha fhearg, nach canadh duine a leithid a rud ach nan robh iad a' call, air sàilleabh 's gum fior-chòrdadh e ri ar nàimhdean anns na meadhanan.

Dh'fhaighnich mi dha: 'Nad bheachd fhèin, a bheil sinn a' call?'

Fhreagair Jim: 'Chan eil. Tha sinn a' buannachadh.' Bha Jim air *Today* air Radio 4 madainn an-diugh agus dh'innis e don neach-agallaimh gun robh e air am beachd sin fhoilseachadh a dh'aona-ghnothach gus an toireadh iad cuireadh dha a thighinn 'air a' phrògram chliùiteach' aca. Dh'fhòn mi thuige gus an toirinn taing dha airson a' chùis a rèiteachadh a-rithist.

Tha Seonaidh Hydro air faicinn gu bheil an turadh ann agus leigidh seo leinn itealaich a-rithist eadar Comar nan Allta agus Preastabhaig. Agus cho luath 's a tha sinn a' ruigsinn Siorrachd Àir tha sinn air an t-sràid a-rithist ann am Preastabhaig far a bheil an sealladh nas cumhachdaiche na bha e ann am Peairt. Tha mi a' dol a-steach gu taigh-seinnse Wetherspoons airson a' chiad choinneimh dhealbhan agam, saoilidh mi, le pinnt nam làimh. Tha sinn a' cur fàilte air an naidheachd gun do dhiùlt am manaidsear-stiùiridh aca gèilleadh ri bruthadh bho Shràid Downing a bha ag iarraidh gum foillsicheadh sreath ghnìomhachasan an taic airson CHA BU CHÒIR.

'S e seo an dòigh as fheàrr air dèiligeadh ris na companaidhean carach seo. Airson a h-uile companaidh a leithid ASDA a tha a' gèilleadh air sgàth brosnachaidh phoilitigeach tha companaidh ann a leithid Tesco a tha a' diùltadh. Airson a h-uile neach gnìomhachais mhòr a leithid Bob Dudley a tha airson a bheachdan a sgaoileadh fad is farsaing ged nach eil bhòt aige tha daoine eile ann a leithid Ignacio Galan aig Iberdrola/Scottish Power a tha deònach gu leòr a' chùis fhàgail ann an làmhan nan daoine. Faodaidh daoine fa leth ann an saoghal a' ghnìomhachais na thogras iad fhèin a ràdh is a dhèanamh. Ach 's e gnìomhachas obair an cuid ghnìomhachasan, chan e poileataigs.

Tha manaidsear taigh-seinnse Wetherspoons a' dol fodha fo ghràisg nam meadhanan a tha air nochdadh ach tha e a' làimhseachadh a' ghnothaich gu sunndach.

Air ais anns an heileacoptar agus a' togail oirnn a Dhùn Phrìs an dèidh dhuinn landadh aig taigh-òsta Mabie House. Tha am BPA ionadail, Joan NicAilpein air cruinneachadh iongantach mòr de dhaoine a thrusadh air an drochaid chloiche air Abhainn Nid, còmhla ri còmhlan swing BU CHÒIR. 'S e seo aon de na cothroman deilbh as fheàrr den iomairt gu lèir.

Tha puing mhath thuigseach aig Joan – tha sinn a' tarraing cuid de na daoine as comasaiche agus as fheàrr a-steach don t-saoghal phoilitigeach, gu h-àraid ann an sgìrean a leithid an Iar-dheas, far a bheil BU CHÒIR beagan air dheireadh fhathast.

Air ais a Chomar nan Allt agus an uair sin air adhart a Shràid Prosen ann an taobh sear baile mòr Ghlaschu. Tha sinn fadalach, mar bu dual dhuinn, agus 's fheudar do Nicola cumail oirre gu tachartas eile. Ach tha an iomairt sràide seo àibheiseach math.

Tha fear às an sgeama chomhairle air ogha a thoirt ann a choinneachadh rium. Tha an gille òg a' cosg a lèine Celtic gu moiteil.

'Eil fhios agad gur e ochdad a th' ann,' tha am fear sa ag ràdh fhad 's a tha mi fhìn is ogha a' togail fèineag.

'Ochdad dè?' tha mi a' faighneachd, is mi a' gabhail beachd nach eil i cho blàth ri ochdad ceum.'

'Ochdad sa cheud airson BU CHÒIR an seo,' tha e a' freagairt gu h-onarach.

Latha Naochad 's a Còig: Didòmhnaich 14 An t-Sultain

Tha mi a' coimhead air Nicola. Tha i fhèin a' coimhead ormsa. 'S ma dh'fhaoidte nach eil ach beagan làithean ann gus am buannaich sinn. Tha e coltach ri aisling.

Tha sinn ann an coinneamh aig Taigh Bhòid airson an fhianais a sgrùdadh. Chan eil an t-uabhas cobhair ri lorg ann an cunntasan-bheachd nam pàipearan Didòmhnaich. Tha BU CHÒIR seachd puingean air thoiseach anns a' chunntas le ICM anns an *Sunday Times*, ach tha CHA BU CHÒIR ceithir puingean air thoiseach le Opinium anns an *Observer*. A rèir Panelbase anns an *Sunday Times* tha sinn co-ionnan.

Tha an rannsachadh aig BU CHÒIR fhèin, anns a bheil sgrùdadh air-loidhne le buidheann luchd-rannsachaidh Canèidianach, a' sealltainn gu bheil sinn air thoiseach gu deimhinne. Chan eil sinn fada air thoiseach, ach tha sinn air thoiseach. Tha na Canèidianaich a' sealltainn, a rèir nam figearan as ùire aca, gun ruig sinn 54 sa cheud ro latha an reifreinn. Tha an rannsachadh againn fhìn a' sealltainn beàrn nas lugha. Tha muinntir BU CHÒIR dealasach, agus bu chòir gun toir sin beagan piobrachaidh dhuinn air sàilleabh 's gu bheil sinn a' tuigsinn gur iad na sgìrean as làidire againn na sgìrean anns a bheil ìrean bhòtaidh nas ìsle. Tha an rannsachadh seo stèidhichte air an fhiosrachadh as ùire ach tha daoine gu leòr ann fhathast nach eil a' faighinn an cuid naidheachdan bho na meadhanan sòisealta. 'S e an dùbhlan as motha gun ruig an teachdaireachd againn na daoine seo.

Chan eil sinn a' faicinn dè eile a th' ann an armachd CHA BU CHÒIR. Tha na h-ionnsaighean iomagain aca aig an ìre a-nis nach eil buaidh aca agus cha tugadh feart do na Trì Amigos.

Cha chreid mi gun do thachair mi a-riamh ri neach-iomairt a tha cho eu-dòchasach ri Nicola. Air an Oidhche Luain ron taghadh ann an 2011 bha i mionnaichte às gun do dh'fhairich i leum mòr sa bhòt air falbh bhuainn. Chaidh an latha leinn le mòr-chuid sa phàrlamaid. An turas seo tha i làn misneachd. Feumaidh sinn cùisean a chumail rèidh agus nas cudromaiche buileach gu bheil deagh eagrachadh an sàs air latha a' bhòtaidh.

Bha e coltach na bu thràithe den latha nach eil cùisean mar bu chòir ann an sgioba CHA BU CHÒIR. Bha mi air a' phrògram *The Andrew Marr Show* còmhla ri Alistair Darling – a' chiad turas a choinnich sinn ri chèile bhon dàrna deasbad. Às bith dè tha an rannsachadh aca fhèin ag innse dhaibh, feumaidh nach eil coltas math air oir tha e follaiseach gu bheil Alistair mì-chofhurtail. An dèidh an agallaimh chaidh mi an cuideachd a' chòmhlain-ciùil a bha a' cluich aig deireadh a' phrògraim. B' fheudar don sgioba a phutadh gus an seasadh e gun deòin san dealbh.

A' clàradh pìos le *Newsround*, *Sunday Politics* agus an uair sin còmhla ri Cailean MacAoidh.

Bha mi ceart mu cho dàna 's a tha Amy NicDhòmhnaill. Tha i air a taic phoblach airson BU CHÒIR fhoillseachadh agus an sàs anns a' chuirm-chiùil 'Oidhche na h-Alba' a-nochd. Ghabh mi pàirt ann an seisean-dealbhan na cuirme taobh a-muigh Talla Usher ann an Dùn Èideann còmhla ris na còmhlanan-ciùil. Tha buidheann mòr nam meadhanan Breatannach is eadar-nàiseanta gar leantainn a h-uile latha a-nis. Tha na còmhlain òg, grinn a' toirt beagan gleans don iomairt againn.

Tha fìor dheagh oidhche agam fhìn is aig Moira – agus aig a h-uile duine eile – aig a' chuirm. Thàinig mi don cho-dhùnadh nach bu chòir dhuinn òraidean a dhèanamh air sgàth comhairle le Geoff Aberdein agus Stuart MacNeacail. A rèir coltais chan eil sinn airson 's gun dèanar coimeasan eadar sinn fhìn agus cuirm Sheffield.* Tha seo caran bragail is iad fhèin nam balachain bheaga bhìodach aig an àm. Co-dhiù, tha iad ceart gu bheil na dealbhan againn de dh'iomairt BU CHÒIR a tha òg, èasgaidh agus, nas cudromaiche buileach, dòchasach ag innse an sgeòil fhèin.

Tha mi a' faighinn brath bho Sheonaidh Hydro nach fhaod an heileacoptar siubhal air sgàth na droch shìde, mar sin feumaidh sinn dòighean-siubhail eile a chur air dòigh.

Latha Naochad 's a Sia: Diluain 15 An t-Sultain

Bha mi nam sheasamh air beulaibh dachaigh m' òige an-diugh ann an Gleann Iucha – agus bha stiogairean BU CHÒIR air a h-uile uinneig. Thuirt mo sheann charaid sgoile, Ronnie Bamberry gur e luchd-taic a' Phàrtaidh Nàiseanta a tha a' fuireach ann a-nis. Cha robh iad ag baile, gu mì-fhortanach – ach thogadh dealbhan dhinn taobh a-muigh an taighe air Rathad Preston.

Air ais anns an sgìre agam fhìn agus tha fàilte iongantach math ga cur orm – agus chan e ach toiseach-tòiseachaidh a tha sin. Tha mi air agallamh a chur air dòigh còmhla ri Jon Snow aig Channel Four anns

---

* B' i seo a' chuirm a chaidh cumail ann an Sheffield beagan làithean ron taghadh choitcheann ann an 1992 nuair a chaill Neil Kinnock a chothrom buannachaidh: 's dòcha nach eil mòran fìrinn anns an sgeul seo ach cha robh a' chuirm na cuideachadh dha.

an sgeama thaigheadais far an do thogadh mi. Tha sinn anns an taigh aig a' Chomhairliche Màrtainn Day, agus an raon-cluiche eadar sinn fhìn agus an seann taigh agam. Tha e a' fìor-chòrdadh ri Ronnie a bhith ag innse do Jon gum b' àbhaist dha an gnothach a dhèanamh orm aig ball-coise sa ghàrradh. Tha cuid a nithean ann a bhios gad leantainn gu bràth tuilleadh ged a dh'fheuchas tu ri an seachnadh. Chan eil Jon air a bhith ann an Alba ach latha ach tha e a' creidsinn gun tèid an latha leinn. Tha beachdan geur aige an còmhnaidh agus 's e fìor dheagh neach-naidheachd a th' ann.

Tha saoghal poilitigeach Lodainn an Iar air a bhith a' gluasad gu taobh an SNP fo bhuaidh dithis de na buill phàrlamaid as fheàrr a th' againn, Fiona Hyslop agus Angela Constance. Tha Fiona agus an duine aice, Kenny, airson 's gun tèid sinn gu Cros Ghleann Iucha far a bheil agam ri bruidhinn ri sluagh mòr brosnaichte a chaidh a chruinneachadh le Twitter. Tha a h-uile duine a' creidsinn gu bheil sinn a' cur ruaig air CHA BU CHÒIR. 'S e nì sònraichte a tha seo, a' faighinn cothroim bruidhinn ri daoine san t-suidheachadh seo anns a' bhaile agam fhìn. Tha seo air aon de na tachartasan as sònraichte nam bheatha.

Tha Ronnie is mi fhìn a' dèanamh air an taigh-òsta Star and Garter far am biodh an Antaidh Abby agam ag obair, agus a tha dìreach air fhosgladh as ùr an dèidh mar a sgrios teine e. Fhad 's a tha mi a' bruidhinn ri luchd-seilbh ùr an taigh-òsta tha mi a' coinneachadh ri buidheann de dh'Albannaich a tha air tilleadh à Astràilia air làithean-saor a dh'Alba. Tha iad ag iarraidh gun tèid mi a Mhelbourne an dèidh bhòt BU CHÒIR air tadhal stàite air Latha Naoimh Anndra agus tha iad ag innse dhomh gum faigh an iomairt Duine Sam Bith Ach Abbott taic a' mhòir-shluaigh a tha ag iarraidh cuidhteas am Prìomhaire – agus chan e Astràilianaich Albannach a-mhàin a tha sa bhuidheann sin!

245

Na bu thràithe den latha, chuir sinn port-adhair Dhùn Èideann air dòigh airson coinneamh-dhealbhan còmhla ri Business for Scotland, anns a bheil cuid den luchd-gnìomhachais as cliùitiche ann an Alba – Brian Souter, Ralph Topping, Russel Griggs, Marie Macklin agus Mohammed Ramzan. Tha sinn airson taisbeanadh 'gun cuir Alba fàilte mhòr air an t-saoghal' an dèidh bhòt BU CHÒIR.

Tha luchd an lìonraidh ann am pailteas agus tha cùisean caran aimhreiteach. Tha na ceistean bhon BhBC caran ionnsaigheach is iad gam cheasnachadh mu na mìltean de dhaoine a bha a' togail fianais an aghaidh taobhachd a' BhBC taobh a-muigh nan oifisean aca ann an Glaschu. B' e an aithris le Nick Robinson a dh'adhbharaich an taisbeanadh mòr an-dè ach tha an trioblaid nas doimhne na aithris le aon neach-naidheachd.

Tha mi a' ceasnachadh a bheil fèin-thuigse sam bith aig an luchd-naidheachd seo. 'S e an cor deamocratach aig daoine àbhaisteach a bhith a' togail fianais gun rabhadh is gu sìtheil a tha a' cur dragh orra. Ach chan eil diù a' choin aca gu bheil an t-seirbheis chraolaidh aig a bheil an cliù as àirde anns an t-saoghal air a dhol na craoladair stàite an àite na craoladair poblach.

Chan eil muinntir mheadhanan Lunnainn gu lèir gun thuigse air taobhachd a' BhBC. Tha Paul Mason a bh' aig a' BhBC is a-nis aig Channel 4 ag ràdh air Twitter: ''S math nach eil mi aig a' BhBC tuilleadh, ri linn na h-ionnsaigh propaganda as motha aca bho chogadh Ioràc.'

Nas fhaide den latha air an t-slighe a Shruighlea, tha mi ag innse do dh'Àrd-stiùiriche a' BhBC mar a tha cùisean. Tha sinn air a dhol seachad air còmhradh modhail. Tha mi ag ràdh gur e cùis-mhaslaidh a th' annta do chraoladh na seirbheis poblaich agus gu bheil coltas impireil air mar a chuir iad gloicean an lìonraidh a-nìos airson àite an luchd-naidheachd fhiosraich Albannaich a ghabhail. Tha mi ag innse dha gu bheil fianais agam a-nis gun robh iad a' co-obrachadh gu meallta le oifigich roinn an ionmhais a thaobh fios dìomhair a' Bhanca Rìoghail a sgaoileadh. Tha mi a' leughadh am brath le Paul Mason dha agus ag innse dha gu bheil e caran doirbh a-nis fios a bhith aig duine càite a bheil lìonra a' BhBC a' stad agus an iomairt CHA BU CHÒIR a' tòiseachadh. Cha dèan seo diofar mòr ach tha e a' còrdadh rium a chur an cèill – caran fèineil, tha fhios agam, ach nach e a chòrd rium glan.

Tha mi a' cluinntinn an t-sluaigh ann an Sruighlea mus faic mi iad. Cha robh ach beagan obair iomairt air an t-sràid ri taobh a' bhùird BU CHÒIR fa-near dhuinn ach tha baile Shruighlea gu lèir air a chòmhdachadh le bhòtairean BU CHÒIR agus brataichean. 'S e latha fliuch a th' ann ach cha tèid sunnd a' chruinneachaidh seo a mhùchadh.

Dh'innis Winnie Ewing dhomh uair, aig tachartasan a leithid seo, gum bu chòir dhut smèideadh ris na h-uinneagan feuch dè an fhreagairt a gheibh thu. Ann an Sruighlea an-diugh tha a h-uile uinneag a' smèideadh air ais. Tha na daoine a' tòiseachadh air 'BU CHÒIR, BU CHÒIR, BU CHÒIR' èigheach nuair a chì iad mi ach tha iad uabhasach modhail agus tha iad a' fosgladh coltach ris a' Mhuir Ruadh airson leigeil leinn coinneachadh ri Bruce Crawford agus Dennis Canavan. Tha coinneamh sràide againn mar a bhiodh aca sna seann làithean agus an dèidh làimh tha mi a' faighneachd do Dennis, anns na bliadhnaichean mòra a tha e air a bhith an sàs ann am poileataigs, an robh e an sàs ann an dad a bha coltach ri seo.

Tha e ag ràdh: 'Chan fhaca mi dad coltach ri seo sna bliadhnaichean mòra agam a' leantainn ball-coise!'

Tha e uabhasach furasta a bhith a' leigeil leat smaoineachadh, an dèidh an sluagh mòr brosnachail seo fhaicinn nach eil dòigh air thalamh nach eil sinn a' buannachadh.

Tha sinn a' togail oirnn air ais a Shrath Eachainn agus tha mi a' smaoineachadh gur e an aon rud duilich mun latha gu bheil ìomhaighean an latha stèidhichte air an strì mhòir leis na meadhanan aig a' phort-adhair an àite nan sluaghan mòra brosnachail ann an Gleann Iucha agus Sruighlea. Feumaidh mi ràdh nach e fear de na seiseanan-dealbhan as tarraingiche a bh' ann a dh'aindeoin cho cliùiteach 's a bha an luchd-gnìomhachais a bha an làthair. Ach tha na tachartasan seo a tha gan eagrachadh gun mhòran rabhaidh mar shamhla air neart ionadail na h-iomairt BU CHÒIR.

Latha Naochad 's a Seachd: Dimàirt 16 An t-Sultain

Cha mhòr nach eil sinn aig deireadh na rèise, ach tha dà nì air nochdadh a tha a' cur dragh orm: mar a tha an Daily Record a' taisbeanadh na 'bòid' do dh'Alba – agus mar a tha Gòrdan Brown air a bhith ga thoirt a-steach airson agallamh a dhèanamh còmhla rium an àite Alistair Darling.

An coimeas ris na h-iomairtean sràide an-dè, 's e latha làn agallamhan a th' ann an-diugh. Tha Moira ag innse dhomh gum feum mi cliop fhaighinn an toiseach le a gruagaire Siobhan Maguire. Cha leig Moira leam coltas robach a bhith orm air an latha eachdraidheil!

Tha sinn ag itealaich a Dhùn Èideann airson agallaimh le Daibhidh Dimbleby anns an taigh-òsta Point. Tha e a' toirt cothroim dhomh duilleag aghaidh an Record a sgrùdadh. Tha mi a' faicinn tron fhearg gur e ìomhaigh uabhasach tuigseach a th' ann gu teicnigeach – A' Bhòid do dh'Alba air seann phàipearan nam meadhan-aoisean a' toirt ùghdarras caran cràbhach don chùis. Caran gòrach, 's dòcha, ach èifeachdach. 'S e seo a' chiad naidheachd anns na pàipearan o chionn fhada a tha air dragh a chur orm. Agus air cùlaibh seo bha am barantas le Gòrdan Brown air 'fèin-riaghladh', 'devo max', no, mar a thuirt Brown fhèin, 'cho coltach ri stàit fheadarail 's a 's urrainn'.

Dh'fhàs mi beagan na bu dhraghail nuair a fhuair mi fios gun robh Brown air àite Darling a ghabhail anns an agallamh le Dimbleby. Air sgàth adhbharan nach eil mi buileach a' tuigsinn, tha ìre de chreideas ann an Gòrdan, nach eil ann an Camshron, Clegg no Miliband – agus nach eil ann an Darling idir. Nuair a bha daoine a' smaoineachadh gun robh e air a bheatha phoilitigeach a leigeil dheth cha robh a leithid a chumhachd sa chreideas sin. Ach tha e follaiseach gu bheil e fhathast an sàs ann am poileataigs agus tha e fiù 's air beagan fios a leigeil gur dòcha gun seas e mar thagraiche ann am Pàrlamaid na h-Alba. Cho fad 's a chumas e an doras sin fosgailte glèidhidh e beagan den chreideas sin.

Bu dual dha Gòrdan seo. A' leigeil le Alistair an t-saothair a dhèanamh, na deasbadan, an obair chruaidh, agus a' tilleadh aig an deireadh airson an gnothach a shàbhaladh. Chan eil cunnart sam bith na lùib mar seo. Nan robh an iomairt BU CHÒIR air cuideigin a chur nam àite-sa anns na h-agallamhan mòra, rachadh a' chùis a ghairm mar gun robh an iomairt againn air tuiteam às a chèile.

Ach air sàilleabh 's gu bheil na pàipearan-naidheachd ann am fìor èiginn, gabhaidh iad ri criomagan sam bith bho CHA BU CHÒIR. Tha fios againn gum fan an *Scottish Sun* neo-thaobhach a-nis. Airson an fhìrinn innse, bha feum againn air an taic an t-seachdain sa chaidh airson diofar mòr a dhèanamh.

'S e neach-naidheachd air leth math agus neach-agallaimh cothromach a th' ann an Dimbleby. Tha e fhèin a' coimhead ris an reifreann le sealladh geur an t-seann eòlaiche. 'S ma dh'fhaoidte gum bu chòir dha dreuchd an Àrd-stiùiriche fhaighinn airson beagan eòlas-naidheachdan a theagasg do a cho-obraichean.

Tha mi ann an Glaschu airson na pàirt mu dheireadh den t-sreath aig Jackie Bird agus agallaimh do Sky còmhla ri Adam Boulton aig taigh-òsta am Premier Inn. Tha tè den luchd-frithealaidh ag innse dhomh gun tug am bràmar aice gealladh-pòsaidh seachad a chionn 's gun tug an iomairt BU CHÒIR togail cho mòr dha. Tha Alba na dùthaich anns am biodh e airson teaghlach a thogail a-nis. Cò tha ag ràdh nach ann air aonachd a tha BU CHÒIR stèidhichte?!

Tha mi a' cur sreath bhrathan fòn air an t-slighe don taigh-bidhe Alishan gus am faigh mi a-mach càite bheil sinn agus dè tha fa-near dhuinn air an latha mu dheireadh den iomairt reifreinn. A rèir nam figearan as ùire againn fhìn tha sinn seasmhach aig 52 sa cheud. Cha deach sinn suas, ach cha deach sinn sìos. Tha sinn am beachd gum put misneachd air luchd-taic sinn seachad air an loidhne chrìochnachaidh. Tha dragh orm fhìn gu bheil 'a' bhòid' a' tairgsinn roghainn fhurasta do dhaoine, ach 's e beachd a h-uile duine nach tèid stad a chur orra. 'S e 'Dèanamaid E' an sluagh-ghairm mu dheireadh againn, a chaidh dealbhadh airson ar putadh seachad air an loidhne sin.

Latha Naochad 's a h-Ochd: Diciadain 17 An t-Sultain, An Latha ron Reifreann

Tha an latha seo coltach ris a' chuairt againn an latha ron taghadh ann an 2011. Tha Nick Robinson ag ràdh gu bheil am Pàrtaidh Nàiseanta 'air na sràidean a ghlèidheadh'.

Air an latha mu dheireadh den iomairt tha rèis ann, mar a bhiodh dùil, eadar an heileacoptar agus càraichean an luchd-eagrachaidh.

Tha brathan fòn gan stobadh a-steach eadar iomadh tadhal fhad 's a tha sinn a' cur crìoch air an ùghdarras airgid againn agus a' sireadh aonta le searbhantan catharra na RA air an teacsa ma thèid an latha le BU CHÒIR. Tha e cudromach gun cuir sinn brath tràth an cèill a dh'ainmicheas clàs 30 ann an Aonta Dhùn Èideann gun obraich an dà riaghaltas còmhla ri chèile airson toil nan daoine a thoirt air adhart. Tha sin aontaichte a-nis.

Tha Seonaidh Hydro gar toirt à Turnhouse ann an Dùn Èideann a Shrath Abhainne agus an uair sin a Chille Bhrìghde an Ear airson cuairt uabhasach èifeachdach ann am meadhan a' bhaile. Ann an dòigh tha mi a' dèanamh a-rithist na rinn mi ann an 2011 – cha dèan deagh chuimhneachan cron. Tha a h-uile càil a' dol gu math agus tha na daoine misneachail agus ann am fìor dheagh shunnd.

Tha Seonaidh a' cumail air a Phreastabhaig fhad 's a tha sinn fhìn a' dèanamh air Hyspec Engineering faisg air Inbhir Àir, companaidh iongantach far a bheil cruinneachadh mòr air tighinn còmhla air a' bhlàr a-muigh airson fhèineagan agus hòro-gheallaidh. Tha mi a' dèanamh sreath agallamhan nam shuidhe aig Hyspec agus an uair sin a' cumail orm gu pàirc ghnìomhachais ann an Cille Mheàrnaig. Air an t-slighe tha mi air aontachadh ri agallamh a dhèanamh le Eòghann MacAsgaill aig a' *Guardian*. Tha na tha mi a' toirt dha den ùine agam a' cur iongnadh air. Airson an fhìrinn innse tha e na thlachd dhomh coinneachadh ri neach-naidheachd ceart a-rithist.

Tha sluagh mòr luchd-iomairt BU CHÒIR a-rithist ann an Cille Mheàrnaig taobh a-muigh na bùtha mòire bidhe air a bheil mi a' tadhal. 'S e gnìomhachas math a th' ann am Braehead Food, ach chan eil e uabhasach freagarrach airson dealbhan air an latha mu dheireadh ron reifreann. Tha sinn feumach air ìomhaighean anns a bheil na sluaghan mòra brosnachail an àite dhealbhan de sgeilpichean bùtha. Tha am BBC a' cur ceist orm mu phìos amaideach anns an *Telegraph* nach eil iomchaidh ach anns an t-seagh seo: air an latha ron reifreann seo a tha cho faisg air na tha an dàn don dùthaich tha an craoladair poblach airson ceist a chur orm mu earrainn leanabail a tha a'

Ailig Salmond

nochdadh anns an *Daily Telegraph*. Feumaidh sinn cumail nar cuimhne gur ann an eilean ann an Alba a sgrìobh Seòras Orwell mu Mhinistreachd na Fìrinne!

Tha Seonaidh Hydro draghail mun chlàr-ama agus nuair a tha sinn anns an adhar tha e ag innse dhuinn gu bheil sinn air an t-àite againn air an raon-laighe a chall. Mar sin tha e a' fònadh gu Club Goilf na Leargaidh Gallda agus gu fortanach tha ceann-suidhe a' chlub air taobh BU CHÒIR. Tha am paidhleat mìorbhaileach seo gar cur sìos ann am meadhan na co-fharpais mìosail, ri taobh na h-ochdamh lèanaig deug, agus a' sgaoileadh a' ghainmhich a bha san t-sloc. Fhad 's a tha mi a' toirt taing do na goilfearan agus mo leisgeulan airson an sloc a mhilleadh, tha fear aca ag ràdh nach do chòrd an sloc ris co-dhiù.

Tha sinn a' faighinn nan ìomhaighean a bha sinn ag iarraidh mu dheireadh thall ann am meadhan baile na Leargaidh Gallda. Tha sluaghan mòra furanach ann, is iad beò le misneachd. Tha mi a' taghadh Nick Robinson gu sònraichte airson agallaimh a tha ag ràdh gu bheil sinn 'air na sràidean a ghlèidheadh'.

Air ais don chlub goilf agus an uair sin gu Taigh Prestonfield. A-rithist 's e seo a rinn mi ron taghadh ann an 2011. Tha mi a' dèanamh air baile nam meadhanan gu luath a tha taobh a-muigh na Pàrlamaid far a bheil mi air ceann naidheachd STV. 'S e seo a' chiad turas a tha mi air tadhal air a' Phàrlamaid fad iomadh seachdain air sgàth cruth ionadail na h-iomairt seo.

Tha Seonaidh a' togail air agus ag ràdh, air sgàth na sìde, gum bu chòir dhuinn dèanamh air Peairt anns a' chàr. Tha mi a' fàgail soraidh leis agus a' gealltainn gum fastaich mi e làn-ùine an dèidh an reifreinn. A' gabhail greim bidhe aig Prestonfield còmhla ri Chris agus Cailean Weir mus tèid sinn gu Talla Consairt Pheairt airson na cuirm crìochnachaidh còmhla ri Nicola.

Tha e cudromach a-nis gun seachain sinn mearachdan sam bith. Tha beagan smior a dhìth anns an òraid agam, mar sin tha mi ga chur ann. Tha Geoff agus Donnchadh air am beò-ghlacadh le cuirm Sheffield! Tha sluagh mòr air tighinn cruinn còmhla a-muigh nach d' fhuair ticeadan. Tha an t-àite air bhioran a-staigh, aoibhneach, agus tha còisir BU CHÒIR ann. Tha 'bù!' mòr a' cur fàilte air droch isean an reifreinn, Nick Robinson, ach chan e droch-rùn a tha fa-near is tha e fhèin a' gabhail ris gu math.

Tha mi fhìn agus Nicola a' faighinn beagan ùine airson ar smuaintean a chur an cèill. Cha mhòr nach eil an t-àm ann. Tha sinn a' fàgail soraidh slàn le chèile. Tha mi fhìn a' tilleadh gu tuath a Shrath Eachainn, agus i fhèin don iar a Ghlaschu.

Latha Naochad 's a Naoi: Diardaoin 18 An t-Sultain, Latha an Reifreinn

'S e cùis neònach a th' ann. Tha mi air a bhith a' dèanamh fiughair ris an latha seo fad mo bheatha. Agus nach e a tha coltach ri latha sam bith eile. Dè bha mi an dùil ris? Sluagh à nèamh a' trombaireachd san iarmailt? Ach 's e brataichean, postairean is stiogairean BU CHÒIR a chì mi air feadh an àite.

Tha na rannan as fheàrr le m' athair nam cheann, le Seumas Greumach, ciad Mharcas Mhontròis.

> He either fears his fate too much,
> Or his deserts are small,
> That puts it not unto the touch
> To win or lose it all.

Tha mi a' cur fàilte air latha an reifreinn anns an dearbh àite san do chuir mi fàilte air iomadh latha taghaidh eile, aig Talla Ritchie ann an Srath Eachainn. Tha dithis a tha a' bhòtadh airson a' chiad uair a' coiseachd ann còmhla rium. Tha Natasha a' bhòtadh airson a' chiad turais air sàilleabh 's nach eil i ach seachd bliadhna deug, agus tha Lia sna ficheadan agus chan eil i air bhòtadh a-riamh. Tha iad air bhioran agus làn dòchais, agus tha sin a' mùchadh na h-iomagain a th' orra air beulaibh nan camarathan a tha an seo.

Tha Lia a' cur na ceist orm: 'Tha sinn a' dol a bhuannachadh, nach eil?'

'Tha mi a' smaoineachadh gu bheil,' tha mi a' freagairt.

Tha clann na bun-sgoile an ath-dhoras air tighinn a-mach a choinneachadh rium agus tha sinn a' dèanamh deiseil airson nan dealbhan, agus brataichean na h-Alba nar làmhan. Deagh dhòigh air fàilte a chur air an latha mhòr.

Tha Moira ag ràdh gum feum mi bracaist ithe agus tha naidheachd a' nochdadh air brath le Anndra Moireach air Twitter, a tha air fàs sgìth de eu-dòchas na h-iomairt CHA BU CHÒIR. 'Dèanamaid e,' tha e ag ràdh. Tha fhios gun tèid a dhubh-chàineadh, ach 's e rud dàna a th' ann, a chaidh innse gu math agus a' freagairt ri teachdaireachd na h-iomairt. Ach nach bochd nach tuirt e e an-dè.

Chan eil an t-sìde ro mhath, ach chan eil i buileach dona, fhad 's a tha sinn a' dèanamh air Baile Thurra airson gnogadh air doras no dhà. Ach saoilidh mise nach cuir boinneag na dhà maille air an luchd-bhòtaidh. Tha Matt Bendoris aig an Scottish Sun còmhla rium. 'S e sgrìobhadair math agus duine gasta a th' ann.

Tha sinn a' tadhal air Tesco an toiseach far a bheil grunn math dhaoine air nochdadh agus air adhart do dh'aon de na sgeamaichean comhairle as sine. 'S e sgìre làidir a' Phàrtaidh Nàiseanta a tha seo agus tha muinntir an àite a' cur deagh fhàilte orm.

Ach tha rudeigin a' tachairt a tha a' toirt orm beagan meòrachaidh a dhèanamh air a' chùis. Tha màthair òg shingilte airson facal fhaighinn orm, mar sin tha mi a' dol a-steach don taigh bheag aice a tha uabhasach sgiobalta ach anns nach eil mòran àirneis. Tha pàiste aice agus abhag beag de chù ach chan eil an t-uabhas eile aice. Agus tha fìor eagal oirre. Cha do bhòt i a-riamh ach 's e sin a tha fa-near dhi an-diugh – ach tha i eadar dà bharail agus tha an roghainn ga crathadh air eagal 's gun dèan i an taghadh ceàrr is gun caill i am beagan a th' aice.

Tha sinn a' cabadaich fad greis agus tha mi a' sìtheachadh nan draghan aice agus tha i a' tighinn don cho-dhùnadh gum bhòt i airson neo-eisimeileachd. Tha am faochadh a tha i a' faighinn follaiseach agus tha mi a' toirt cudail dhi airson a h-inntinn a chur aig fois. Nuair a tha mi a' falbh a-rithist tha Matt a' faighneachd carson a bha mi cho fada gun nochdadh agus tha mi ag innse dha gu bheil a h-uile rud ceart gu leòr. Tha i air gealladh gum bhòt i airson BU CHÒIR agus tha mi cinnteach gur e sin a nì i. Ach tha fios agam gum bi gu leòr coltach rithe agus chan urrainn dhomh a h-uile deur a shuathadh far gruaidh a h-uile duine san dùthaich. Cha ghabh a dhèanamh.

Nas fhaide den latha, aig an ionad BU CHÒIR ann an Ealain Bhuchain, tha mi a' gabhail aithreachais nach eil cunntasan bhòtaidh againn. Ann an taghadh àbhaisteach, bhitheamaid a' cumail chunntasan aig na stèiseanan bhòtaidh air feadh na dùthcha air ciamar a bhòt daoine, ach tha an t-uabhas dhaoine a dhìth airson iomairt a leithid sin a chur air dòigh agus bha sinn den bheachd gum b' fheàirrde sinn feum a dhèanamh às na daoine againn ann an dòighean eile. Chan atharraich cunntasan bhòtaidh dad. Tha e na chuideachadh nuair a thathar a' tomhas dè bu chòir don phàrtaidh a ràdh air oidhche an taghaidh. Ach bidh a-nochd eadar-dhealaichte

– cha bhi beachd pàrtaidh ann. Cha bhi ann ach co-dhùnadh na dùthcha. Ach fiù 's an dèidh sin, b' fheàrr leam gun robh figearan ann air am bu chòir dhomh cnuasachadh.

Ach tha blasad tràth ann den aon rud a tha cinnteach. A rèir nan clàraidhean aig na stèiseanan, bidh an àireamh de dhaoine a bhòtas uabhasach àrd. Bho thoiseach na h-iomairt bha mi am beachd gum biodh an àireamh mu 80 sa cheud. Tha e coltach gum bi i nas àirde na sin buileach. Saoilidh mi gum feum sinn fàilte a chur air an naidheachd sin.

Tha sinn ann an New Machar ro 5.00 feasgar far a bheil an tachartas latha-bhòtaidh as fheàrr a' nochdadh. Tha e coltach gu bheil a h-uile duine a' bhòtadh BU CHÒIR aig an talla choimhearsnachd agus tha brataichean is suaicheantasan BU CHÒIR air feadh an àite. 'S e fìor chùis bhrosnachaidh a th' ann.

Tha sinn a' dèanamh air Inbhir Uraidh an sin far a bheil an luchd-obrach gu lèir aig an taigh-bidhe Innseanach, Spice of Life, air bhòtadh BU CHÒIR mar-thà. Chan eil an taic ann an Inbhir Uraidh a cheart cho làidir 's a bha ann an New Machar, ach tha comharran brosnachail gu leòr ann.

Tha mi a' toirt na h-òraid iomairt mu dheireadh agam seachad anns an raon-chàraichean far a bheil grunnan math dhaoine air tighinn cruinn còmhla. Cha b' fhiach e dad a chumail air ais a-nis – agus tha e iomchaidh gu bheil mi ag aithris beagan fhaclan leis a' cheannard shòisealach Èireannach à Dùn Èideann, Seumas Connolly:

Chan eil na h-urracha mòra mòr ach nuair a tha sinn fhìn air ar glùinean. Às bith dè thachras a-nochd, chan eil sinn air ar glùinean tuilleadh agus tha an dùthaich atharraichte. Nas fheàrr air sgàth an atharrachaidh agus atharraichte gu bràth tuilleadh.

Tha mi fhìn agus Matt a' dèanamh air Eat on the Green, far a bheil sinn a' coinneachadh ri Moira. Tha an neach-seilbh, Craig MacUilleim, a' toirt an t-seòmair phrìobhaidich dhuinn agus cothrom air oifis a chleachdadh gus an cùm sinn ann an conaltradh leis an iomairt air feadh na dùthcha. Tha sinn an dùil gum falbh sinn a Dhùn Èideann ann an uairean tràth na maidne.

A dh'aindeoin a h-uile taghaidh tron deach sinn còmhla, tha Moira a' creidsinn fhathast gum bu chòir fios a bhith agam dè an toradh a th' ann cho luath 's a tha na h-ionadan bhòtaidh a' dùnadh. Cha robh am fios sin agam a-riamh, agus a chionn 's nach eil cunntas bhòtaidh ann, tha mi nas aineolaiche na bha mi a-riamh. Tha a h-uile rud ag innse gu bheil sinn air an gnothach a dhèanamh. Tha mo bheachd-sa stèidhichte air an taghadh ann an 2011 nuair a bhuannaich sinn le mòr-chuid. Tha sinn fada, fada air thoiseach air an uair sin, agus a-nis tha ùidh aig pàirtean mòra den choimhearsnachd ann an dòchas an àite poileataigs. Feumaidh gu bheil an dòchas sin air ruaig a chur air eagal.

'An do bhuannaich sinn?' tha Moira a' faighneachd. 'Tha mi a' smaoineachadh gun do bhuannaich,' tha mi a' freagairt agus tha mi a' dol don oifis airson dèanamh cinnteach gu bheil na planaichean againn deiseil ma bhuannaicheas BU CHÒIR a-màireach. Tha na brathan ullaichte, agus nam measg tha brath an com-pàirteachas le riaghaltas na Rìoghachd Aonaichte, brath ionmhasail le Riaghaltas na h-Alba, gairm an Ùghdarrais Airgid, agus brath air ciamar a thèid na còmhraidhean Eòrpach a thoirt air adhart. Tha na prìomh dhaoine air gabhail ris na dleastanasan aca. Tha a h-uile càil deiseil. Tha a h-uile càil mar bu chòir. Dh'ionnsaich mi ann an 2007, ri linn taghaidh a tha faisg, tha cothrom nas fheàrr aig an duine a tha ullaichte. 'S mi fhìn a tha a' cur nan co-dhùnaidhean an sàs a chionn 's gu bheil iad riatanach nam bheachd-sa.

Ach 's e duine a tha measail air a' bhùth gheallaidhean a th' annam agus fhad 's a tha mi anns an oifis tha mi a' toirt sùil aithghearr air na prìsean air Betfair. Chan eil iad air carachadh agus chan e deagh chomharra a tha sin. Co-dhiù tha biadh math againn agus tha mi a' freagairt nan ceistean aig Matt le foighidinn.

Tha a' chiad bhrath a' tighinn thugainn le droch naidheachd na h-oidhche a tha a' sealltainn gur e 54-46 an aghaidh neo-eisimeileachd a th' anns a' chunntas bhòtaidh aig YouGov. Tha prìomh oifis BU CHÒIR ag ràdh bheil iad misneachail fhathast ann an Dùn Dè agus Glaschu ach nach eil cùisean idir dòchasach anns a' chòrr den dùthaich. Tha Keith Brown BPA, aig a bheil bliadhnaichean mòra de dh'eòlas mar neach-iomairt, draghail mun chiad sgìre, Clach Mhanann. Agus nuair a chì sinn aig 1.31 sa mhadainn gu bheil i nar n-aghaidh 54-46 tha fios agam gu bheil a' chùis caillte. Tha Moira a' faighneachd: 'Dè cho dona 's a tha sin?' Tha mi fhìn a' freagairt: 'Chan i ach a' chiad ghairm agus tha i faisg gu leòr.'

Ach tha mi a' dèanamh air an oifis aig Craig agus an turas seo tha mi a' sgrìobhadh òraid gèillidh.

Latha 100 (Pàirt a Dhà) Dihaoine 19 An t-Sultain

Tha mi a' cur an t-seantans mu dheireadh ris an òraid agam anns a bheil mi a' leigeil dhìom dreuchd a' Phrìomh Mhinisteir aig a' mhionaid mu dheireadh. Chan eil an loidhne sin a' nochdadh anns an dreach a thug mi don luchd-naidheachd: 'Tha an ùine agam mar cheannard a' tighinn gu crìch. Ach do dh'Alba, tha an iomairt a' leantainn agus, mairidh an aisling, gu sìorraidh bhuan.'

Tha mi a' freagairt cheistean agus a' toirt taing don a h-uile duine a tha an làthair. Tha mi socair, ciùin. Ach bidh an còmhnaidh ann an suidheachadh mar sin. Fhad 's a tha mi an impis falbh tha mi a' faicinn gu bheil deòir ann an sùilean an neach-naidheachd, Brian Mac an Tàilleir, a tha air sgeul eachdraidh na h-Alba fhaicinn fad ginealaich. Tha mi a' cur mo làimh chlì air a ghualainn fad tiotain fhad 's a tha mi a' coiseachd chun an dorais.

Tha e seachad. Tha Moira, Lorraine Kay, Fergus Mutch agus mi fhìn a' falbh dhachaigh a Shiorrachd Obar Dheathain. Nuair a tha sinn air Taigh Prestonfield a ruighinn tha Seonaidh air an heileacoptar a chur gu dol. Tha luchd-obrach na h-oifis prìobhaidich agus an sgioba thachartasan gu lèir ann an sreath aig an t-slighe a-steach airson soraidh slàn fhàgail agam. 'S iad a tha laghach. Tha mi ag innse dhaibh gun tug mi sùil ann an leabhar-làimh na seirbheis catharra agus chan eil pàigheadh a bharrachd ann airson a leithid a thachartas, fiù 's air oidhche Haoine.

Fhad 's a tha sinn a' falbh tha mi a' faicinn neach-camara falaichte anns an duilleach. Tha mi ag iarraidh oirre a thighinn a-mach gus an tog i dealbh dhìom fhìn is de Sheonaidh ri taobh an heileacoptair aige.

Air an t-slighe dhachaigh tha mi a' sgaoileadh dealbh dhìom fhìn is de Moira agus sinn a' cosg nam fònaichean-cluais air an làraich èibhinn AngrySalmond #sexysocialism. Air feadh na h-iomairt bha spòrs is dibhearsan agus beagan eòlais ri fhaighinn air an làraich. Tha mi a' smaoineachadh gu bheil an t-àm ann beagan aithne oifigeil a thoirt do AngrySalmond.

An tweet aig Angry: 'Feumaidh mi ràdh nach do chaill mi. Tha mi dìreach air na comharran buannachaidh a ghluasad.'

Tha mi fhìn a' tweetadh: '@AngrySalmond #sexysocialdemocracy … Fàgaidh mi sin agad fhèin!'

Tha Angry a' freagairt: 'Saoilidh mi gu bheil paradocs a chuireas crìoch air a' chruinne dìreach air tachairt. Bhon t-saoghal seo gu saoghal eile … Creidibh ann an SexySocialism'.

Ailig Salmond

'S e oidhche bhrèagha fhogharach a th' ann is sinn a' siubhal suas an cois a' Chost an Ear. Tha Seonaidh, aig a bheil ùidh ann an co-shealbh air taigh-staile, a' sealltainn an taigh-staile ùir dhuinn a thathar a' togail anns an East Neuk ann am Fìobha. Fhad 's a tha sinn a' sgèith seachad air Dùn Dè, baile mòr BU CHÒIR, tha an dreach a rinn Raibeart Burns air an seann òran Seumasach, 'Bonnie Dundee', nam chuimhne:

> Then awa' to the hills, to the lea, to the rocks,
> E'er I own a usurper, I'll couch wi' the fox!
> Then tremble, false Whigs, in the midst o' your glee,
> Ye ha' no seen the last o' my bonnets and me.

Crìoch-sgeòil: Alba a Tha Sinn A' Sireadh

Aig deireadh Co-labhairt Pàrtaidh Nàiseanta na h-Alba air 19 An t-Samhain 2014, thuig mi ciamar a tha an reifreann air cùisean atharrachadh gu tur. Bha mi ann am fear de na seòmraichean-èididh aig cùl Talla Consairt Pheairt is mi a' feuchainn ri bhith fàs cleachdte ris a' chiad ghreiseig seo nuair nach robh mi nam cheannard tuilleadh, an dreuchd anns an robh mi fad fichead de na ceithir bliadhna fichead a dh'fhalbh.

Tha co-labhairtean poilitigeach buailteach a bhith caran sgìtheil agus bha mi a' dèanamh fiughair ri oidhche a chur seachad còmhla ri càirdean is caraidean. Ach bha mi air aontachadh gun rachainn a-mach airson mionaid no dhà a chionn 's gun deach innse dhomh gun robh grunnan dhaoine air nochdadh a bha ag iarraidh dealbh leam.

Ach cha b' e grunnan a bha a' feitheamh rium – ach na mìltean. Bha gràisg ghrad air nochdadh mar fhreagairt air aon brath air Facebook. Chuir mi seachad deagh ghreis a' coiseachd nam measg is a' bruidhinn ris a h-uile duine mus do rinn mi òraid anns an tug mi mo thaing dhaibh, dìreach mar a bha iad fhèin an sin airson taing a thoirt dhomh fhìn.

'S iad ginealach BU CHÒIR, chan ann àir sàilleabh aois ach air sàilleabh an lèirsinn. Daoine a chaidh an atharrachadh leis a' phròiseas atharrachaidh.

Tha tachartasan a leithid sin air a bhith ann ceud uair bhon reifreann. An t-seachdain an dèidh na Co-labhairt, lìon Nicola na 12,000 suidheachan aig an Hydro ann an Glaschu. Bha barrachd dhaoine aig a' choinneimh sin na tha de bhuill aig a' Phàrtaidh Làbarach ann an Alba. Agus dh'fhaodadh i a lìonadh ochd turas eile mus ruigeadh i àireamh ballrachd a' Phàrtaidh Nàiseanta.

Agus aig a' cheart àm, beagan cheudan slat air falbh aig an SECC, bha an Radical Independence Group a' cumail co-labhairt aig an robh 3000 neach eile. 'S gann gu bheil sinn air ìrean de dh'iomairteachd phoilitigeach a leithid seo fhaicinn a-riamh an àite sam bith.

Air 18 Am Faoilleach am-bliadhna, an dèidh mo ghairm mar thagraiche airson sgìre Ghòrdain, chùm mi coinneamh eagrachaidh airson na h-iomairt tagraidh agam ann an ionad spòrs Innis air Oidhche na Sàbaid. Cha robh an t-sìde ro mhath. Gu dearbh, 's i a bha garbh.

Tha na coinneamhan seo riatanach agus caran tioram mar as àbhaist – is sinn a' sparradh prìomh dhleastanasan tagraidh air na beagan dhaoine a tha a' nochdadh. Cha robh sinn cinnteach am faigheamaid an àireamh-riaghailteach, air sgàth na droch shìde. Ach nochd 250 neach. Ann an cathadh sneachda. Coinneamh caran àraid ach 's e amannan àraid a tha seo.

Anns na beagan mhìosan an dèidh an reifreinn tha mi air bruidhinn ris na mìltean de dhaoine mun iomairt agus mun cho-dhùnadh. Tha a' mhòr-chuid aca air dà rud innse dhomh: tapadh leat no tha mi duilich. Uaireannan their iad na dhà. Bidh iad ag ràdh 'tapadh leat' air sgàth a' chothroim a fhuair Alba bhòtadh airson a saorsa. Agus chan e 's gum bi iad ag aideachadh mearachd le bhith ag ràdh 'tha mi duilich', ged a tha sin ann cuideachd ceart gu leòr. Tha e nas buailtiche a bhith stèidhichte air aithreachas is nach b' urrainn dhaibh bhòtadh airson BU CHÒIR. Feumar aideachadh gur e pròiseas dà-rathaid a th' ann an atharrachadh poilitigeach. Tha dleastanas air an fheadhainn a tha a' tagradh airson atharrachaidh gun cuir iad an argamaid an cèill, agus tha dleastanas air an fheadhainn a tha a tha ag èisteachd ris an argamaid gu bheil iad gnìomhach is chan eil iad fulangach ri linn bruthaidh eagraichte leis an fheadhainn a tha a' faighinn buannachd à cùisean mar a tha iad.

'S e mearachd a bhiodh ann a bhith a' creidsinn nach bi ach luchd-bhòtaidh BU CHÒIR a' bhòtadh airson a' Phàrtaidh Nàiseanta anns an taghadh choitcheann. Tha fhios gur e sin a nì a' mhòr-chuid de luchd-taic BU CHÒIR, ach 's e sin a nì cuid mhòr de luchd-bhòtaidh CHA BU CHÒIR mar an ceudna. Gabhaidh iad an aon rathad airson an dùthaich a phutadh air adhart agus airson dèanamh cinnteach gun tèid 'a' bhòid' a rinneadh do dh'Alba a chur an gnìomh gu h-iomlan. Tha an suidheachadh seo na chùis uabhais do na seann mheadhanan. Ach 's e cùis dòchais a th' ann do na bhòtairean ùra a tha a' cur eòlais air poileataigs airson a' chiad uair – chan ann mar chothrom air an reifreann a dhèanamh a-rithist, ach airson am pròiseas atharrachaidh a dhèanamh brìoghmhor agus susbainteach.

Chunnaic sinn amannan a leithid seo ann an Alba roimhe. Tha cuimhne agam air an ùidh mhòir a bh' aig na daoine a bha a' fritheladh nan coinneamhan poblach rè na h-iomairt an aghaidh na cìs-cheann, agus a-rithist anns an iomairt ron taghadh ann an 1992. Ach tha buaidh fada nas làidire aig a' phròiseas a-nis air sgàth nam meadhanan-sòisealta, a chumas cùisean ann an inntinn an t-sluaigh nas fhaide. Gu dearbh tha na meadhanan-sòisealta a' dèanamh barrachd na sgaoileadh fiosrachaidh is sanasachd airson choinneamhan. Tha am fiosrachadh a' siubhal an dà rathaid. 'S e an luchd-amhairc a tha a' stiùireadh chùisean a-nis.

Mar eisimpleir, bha sinn air tilleadh don bhaile an t-seachdain an dèidh na coinneimh eagrachaidh ann an Innis is sinn an sàs ann an obair iomairt agus a' dèanamh agallaimh còmhla ri Buzzfeed. Dh'fhaighnich fear de luchd-iomairt an SNP, Billy Sangster, am faodadh e an aon rud a dhèanamh air a bhlog claisneachd. Rinn sinn sin ann an Deis an ath sheachdain. Bha an t-agallamh aotrom is spòrsail agus chuir Billy e air-loidhne. An ceann beagan làithean, chuir aon den luchd-naidheachd as cliùitiche an Alba fios thugam is iad ag iarraidh beachd bhuam stèidhichte air. 'S e am blog aig Billy a bha a' sgrìobhadh an sgeòil airson nam pàipearan-naidheachd – 's e na meadhanan ùra a tha air thoiseach air na seann mheadhanan a-nis.

Chan urrainnear, agus chan fhaodar, stad a chur air an t-sruth fiosrachaidh seo ann an dùthaich dheamocratach. Agus, chan eil earbsa ga chur anns na seann structaran stèidhichte a-nis. A rèir mòran ann an Alba, tha am BBC, 'Auntie Beeb', air a dhol na muime olc. Chan e strì eadar BU CHÒIR agus CHA BU CHÒIR a-mhàin a bh' anns an reifreann. Chan e strì eadar dòchas agus eagal a bh' ann a-mhàin, ged a bha sin ann ceart gu leòr.

'S e farpais a bh' ann eadar dà sheòrsa mheadhanan. Na seann fheartan stèidhichte an aghaidh an airm ùir bhragail. Bha na seann mheadhanan an aghaidh neo-eisimeileachd ceart gu leòr, ach bha feadhainn nam measg nach robh ach an aghaidh atharrachaidh sam bith. Tha iad a' tighinn beò ann an saoghal anns a bheil eu-dòchas a' riaghladh, far a bheil àmhghar, buaireadh, sgainneal agus èiginn a' stiùireadh gach earrainn de gach sgeul. Tha na meadhanan ùra caochlaideach, fiù 's anarcach, ach 's iad a tha nas cruthachaile agus fada fada nas luaithe. 'S ann an sin a tha thathar a leigeil le aislingean is dòchas a thighinn beò.

Tha an ceangal eadar na meadhanan ùra agus iomairtean ionadail riatanach cuideachd. Chaidh cuid de na tachartasan a bu shoirbheachaile anns an iomairt BU CHÒIR a chur air dòigh gun rabhadh agus chuir e fìor iongnadh oirnn fhìn gun robh an comas sin againn. Tha an t-eòlas eadar-nàiseanta soilleir cuideachd. Ma chuireas tu am brath sòisealta ceart cuide ris a' mheadhan shòisealta ceart, feumaidh an seann chumhachd stèidhichte an uair sin a dhìon fhèin no atharrachadh no thèid i fodha. Tha deamocrasaidh poilitigeach a-nis nas luaithe, nas glice agus fada nas cothromaiche.

Ann an 1302 fhuair an tuath Flannrach làmh an uachdair air ridirean gaisgeil na Frainge aig Coutrai. Ann an 1314 rinn saighdearan coise Albannach sgrios air eich throm Shasainn aig Allt a' Bhonnaich. Bha an dà chath a' sealltainn gun robh saoghal nam meadhan-aoisean air atharrachadh agus gun robh na cumhachdan stèidhichte air atharrachadh. A-nis ann an saoghal poilitigeach an latha an-diugh tha cothrom aig an tuath na ridirean a leagail far an each. Chan eil an fharpais co-ionnan no cothromach air sàilleabh seo, ach tha i nas co-ionnainn agus nas cothromaiche.

Faodar bhòt BU CHÒIR aig 45 sa cheud fhaicinn mar bhuaidh, air sgàth nam feachdan a bha nar n-aghaidh, agus an t-suidheachaidh anns an do thòisich sinn. Ach dh'fhaodadh e a bhith na b' fheàrr. Bha cothrom againn a bhuannachadh, ach dìreach nan robh a h-uile càil air a chur an sàs mar bu chòir a thaobh susbaint agus a' chlàir-ama. Cha robh nì na bu chudromaiche san reifreann na an cunntas-bheachd le YouGov deich làithean ron latha bhòtaidh. B' e sin a dh'adhbharaich na h-ionnsaighean eagail gun sgur anns na làithean mu dheireadh, agus 'a' bhòid' a thug roghainn na bu shàbhailte ris an do ghabh cuid a dhaoine a bha a' beachdachadh air atharrachadh. Chan fheumadh 'a' bhòid' ach inntinn aon duine anns gach fichead gus an rachadh an latha leothasan, agus b' e sin a thachair.

Nan robh an cunntas le YouGov air nochdadh beagan nas fhaide air adhart, bhiodh e air a bhith tuilleadh is anmoch airson freagairt a chur air dòigh. Bhiodh an gluasad mòr air an reifreann a ghlèidheadh dhuinn gu buileach. Thàinig an cunntas sin ro thràth airson BU CHÒIR.

*

Dè tha air tachairt bhon reifreann ma-thà agus, nas cudromaiche buileach, càite bheil sinn a' dol?

Anns an òraid agam san t-Sultain is mi a' leigeil dhìom mo dhreuchd, thuirt mi gum feum sinn casan Westminster a chumail ris an teine gus an toir iad na gheall iad do dh'Alba gu buil. Chaidh geallaidhean a chur an cèill air 'faisg air feadaraileachd', 'devo max' no 'fèin-riaghladh'.

Thàinig Coimisean Mhic a' Ghobhainn agus dh'fhalbh e. Cha b' urrainn do mo sheann charaid Raibeart Mac a' Ghobhainn a choimisean thar-phàrtaidhean a chumail a' dol ach aig astar an eathair a bu shlaodaiche aig deireadh an t-sreatha. A rèir a h-uile duine a bha an sàs, b' e am Pàrtaidh Làbarach an t-eathar mall sin. Dh'fhoillsich an coimisean aithisg air 27 An t-Samhain. A rèir an aonta lag cumanta eadar na diofar phàrtaidhean, bhiodh 70 sa cheud de chìsean agus 85 sa cheud de chumhachdan shochairean gan stiùireadh le Westminster fhathast. Dh'fhaodadh tu an t-uabhas a ràdh mun a sin ach cha b' urrainn dhut 'fèin-riaghladh' no 'faisg air feadaraileachd' no 'devo max' a thoirt air.

Ro 22 Am Faoilleach, bha susbaint Coimisean Mhic a' Ghobhainn air a dhol na Pàipear-àithne an riaghaltais a bha fìor iongantach air sàilleabh cho lag agus cho mì-chòrdail 's a bha e.

Fòghnaidh an dà eisimpleir an seo. Bha Mac a' Ghobhainn air gabhail ris a' phrionnsabal 'gun chron'* airson Pàrlamaid na h-Alba

---

* Tha am prionnsabal 'gun chron' air a mhìneachadh ann an aithisg Coimisean Mhic a' Ghobhainn. Tha a' chiad phàirt den phrionnsabal soilleir

a dhìon ri linn a' phròiseis àbhaistich far am bi Roinn an Ionmhais, mar bhritheamh agus luchd-deuchainn, a' breithneachadh air connspaid sam bith a dhèireas mu mhaoineachadh. 'S ann mar seo a bhithear a' dèiligeadh ris a h-uile roinn riaghaltais san Rìoghachd Aonaichte agus, a rèir urracha mòra Roinn an Ionmhais, chan e ach leudachadh de Whitehall anns a h-uile dòigh a th' ann an Alba (agus a' Chuimrigh).

Ach anns a' Phàipear-àithne, thathar a' mìneachadh 'gun chron' mar sgaoileadh-cumhachd air roinn poileasaidh sam bith a thèid glacadh cho teann nach b' fhiach e. Tha seo air a shoilleireachadh anns an earrainn a leanas:

<hr>

gu leòr, 'Cha bu chòir gun èirich cron mar thoradh air a' cho-dhùnadh air barrachd cumhachd a thilleadh'. Chan eil an dàrna pàirt a cheart cho soilleir: 'Cha bu chòir gun èirich cron air sgàth co-dhùnaidhean poileasaidh le Riaghaltas na RA no Riaghaltas na h-Alba an dèidh sgaoileadh-cumhachd.' A rèir Mhic a' Ghobhainn: 'Far a bheil Riaghaltas na RA no Riaghaltas na h-Alba a' dèanamh cho-dhùnaidhean air poileasaidh a bheir buaidh air teachd a-steach cìsean an riaghaltais eile, feumaidh an riaghaltas a tha a' dèanamh a' cho-dhùnaidh an riaghaltas eile ath-phàigheadh ma tha cosgais eile na lùib, no tar-aiseag fhaighinn bho riaghaltas eile ma tha sàbhaladh ann.'

Tha adhbharan argamaid is mì-thuigse gu leòr an sin air sàilleabh 's gu bheil seirbheisean is sochairean ann a tha cumanta eadar na dhà, cho fad 's a tha cumhachdan ann nach eil ach pàirt-sgaoilte ann an iomadh roinn poileasaidh. Tha eisimpleirean ann a dh'adhbharaicheas teagamh nuair a chaidh mì-shoilleireachd a leithid seo fhàgail aig Roinn an Ionmhais gus an dèanadh iad fhèin breithneachadh air a' chùis. Mar eisimpleir, ann an 2001, chuir riaghaltais a' Phrìomh Mhinisteir Eanraig MacLeish sochairean airson cùraim phearsanta an asgaidh an sàs ann an Alba. Dh'adhbhraich seo ìsleachadh anns na sochairean taigheadais a bhiodh Westminster a' pàigheadh. A dh'aindeoin thagraidhean le MacLeish airson an sàbhaladh seo a chleachdadh airson a phoileasaidh a mhaoineachadh, dhiùlt a cho-obraichean ann an Lunnainn. Chan eil e soilleir a bheil e comasach gum biodh fuasgladh cothromach ann nam biodh dleastanasan roinnte mar seo. 'S e sin as adhbhar gun do mhol Riaghaltas na h-Alba gum biodh co-roinneadh dhleastanasan soilleir ann.

2.2.7 Bhiodh buil a tha a' toirt air muinntir aon phàirt den RA tabhartas a bharrachd a chur ri co-dhaingneachadh ionmhasail mar thoradh air gnìomh riaghaltais thiomnaichte a' dol an aghaidh nam prionnsabal 'gun chron' a chaidh stèidheachadh ann an Aonta Coimisean Mhic a' Ghobhainn. Mar sin, a rèir na dòigh-obrach ionmhasail, feumaidh Alba cur ris a' cho-dhaingneachadh ionmhasail da rèir na h-ìre a tha Riaghaltas na RA a stèidheachadh thar roinnean tiomnaichte agus glèidhte.

A thuilleadh air sin, tha an earrann a leanas anns a' phàipear, a chaidh a sgrìobhadh, tha e coltach, ann an da-rìreabh, ach gun tuigse air a bhuaidh amaideach aice:

Mar thoradh air Coimisean Mhic a' Ghobhainn, bidh smachd aig Pàrlamaid na h-Alba air mu 60 sa cheud de chaitheamh calpa ann an Alba agus a' cumail mu 40 sa cheud de chìsean na h-Alba. Mar sin, bidh Riaghaltas na h-Alba air aon de na fo-riaghaltasan as cumhachdaiche san OECD an dèidh mòr-roinnean Chanada agus sgìrean canton na h-Eilbheis.

Tha fhios nach e ruith ach leum a nì muinntir ghnìomhach dùthaich aosmhor na h-Alba a thoirt an taing do Westminster is iad air èisteachd ri an gairm anns an reifreann nàiseanta – cha mhòr nach eil sinn a' faighinn uiread cumhachd 's a tha aig canton na h-Eilbheis! Tha am facal 'glèidheadh', (no 'retain' anns a' Bheurla), air a chleachdadh le dreachdadairean na seirbheis catharra nuair a thathar a' bruidhinn air cìsean air sàilleabh 's gu bheil teachd a-steach VAT gan comharrachadh às aonais smachd Riaghaltas na h-Alba, fhad 's a tha a' bhunait chìsean air cìs an teachd a-steach a thaobh cobhair is cuibhreannan cìse air an glèidheadh ann an Lunnainn. Tha e follaiseach gur e mearachd a bhiodh ann nan rachadh am facal 'smachd' a chleachdadh far nach eil buaidh aig Riaghaltas na h-Alba air ìrean VAT, no air a' bhunait cìse a thaobh cìs teachd a-steach. 'S e sin as adhbhar gu bheilear a' cur feum air an fhacal 'glèidheadh'.

Bha pàrtaidhean Nas Fheàrr Còmhla a' dèanamh a-mach gun robh 'a' bhòid' air a coileanadh. Ach ann an da-rìreabh, bha Coimisean Mhic a' Ghobhainn air a' bhòid a thanachadh agus bha am Pàipear-àithne air Coimisen Mhic a' Ghobhainn a dhèanamh nas laige buileach.

Dhòirt an treas roinn agus an STUC tàir air aithisg Coimisean Mhic a' Ghobhainn agus air a' Phàipear-àithne, fhad 's a rinn na Làbaraich càineadh orra beagan làithean an dèidh dhaibh a chur an cèill gun robh an gealladh air a lìbhrigeadh gu h-iomlan. Thill Gòrdan Brown bho na mairbh phoilitigeach a-rithist an dèidh dha a dhreuchd a leigeil dheth gu foirmeil, airson 'a' bhòid a bharrachd' fhoillseachadh. Cha do chòrd seo idir ri caraidean nan Làbarach ann an Nas Fheàrr Còmhla, na Tòraidhean agus na Libearalaich is iad ag ràdh gum b' iad na Làbaraich a bha ag argamaid airson 'bòid bheag' ann an Coimisean Mhic a' Ghobhainn.

Thàinig an t-atharrachadh mòr seo air na Làbaraich air 'a' bhòid' mar phàirt den iomairt fhiabhrasaich aig an ceannard ùr, Jim Murphy. Chaidh am Ball Pàrlamaid, a bha na neach-leantainn aig Tony Blair agus a chùm taic mhòr ris a' chogadh ann an Ioràc, a thaghadh anns an Dubhlachd 2014 nuair a bha an dreuchd bàn an dèidh don t-seann nàmhaid dhomh fhìn, Johann NicLaomainn, fhàgail ann an dòigh a bha fìor iongantach.

Bha Johann air a sàrachadh le 'Làbaraich Lunnainn' agus mar a bhiodh iad a' dèiligeadh ris a' Phàrtaidh ann an Alba mar 'mheur' den phàrtaidh mhòr. A chionn 's gu bheil am Pàrtaidh Làbarach 10, 20 no cha mhòr 30 puingean – a rèir dà chunntas le MORI – air dheireadh air a' Phàrtaidh Nàiseanta, tha Murphy air gnìomhachd fheuchainn an àite ro-innleachd. Tha e air feuchainn ris a' mhòr-shluagh a thàladh agus, gun nàire, air poileasaidhean a' phàrtaidh a chur an dàrna taobh gun an cur gu deuchainn, fhad 's a tha e fhèin a' strì ri ìomhaigh a chosnadh dha fhèin mar nàiseantach mas fhìor. Ach cha do choisinn e ach cliù amaideach dha fhèin anns a' Ghearran nuair a chaidh fios fhoillseachadh gun robh e air £1.30 iarraidh air ais mar chosgaisean buill pàrlamaid airson crogan Irn-Bru, agus nuair a chuir e an cèill, is e a' feuchainn a-rithist ris a' mhòr-shluagh a thoirt leis, gun robh e airson deoch làidir a thoirt air ais do phàircean ball-coise. Anns an dearbh mhìos sin, bha e 50 puingean sa cheud air dheireadh air Nicola Sturgeon mar cheannard a rèir cunntais le YouGov.

Tha am Prìomh Mhinistear ùr air ro-innleachd phàrlamaideach ùr a chur an sàs airson a' Phàrtaidh Nàiseanta, is i a' toirt sùil air pàrlamaid chothromach anns a' chiad dol a-mach. Mura b' urrainn do Chamshron taghadh a ghlèidheadh le mòr-chuid ann an 2010 an aghaidh Ghòrdain Brown, a bha fìor shàraichte aig an àm, chan eil e coltach gun urrainn dha a' chùis a dhèanamh an ceann còig bliadhna eile.

Mar sin dheth, bhite an dùil gun rachadh an riaghaltas co-bhoinn seo, a tha air dèiligeadh ris na daoine as bochda nas cruaidhe na an còrr den dùthaich rè staing an ionmhais, fhad 's a bhathar a' frithealadh an caraidean beairteach, a chaitheamh leis an luchd-bhòtaidh aig a' chiad chothrom. Ach chan eil de mhisneachd phearsanta no phoileasaidh a leigeas le Ed Miliband a chumhachd a ghlèidheadh. Tha na Làbaraich mar phàrtaidh dùbhlanach air fàilligeadh iomadh turas air prògram a chur an cèill anns a bheil atharrachadh ciallach an aghaidh poileasaidhean cruadail an riaghaltais cho-bhuinn. Gu dearbh, chan eil na Làbaraich ach air na poileasaidhean sin ath-sgrìobhadh gu ìre mhòr.

Tha na seann chumhachdan poilitigeach den bheachd gur e trioblaid mhòr a bhiodh ann an pàrlamaid chothromach. Bhiodh duilgheadasan na cois ceart gu leòr airson nam pàrtaidhean aig Westminster. Ach tha duilgheadasan do Westminster ag adhbharachadh chothroman do dh'Alba.

Tha e comasach – no coltach – gun cuir bhòtairean na h-Alba buidheann mòr de bhuill bhon a' Phàrtaidh Nàiseanta sìos a Westminster. Tha Nicola air cur an cèill nach co-obraich i – gu foirmeil no gu neo-fhoirmeil – leis na Tòraidhean, air sàilleabh adhbharan a tha freumhaichte gu domhainn ann an eachdraidh shòisealta na h-Alba. Tha na Tòraidhean ann an Alba air a bhith a' crìonadh bho na 1950an a chionn 's gu bheil daoine air tighinn don cho-dhùnadh gu bheil iad ag obair an aghaidh na tha cudromach do dh'Alba. Tha e coltach gum bi prìs mhòr phoilitigeach ri pàigheadh ma thèid pàrtaidh an co-bhonn còmhla riutha, mar a rinn na Libearalaich anns an riaghaltas agus mar a rinn na Làbaraich anns an iomairt reifrinn.

Fiù 's ged nach robh an suidheachadh seo ann, cha bhiodh e comasach fhathast obrachadh leis na Tòraidhean an dèidh mar a sgrios Camshron a chreideas air a' mhadainn an dèidh an reifreinn is e a' sealltainn nach b' urrainnear earbsa a chur ann an gealladh no bòid sam bith a dhèanadh iad do mhuinntir na h-Alba.

Ach cha deach co-obrachadh de sheòrsa sam bith a dhiùltadh leis a' Phrìomh Mhinistear, agus a-rithist 's e beachd air leth ciallach a th' ann. Chan eil e coltach gun rachadh am Pàrtaidh Nàiseanta an sàs ann an co-bhonn leis a' Phàrtaidh Làbarach. Tha e nas coltaiche, an dèidh mar a stiùirich sinn fhìn riaghaltas le beag-chuid ann am pàrlamaid chothromach ann an Alba eadar 2007 agus 2011, gum b' fheàrr leinn gun co-obraicheadh sinn air gach bhòt mu seach. Ach tha Nicola glè cheart gu bheil i fosgailte do bheachd sam bith aig an ìre seo.

Tha na Làbaraich air a bhith ag ràdh gun sgur gun tèid an latha le Camshron ma bhòtas daoine airson a' Phàrtaidh Nàiseanta. Ged a tha iad dèidheil air a ràdh, tha e follaiseach nach eil e fìor. Tha riaghaltas Tòraidheach an crochadh air an uiread de Thòraidhean a thèid a thaghadh ann an Sasainn agus chan eil e co-cheangailte ris an uiread de bhuill nach eil nan Tòraidhean a thèid a thaghadh ann an Alba.

Ma tha Camshron airson cumail air na Phrìomhaire, feumaidh e a thighinn gu soirbheachaile tro bhòt ann an Taigh nan Cumantan. Bidh am Pàrtaidh Nàiseanta na aghaidh anns an bhòt sin, agus a chionn 's nach eil ach aon bhall phàrlamaid Tòraidheach ann an Alba, agus gur dòcha gun tèid na Libearalaich a dhubhadh às, chan fhaigh e taic bho na buill Albannaich.

A bharrachd air na riaghailtean pàrlamaideach a th' ann an gnìomh, NACH FHEUM – a dh'aindeoin na tha na Làbaraich a' dèanamh a-mach – ceannard a' phàrtaidh as motha a dhol na Phrìomhaire, feumar beachdachadh air an Achd Phàrlamaid ùir. A rèir na h-achd seo, tha e fada nas dorra taghadh eile a chumail ro dheireadh còig bliadhna na h-ùine suidhichte, agus mar sin dheth, tha e nas coltaiche gum feumar aonta fhaighinn ma tha riaghaltas le beag-chuid airson na còig bliadhna a choileanadh. 'S e bhòt ann an Taigh nan Cumantan an aon dòigh air taghadh a chur an sàs ron ùine shuidhichte, agus air sgàth adhbharan follaiseach, ma tha aon taobh ag iarraidh taghaidh, tha e coltach nach eil an taobh eile. Mar sin, a rèir na h-Achd Phàrlamaid tha riaghaltasan le beag-chuid nas coltaiche agus dh'fhaodadh gum biodh barrachd cumhachd aig na pàrtaidhean as lugha.

B' e cleas nan Làbarach gun canadh iad gun robh roghainn ann eadar 'sinne' no 'na Tòraidhean sin', agus bha an cleas sin uabhasach soirbheachail dhaibh fad iomadh bliadhna. Ach an dèidh dhaibh co-obrachadh gu dlùth leis na Tòraidhean fo sgàil Nas Fheàrr Còmhla tha iad air an argamaid sin a mhilleadh gu tur. Tha sinn a' fuireach ann an dùthaich a-nis far nach eil duine sam bith airson èisteachd ris na seann phuirt phoilitigeach. Chan eil na bhòtairean airson seinn còmhla riutha tuilleadh.

Mar bhun-stèidh iomairt taghaidh a' Phàrtaidh Nàiseanta tha sinn airson 's gun tèid 'a' bhòid' a thoirt gu buil gu h-iomlan ach, mar a thuirt am Prìomh Mhinistear, bidh argamaidean eaconamach is sòisealta againn cho math ris an argamaid reachdail. Mhìnich an fhreagairt le Riaghaltas na h-Alba a' cheist, dè tha 'fèin-riaghladh', 'faisg air feadaraileachd' agus 'devo max' a' ciallachadh?

An coimeas ri mì-rian agus mì-thuigse trì roinnean an aonaidh, tha Riaghaltas na h-Alba air cothrom soilleir a mhìneachadh air ciamar a thèid a h-uile cumhachd ach dìon na dùthcha, cùisean cèin agus poileasaidh airgid a thoirt air ais a dh'Alba. Agus an uair sin phàigheadh sinn cuibhreann do Westminster airson nan seirbheisean coitcheann seo agus dìoladh mar riadh fiachainn air iasadan sam bith.

B' urrainnear prionnsabal Coimisean Mhic a' Ghobhainn, 'gun chron' a chleachdadh mar bu chòir an uair sin agus foirm Barnett*

---

* Chaidh foirm Barnett ainmeachadh air Joel Barnett, nach maireann, a bha na Phrìomh-rùnaire do Roinn an Ionmhais, agus a chur i an gnìomh mar fhuasgladh air na deasbadan anns a' Chaibineat ron fhèin-riaghladh phoilitigeach a bhathar an dùil a chur an sàs ann an 1979. Bha i stèidhichte air foirm Goschen ann an 1888, a chuir an Seansalair Seòras Goschen an sàs mar ullachadh airson Fèin-riaghladh na h-Èireann. A rèir Barnett tha mòran de mhaoineachadh poblach a ghabhas sònrachadh ga atharrachadh a rèir àireamhan sluaigh. Mar eisimpleir, ma thèid maoineachadh slàinte àrdachadh ann an Sasainn, bithear gan atharrachadh ann an Alba (no anns a' Chuimrigh

air no cuibhreann do Westminster atharrachadh a rèir dè a' bhuaidh a bhiodh air a' chùis. Cha b' urrainn do dhuine sam bith gearran ciallach a thogail mu bharrachd fèin-riaghlaidh a dh'adhbharaich nach biodh Pàrlamaid na h-Alba nas fheàrr no nas miosa dheth anns a' chiad bhliadhna. Bu chòir gun toireadh tabhartas sam bith fa-near don t-suidheachadh sin. An dèidh na ciad ghreis sin, shoirbhicheadh leis a' Phàrlamaid air sgàth a poileasaidhean fhèin air neo, dhèiligeadh i ri a dùbhlanan fhèin ri linn dhuilgheadasan sam bith. Tha e follaiseach gum feum a' Phàrlamaid buaidh fhaighinn à toraidhean nam poileasaidhean aice fhèin. Tha e a cheart cho cudromach nach tèid a peanasachadh airson soirbheachaidh agus nach tèid a dìoladh airson laigsean. 'S e sin a tha 'fèin-riaghladh', 'devo max' no 'faisg air feadaraileachd' a ciallachadh an dà-rìreabh.

Thigeadh na cumhachdan eaconamach is ionmhasail an lùib na dòigh-obrach seo mar a choisinn Dòmhnall Dewar, nach maireann,

---

no ann an Èirinn a Tuath) a rèir na h-àireimh-sluaigh an coimeas ri Sasainn agus an uair sin a rèir na h-àireimh sa cheud de dh'fhèin-riaghladh a th' aig an dùthaich sin air an t-seirbheis. 'S e sin 'buaidh' Barnett airson na roinne sin, agus tha an t-iomlan fo gach cuspair ag adhbharachadh a' chuibhrinn a gheibh gach dùthaich. Ged a bhios mòran a' càineadh Barnett mar dhòigh air am faigh na trì dùthchannan eile barrachd maoineachaidh phoblach na gheibh Sasainn, 's e foirm co-aomaidh a th' ann nuair a bhios maoineachadh poblach a' dol am meud, a chionn 's gun toir àrdachadh sna h-àireamhan-sluagh buaidh air an iomlan gu lèir. Tha cuid a dhaoine a tha airson Barnett a chumail am beachd gur e dòigh làidir air maoineachadh a shònrachadh a th' ann, tha a' toirt seachad dìoladh leis gu bheil maoineachadh dìon, mar eisimpleir, stèidhichte gu mòr ann am pàirtean de Shasainn, agus ann Alba tha cuid (glè bheag) den teachd a-steach bho ghnìomhachas na h-ola a tha Roinn an Ionmhais air càrnadh bhon a chaidh Barnett a chur an sàs air an tilleadh do dh'Alba. Tha an t-uabhas air foirm Barnett a chàineadh thar nam bliadhnaichean, fiù 's Barnett fhèin agus cuide a' dèanamh coimeas leis mar a mhìnich Palmerston ceist Schleswig-Holstein: cha do thuig ach triùir a' cheist a-riamh – agus tha fear dhiubh sin craicte, fear eile dhiubh marbh agus tha Joe Barnett air dìochuimhneachadh!

na cumhachdan poilitigeach an lùib Achd na h-Alba ann an 1998 nuair a chaidh na cumhachdan nach robh glèidhte a thilleadh. Mar eisimpleir, cumhachdan reachdail air atharrachadh sìde, a tha air aon de na cùisean as cudromaiche san t-saoghal, fo smachd Phàrlamaid na h-Alba, a chionn 's nach robhar den bheachd gun robh an cuspair cudromach gu leòr a bhith glèidhte le Westminster. Mar sin, an àite strì airson gach cumhachd, gach earrainn mu seach, chaidh bile na bu phuingeile a thoirt gu buil air an robh liosta de na cumhachdan glèidhte agus bhathar a' meas gun robh a h-uile cumhachd eile air a toirt air ais a dh'Alba.

Gheàrr gliocas Dewar tro na duilgheadasan mòra sa bhad, a bha air na molaidhean air fèin-riaghladh a mhùchadh fad ghinealaich. An àite sreath shabaidean poilitigeach air a h-uile cumhachd, mar a thachair anns na 1970an, chaidh a' bhile a stiùireadh tro na pròiseasan pàrlamaid an ceann còig mìosan ann an 1998.

Tha sinn ann an suidheachadh coltach ri sin an-dràsta a thaobh ionmhais. Ma chumas sinn ris a' Phàipear-àithne, bidh Pàrlamaid na h-Alba glacte gu h-ionmhasail fo Westminster fad iomadh bliadhna eile, fiù 's ma thèid na molaidhean a thoirt gu buil gu soirbheachail. Bidh sabaidean ann gun sgur le Roinn an Ionmhais air a' bhuaidh ionmhasail air a h-uile moladh le Riaghaltas na h-Alba.

An dèidh dha beachdachadh air a' chùis gu h-iomlan is gu faiceallach, tha fhios gun gabh Sir Nicholas Mac a' Phearsain taobh na roinne aige fhèin. Thèid seasamh na h-Alba a lùghdachadh, gach poileasaidh mu seach, a h-uile bliadhna, fhad 's a gheibh Westminster gu seòlta nach urrainn dha fhaighinn gu poilitigeach an-dràsta – is iad a' cur às do na barantasan ionmhasail an lùib Barnett. Gearraidh Westminster an uair sin thar beagan bhliadhnaichean a' bhuaidh ionmhasail a th' aig Alba agus gun smachd aig Alba air goireasan ionmhais no atharrachadh poileasaidh airson an eaconamaidh a leudachadh.

Ach tha suidheachadh eadar-dhealaichte agus nas fheàrr a' nochdadh ma ghearras sinn snaidhm an ionmhais mar a gheàrr Dewar an snaidhm reachdail. Cha bhiodh ann ach aon iomairt cho-rèiteachaidh: airson cosgaisean Westminster a shònrachadh, a bhiodh stèidhichte air a' phrionnsabal a rèir Choimisean Mhic a' Ghobhainn, 'gun chron'. An dèidh sin, rachadh an dìoladh seo a cheangal ris an roinn iomchaidh – mar eisimpleir, cosgaisean anns na roinnean a bhuineadh don RA, a leithid dìon agus cùisean cèin. Bhon uair sin, bhiodh comas aig Alba buaidh fhaighinn às a cuid soirbheachaidh agus comas aice dèiligeadh ri a mearachdan fhèin. Rachadh a' ghreim-bàis a th' aig Roinn an Ionmhais air ionmhas na h-Alba a bhriseadh gu sìorraidh. 'S e 'devo max' da-rìreabh a bhiodh ann.

Tha na trì eisimpleirean seo a' sealltainn ciamar a thigeadh fèin-riaghladh ceart an cois an t-suidheachaidh seo.

Tha Riaghaltas na h-Alba air a bhith ag amas air Cìs an Luchd-adhair a thilleadh o chionn fhada, agus gu dearbh fhèin, tha i a' nochdadh anns a' Phàipear-àithne. Bheireadh ìsleachadh mòr anns a' chìs cothrom brosnachaidh do ghnìomhachas agus turasachd ri linn nan slighean adhair dìreach.

Tha grunn sgrùdaidhean air 'Laffer Curve' air taisbeanadh far a bheil ìsleachadh ann an cìs shònraichte a' brosnachadh an teachd a-steach san fharsaingeachd bho chìsean – tha seo air aon de na rudan as luachmhoire a thaobh an ionmhais phoblaich. Tha e coltach gun toireadh seo buaidh mhòr air Alba ach tha am brosnachadh a gheibheadh cìsean coitcheann an crochadh air smachd air bunait nan cìsean. Bhiodh suidheachadh eile buailteach a bhith fulang rè a' cho-rèiteachaidh le Roinn an Ionmhais air neo, thigeadh crìonadh anns an teachd-a-steach shònraichte fhad 's a gheibheadh Roinn an Ionmhais àrdachadh anns na cìsean coitcheann. A rèir beachd eile air a' Phàipear-àithne, gheibheadh Alba fàirdeal airson crìonadh sam bith anns na slighean adhair Sasannach mar thoradh air barrachd co-fharpais le puirt-adhair Albannach.

Tha an dàrna eisimpleir co-cheangailte ri cosgaisean an lùib leudachadh cùraim-chloinne, stèidhichte air saothair an Ollaimh Ailsa NicAoidh, nach maireann, agus mar a gheall am Prìomh Mhinistear ùr gun toireadh i a' chùis seo am feabhas.

Cha deach ionmhas Riaghaltas na h-Alba àrdachadh ri linn an t-soirbheachaidh an lùib boireannaich a thàladh dhan àite-obrach, ged a tha an uiread de bhoireannaich ann an dreuchdan cha mhòr 5 puingean sa cheud nas àirde na an àireamh san RA. Ach 's e Riaghaltas na h-Alba a tha air a h-uile cosgais an lùib leudachadh cùram sgoil àraich is cùraim-chloinne a phàigheadh.

Bu chòir gum faigheadh Riaghaltas na h-Alba smachd air bunait gu lèir nan cìsean airson an leudachadh mòr a choileanadh agus an cothrom seo a ghlacadh anns a bheil iomadh buannachd do mhuinntir na h-Alba agus do chothromachd is seasmhachd na h-eaconamaidh – cha dèan smachd air 40% dheth a' chùis idir. Bhiodh moladh sam bith eile ag adhbharachadh gur dòcha nach biodh am poileasaidh seo comasach gu h-ionmhasail.

Tha an treas eisimpleir a' buntainn ris an t-seirbheis shlàinte. B' e an tuigse air suidheachadh maoineachadh poblach na seirbheis slàinte ann an Alba is i an eisimeil air poileasaidhean ann an Sasainn a dh'adhbharaich gluasad mòr do BU CHÒIR anns an reifreann. Tha barrachd bruthaidh ga chur air ionmhas ann an Alba air sgàth prìobhaideachd ann an Sasainn. A rèir Barnett, tha am maoineachadh slàinte ann an Alba co-cheangailte gu dìreach leis na thathar a' cosg ann an Sasainn. Ma thathar ag ìsleachadh maoineachaidh phoblach ann an Sasainn mar thoradh air gluasad a dh'ionnsaigh maoineachaidh phrìobhaideach tha buaidh ann air maoineachadh ann an Alba. Mar as ìsle a tha maoineachadh poblach ann an Sasainn, 's ann as ìsle a tha maoineachadh Barnett ann an Alba.

Mar fhreagairt air seo, tha na pàrtaidhean Nas Fheàrr Còmhla a' dol às àicheadh seo is iad ag ràdh gu bheil cead againn ar maoineachadh a chosg air na thogras sinn an Alba. Ach chan e cead a thathar a' deasbad ach an t-ionmhas a tha ri fhaotainn. Bha beachd eile, a bha fiù 's na bu laige, aig Alistair Darling anns an reifreann nach robhar a' prìobhaideachadh seirbheis shlàinte Shasainn, ged as e seo aon de na h-argamaidean as cudromaiche aig na Làbaraich anns an iomairt taghaidh ann an Sasainn. Chan eil molaidhean Coimisean Mhic a' Ghobhainn a' fuasgladh a' chunnairt do mhaoineachadh slàinte ann an Alba, ach rachadh an rèiteachadh gu h-iomlan le 'devo max', 'fèin-riaghladh' no 'faisg air feadaraileachd'.

A thuilleadh air sin, tha am Prìomh Mhinistear air dearbhadh gun tèid bhòtaichean a' Phàrtaidh Nàiseanta ann an Taigh nan Cumantan a chleachdadh airson seirbheis shlàinte Shasainn a dhìon cho fad 's a tha ceangal daingeann eadar maoineachadh slàinte ann an Sasainn agus am maoineachadh a tha ri fhaotainn ann an Alba.

Tha an ceangal eadar a' cheist reachdail agus cuspairean eaconamach is sòisealta air aon de na h-adhbharan a thug spionnadh don iomairt BU CHÒIR aig deireadh an reifreinn. Tha sinn an dòchas gum bi an aon bhuaidh aig a' cheangal sin air na tha an dàn don Phàrtaidh Nàiseanta anns an iomairt taghaidh ann an Alba.

Mhìnich Nicola, ann an òraid chudromach ann an Lunnainn air 10 An Gearran, an suidheachadh eaconamach air an stèidhich an SNP an iomairt taghaidh aca. Tha na Tòraidhean agus na Làbaraich le chèile airson am buidseat a chothromachadh le bhith a' cur barrachd ghearraidhean brùideil an sàs. Tha Nicola na seasamh air talamh nas seasmhaiche is i ag ràdh gu bheil suidheachadh an aghaidh ghearraidhean comasach, le bhith a' sìneadh na h-ùine anns an tèid suidheachadh an ionmhais am feabhas. Gu dearbh, tha seo riatanach ri linn nan cunnartan seargaidh anns an eaconamaidh eadar-nàiseanta.

'S e laigse chumanta a tha aig a' Phàrtaidh Làbarach is iad a' diùltadh gabhail ri beachd sam bith eile ach beachd Roinn an Ionmhais. Dh'innseadh an seann cheannard agam aig a' Bhanca Rìoghail anns na 1980an, Grant Baird, a bha roimhe sin na eaconamair aig Banca Shasainn, an sgeul mun t-seann Sheansalair, Seumas Callaghan, a rinn strì mhì-shoirbheachail a' dìon reat malairt stèidhichte an nota Shasannaich. Nuair a chuir an seansalair Tòraidheach, Anthony Barber, an not air bhog ann an 1972, thuirt Callaghan: 'Cha do dh'innis iad dhomh gum faodainn sin a dhèanamh!'

Thug an dòchas gun rachadh òrdugh eile a chur air a' cho-luadar againn misneachd don iomairt BU CHÒIR tron reifreann, agus gum b' urrainn dhuinn obrachadh a dh'ionnsaigh dùthaich nas cothromaiche agus nas soirbheachaile nam faigheamaid nan cumhachdan riatanach. Tha Westminster air an tasgadh fada ro fhada gu beag feum. Tha am Prìomh Mhinistear air a h-iomairt a stèidheachadh, chan ann air aisling, ach air dòchas, le bhith strì an aghaidh gearraidhean leantainneach nan Làbarach is nan Tòraidhean.

B' urrainnear barrachd creideis a chur ris an roghainn phoilitigich eile seo le bhith a' diùltadh £100 billean a chaitheamh air siostam armachd niuclasach Trident. Bidh an co-dhùnadh fìor chudromach an ath-bhliadhna anns an tèid cosgaisean gu lèir air ath-nuadhachadh Trident a chur an sàs. Thèid Trident air adhart ma tha am bhòt air taobh ath-nuadhachaidh. Ma dh'fhàilligeas orra, thèid Trident a chur dheth no thèid dàil mhòr a chur san iomairt. A thuilleadh air sin, tha an naidheachd o chionn ghoirid gun cosg ath-nuadhachadh Trident aon trian den bhuidseat dìon gu lèir agus mar sin tha a' cheist air na chosgas e a cheart cho cudromach a-nis ris a' cheist mhoralta.

Bidh plana a' Phrìomh Mhinisteir tarraingeach do dhaoine taobh a-muigh crìochan na h-Alba agus mar thoradh air sin tha e iomchaidh gun co-obraich Nicola le Leanne Wood bho Plaid Cymru agus Natalie Bennett bhon Phàrtaidh Uaine ann an Sasainn. Tha e inntinneach gu bheil an iomairt adhartach seo air a stiùireadh le boireannaich. Feumaidh gum bi poileataigs adhartach a leithid seo nas tarraingiche do dhaoine na caismeachd ghruamach eile de dh'arm nam ball pàrlamaid Làbarach neo-fhaicsinneach ann an Alba.

Tha iomairt a' Phàrtaidh Nàiseantach airson an taghaidh soilleir a-nis ma-thà:

- Gum bi buidheann mòr de bhuill an SNP ann a bhios ag obair còmhla ri co-obraichean ann am pàrtaidhean eile – ann am pàrlamaid chothromach – a nì cinnteach gun tèid 'a' bhòid' a lìbhrigeadh gu h-iomlan, mar a chaidh gealladh ann an 2014 – agus chan e an dreach lag a nochd as t-earrach 2015;
- Gun tèid roghainn eaconamach adhartach a thaisbeanadh an aghaidh cultar nan gearraidhean a tha air pàrtaidhean Westminster a ghlacadh, agus gun tèid ath-nuadhachadh siostam armachd niuclasach na RA a chur dheth;
- Gun cuirear an aghaidh reifreinn air an Aonadh Eòrpach no aig a' char as ìsle gum faighear barantas gum bi an reifreann an crochadh air mòr-chuid anns gach dùthaich den Rìoghachd Aonaichte.

Bidh cothroman gu leòr ann cuideachd airson barrachd fheumalachdan eaconamach is sòisealta.

Tha an 'tuarastal beòshlainte' anns an roinn phoblaich air aon de na prìomh bhuaidhean a thug an riaghaltas agam gu buil. Chaidh a chur an sàs ann an 2011 ann am meadhan staing an ionmhais, agus bha e na shamhla air dùthaich nas fheàrr agus nas cothromaiche.

Tha Riaghaltas na h-Alba air adhartas mòr a dhèanamh ga chur an gnìomh an lùib cùmhnantan an riaghaltais; mar eisimpleir anns a' chùmhnant ScotRail ùr. Ach chan fhaodar a sgaoileadh nas fharsainge air sgàth poileasaidhean Eòrpach air farpaiseachd, a dh'aindeoin caochladh bheachd nan Làbarach. Bu chòir gun tèid an cuspair seo a dheasbad tràth anns a' Choimisean, far am biodh a h-uile cothrom ann gun soirbhicheadh leis. Tha tuigse ann thar iomadh dùthaich Eòrpach gum feumar am beachd air an Roinn Eòrpa shòisealta, a bha na ìomhaigh chumhachdach anns na 1980an agus 1990an, a ghlacadh a-rithist.

Tha e coltach gum bithear ag amas air dreuchdan ann an gnìomhachas na h-ola a dhìon cuideachd.

B' e $57.50 prìs Brent crude air 1 Am Faoilleach 2007. Bha i air $140 a ruighinn an ceann bliadhna gu leth. An ceann bliadhna gu leth eile, bha i cho ìosal ri $45. Bha i air tilleadh gu $115 an-uiridh. Fhad 's a tha mi a' sgrìobhadh seo tha i beagan nas àirde na $60, an dèidh dhi èirigh bho $50 aig toiseach na bliadhna.

Chan eil fios aig duine dè a' phrìs a bhios air an ola anns a' gheàrr-ùine. Ach anns na trithead bliadhna ri teachd faodar a bhith cinnteach gum fàs a' phrìs nas treasa, agus ma thuiteas prìs na h-ola, gun èirich i a-rithist. 'S i cosgais ath-lìonadh gach baraille ùir a stiùireas a' phrìs san fhad-ùine.

Ach nas cudromaiche buileach, tha fios againn gu bheil mu 24 millean baraille taisgte far chladach na h-Alba. 'S ma dh'fhaoidte gu bheil barrachd ann a rèir mar a thèid an rannsachadh a thathar a' dèanamh an iar air Sealtainn, clàr-ùine rannsachadh an Taoibh Siar, anns nach deach mòran sgrùdaidh a dhèanamh air sàilleabh nan seirbheisean armailteach, agus na thachras a thaobh nan goireasan a tha nas dorra a ruighinn anns a' Chuan a Tuath. Is cinnteach gum bi ola na prìomh ghoireas airson nan leth-cheud bliadhna ri teachd.

Tha cruaidh-fheum againn air gluasad poilitigeach an-dràsta airson dreuchdan a shàbhaladh agus an gnìomhachas a dhìon airson an àm ri teachd. Tha e na chleachdadh aig riaghaltas Westminster gun caraich iad mar an dealanaich fhèin airson cìsean àrdachadh nuair a tha cùisean gu math is prìsean àrd ach a' gluasad cho mall ri seilcheag nuair a tha prìsean ìosal agus an gnìomhachas a' fulang. 'S dòcha gun cuidicheadh buidheann mòr de bhuill phàrlamaid an SNP iad gus an cumadh iad an aire air a' chùis. Faodar nach eilear a' faighinn anns a' bhuidseat a chosnadh an dèidh an taghaidh.

Tha an treas cothrom ann airson gnìomh aithghearr a bheireadh buaidh do cheann a tuath Shasainn cho math ri Alba. Chan eil fèill mhòr air a bhith ann anns a h-uile ceàrnaidh air an naidheachd gun tèid ionmhas cianail mòr a ghlacadh an lùib a' phròiseict airson rèile luath a thogail gu slaodach a ruigeas ceann a tuath Shasainn, thathar an dòchas, an ceann ginealach eile. Ach chan eil adhbhar sam bith ann nach b' urrainnear rèile luath a thogail, nach biodh ceangailte ri Lunnainn, a cheangladh bailtean mòra taobh tuath Shasainn agus a bhrosnaicheadh eaconamaidh nan sgìrean sin. B' urrainnear rèile Glaschu-Dùn Èideann-Newcastle a thogail na bu luaithe agus thigeadh barrachd buaidh eaconamach na cois na bhith a' feitheamh ri rèile luath a thighinn bhon àird a deas.

Tha leasachaidhean a dhìth cuideachd air Rèile an Taoibh Siar, Rèile an Taoibh Sear a dh'Obar Dheathain agus an rèile eadar Obar Dheathain agus Inbhir Nis. Tha Osborne ag ràdh gu bheil e a' dèiligeadh ris a' chùis seo, ach tha na figearan ag ràdh nach eil.

A rèir aithisg a chaidh fhoillseachadh an-uiridh le Institute for Public Policy Research, bha pròiseact Crossrail ann an Lunnainn an dùil ri naoi uiread fhaighinn den mhaoineachadh aig a h-uile pròiseact rèile anns na trì roinnean an ceann a tuath Shasainn uile gu lèir. Tha £5,426 ga chosg airson gach duine ann an Lunnainn air bun-structar an coimeas ri £223 ann an ceann an ear-thuath Shasainn. Bu chòir gun tèid structar gu tur ùr a chur air a' bhuidseat còmhdhail agus bu chòir gum bi e na phrìomhachas aig a' Phàrtaidh Nàiseanta anns an ath Phàrlamaid.

*

Tha an dàrna pàirt de strì mhòir na dùthcha air fàire. Tha saoghal poilitigeach na h-Alba air a rèiteach ann an dòigh a leigeas leinn fìor adhartas a dhèanamh.

Nuair a ghabh mise m' àite sa ann an Taigh nan Cumantan ann an 1987 bha na daoine mòra ann fhathast – Foot, Thatcher, Benn, Biffen, Heath. Cha bhithinn ag aontachadh ris an dàrna duine aca agus bha làithean geala cuid aca air a dhol seachad o chionn fhada, ach bhiodh fiù 's Ted Heath nas aosta comasach air buaidh fhurasta a thoirt air a' Chamshronach. Bhite a' meas an latha obrach a bu mhiosa aig Neil Kinnock na bhuaidh do Ed Miliband.

An coimeas ris na seann chumhachdan aig Westminster a tha lag is gun chreideas, tha na daoine a thagh iad làidir agus ullaichte. Thug mise air Pàrtaidh Nàiseanta na h-Alba a bhith na chumhachd shòisealta dheamocratach, ach tha a' chumhachd a tha an làthair a-nis nas ceangailte ris na meadhanan sòisealta is deamocratach. Tha deagh chothrom aig mòr-shluagh nam meadhan-sòisealta a-nis air an dream a bhios a' seachnadh chìsean irioslachadh. Tha mi an dòchas gum faic mi fhìn an cath sin aig Westminster.

Tha mise air a bhith a' creidsinn ann an neo-eisimeileachd na h-Alba fad mo bheatha phoilitigeach. Tha mi air a bhith den bharail, bhon a bhòt sinn ann an 1997 airson Pàrlamaid na h-Alba a stèidheachadh, gun robh e na bu choltaiche gun tachradh i. 'S i a' cheist a th' air a bhith orm bho àm an reifreinn an-uiridh ge-tà – an àite 'Saoil an tachair i?' – 'Cuin a thachras i?'

Tha uimhir shuidheachaidhean a dh'fhaodadh tachairt a bheireadh cothrom dhuinn. Tha uimhir thachartasan a dh'fhaodadh èirigh anns an nochdadh an ath chothrom sin. Tha uimhir chùisean ann a bheireadh buaidh air clàr-ama, ach 's ann an urra ris na daoine a tha an clàr-ama sin.

Agus 's i sin a' phuing chudromach. Chaill BU CHÒIR an reifreann ach dh'atharraich an reifreann an dùthaich. Tha na daoine a dh'èirich às an iomairt 100 latha gu tur eadar-dhealaichte an coimeas ris na daoine a bh' aig toiseach na slighe sin. Thèid barrachd chothroman airson adhartais a chruthachadh agus a dhìon anns an dùthaich ùir seo.

Tha na dòighean-obrach agus am pròiseas stèidhichte a-nis. Faodaidh muinntir na h-Alba, ma thogras iad fhèin aig taghadh Albannach sam bith, bhòtadh airson pàrtaidh no phàrtaidhean a tha airson a' cheist a thogail a-rithist.

An dèidh sin agus na dhèidh, tha a h-uile duine airidh air cothrom eile.

A h-uile duine agus a h-uile dùthaich.

Buidheachas

'S dòcha gu bheil mi air rudeigin uabhasach cudromach ionnsachadh an seo.

Bha mi den bheachd, an dèidh dhomh an t-uabhas artaigilean, òraidean agus thaisbeanaidhean a sgrìobhadh, nach biodh ach barrachd fhaclan an luib leabhar. Bha mi ceàrr. Tha fada a bharrachd oidhirp an sàs ann, oidhirp phearsanta agus oidhirp bho dhaoine eile.

Tha seo fìor ged a lean mi stiùireadh mo sheanar fhad 's a bha mi a' sgrìobhadh an leabhair seo. Anns an ro-ràdh, tha mi a' toirt iomradh air an eòlas a thug mo sheanair dhomh, dìreach mar a thug mo sheanmhair Salmond. Dh'innis an Ailig Salmond eile dhomh uair dha robh saoghal gun robh e air plana an dà shuitis a chur an sàs mar èildear ann an eaglais an Naoimh Fhionain ann an Creag Mhaoilinn. Fhad 's a dh'èisteadh mo sheanair ri searmonan nam ministearan tagraidh, thomhais e dè cho math 's a bha iad a rèir dè cho fada 's a shùigheadh e a shuiteas. Bha e a' meas gun robh ministear an aon shuitis aotrom, gun bhrìgh, agus ministear nan trì suiteasan ro bhriathrach agus gun cuireadh e an coithional nan suain. Ach bha ministear an dà shuiteis airidh air èisteachd, agus bha susbaint agus faid a shearmoin air am meas dìreach ceart. Tha mi air cur romham gun sgrìobhainn leabhar an dà shuiteis!

Tha leigheas an lùib sgrìobhaidh agus tha e a' toirt ort beachdachadh air cùisean. Gu h-àraid air mar a tha thu an eisimeil dhaoine eile.

Tha mi a' toirt taing anns a' chiad dol a-mach dom theaghlach. An toiseach do mo bhean, Moira, a tha air a bhith foighidneach mun phròiseas, agus aig an robh beachdan làidir mun t-susbaint. B' e Keynes a thuirt 'nach iongantach na rudan faoin anns a bheil sinn a' creidsinn nuair a tha sinn a' meòrachadh ro fhada nar n-aonar'. Tha mi an èisimeil Mhoira airson co-dhiù beagan den chunnart sin a sheachnadh.

Ann an seadh nas fharsainge, tha sgrìobhadh fèin-eachdraidheil a leithid seo a' toirt cothroim dhomh smaoineachadh air an teaghlach agus an taic a tha iad a' toirt dhomh. Do m' athair, dha bheil mi a' coisrigeadh an leabhair seo agus do mo mhàthair, nach maireann. Do mo pheathraichean is bràthair, Mairead, Gail agus Bob, agus an cuid theaghlaichean: Neil agus Ian (aig Mairead agus Anndra) agus Karen, Cairistìona agus Mark (aig Gail agus David).

'S e seanmhair a th' ann am Magaidh aig a bheil dithis oghaichean, Eairdsidh agus Harris, a' chlann aig Ian agus Kay. Tha mo phiuthar a-nis na sàr ghoilfear bho leig i dhìth a dreuchd. Tha fhios gun dèanadh i a' chùis orm air an raon-goilf a-nis. 'S e sin ìobairt eile an cois dreuchd a' Phrìomh Mhinisteir.

Ach 's e teaghlach an neach-poileataigs a nì an ìobairt as truime. Tha cuid aca a tha an sàs ann am poileataigs iad fhèin a leithid Gail agus a dithis nighean, Karen agus Tina, agus cuid eile nach eil. Chaidh iarraidh air a h-uile duine aca a' chùis phoilitigeach a dhìon gu prìobhaideach, agus gu poblach, agus am mac, am bràthair no an uncail a' stiùireadh iomairt an reifreinn, agus 's iad a rinn sin gu dìcheallach. Gu fortanach, chaidh an togail air an aon talamh seasmhach anns an deach mi fhìn a thogail.

Bu mhath leam mo thaing a chur an cèill don t-seirbheis chatharra ann an Alba fhad 's a bha mi nam Phrìomh Mhinistear. 'S tric a thèid coire a chur air an t-seirbheis na làithean sa airson laigsean an riaghaltais. Cha b' e sin m' eòlas-sa. Fhuair mi fhìn taic agus oidhirp mhòr bho oifigich na riaghaltais fo stiùireadh Iain Elvidge an toiseach agus an uair sin fo Pheadar Housden. Bha iad a-riamh ro dheònach na poileasaidhean deamocratach a thoirt air adhart a rèir deagh chleachdaidhean na seirbheis.

Tha mi air iomradh a thoirt air cuid aca san leabhar mar bu chòir. Ach tha fada a bharrachd ann nach deach ainmeachadh, mar sin dheth, bu mhath leam mo thaing gu shònraichte a chur an cèill don oifis phrìobhaidich agam, an-dràsta agus san àm a chaidh seachad, do na sgiobaidhean naidheachd is thachartasan, do dhràibhearan GCS, do na h-oifigearan dìona agus luchd-obrach Taigh Bhòid. Ann an oisean beag de na meadhanan-sòisealta tha 'an t-agallamh mu dheireadh', mas fhìor, aig Taigh Bhòid eadar mi fhìn mar Phrìomh Mhinistear agus Jackie Bird aig a' BhBC. Tha luach mòr air ma lorgas tu lethbhreac dheth. Tha Alasdair MacAnndrais ann, ann an riochd Ailig Salmond, agus Geoff Aberdein a' toirt a chreidsinn gur e Jackie a th' ann. Tha Aileen Easton agus Tim Christie bhon sgioba conaltraidh agam ann mar iad fhèin. Ged a tha casan agus maise-gnùise Geoff rim faicinn tha an bhideo a' sealltainn gun robh blàths agus bàidh anns an sgioba againn.

Tha sin gar toirt do chomhairlichean sònraichte an riaghaltais. Bidh ministearan Tòraidheach a' toirt slaic do shearbhantan catharra, bidh a h-uile duine a' toirt slaic do chomhairlichean sònraichte. Ach bha an fheadhainn againn, air an stiùireadh le Geoff Aberdein, a-riamh èasgaidh, dìleas agus fiosrach. Coltach ris an oifis phrìobhaidich agam, 's dòcha nach fhaca iad mi ann an sunnd sona a h-uile latha ach fhreagair iad ri dleastanasan na h-obrach gu h-ionmholta agus gu dìcheallach.

Tha gràdh agam air buidheann pàrlamaideach a' Phàrtaidh Nàiseanta. Bha e fortanach gun d' fhuair e cothrom a thighinn beò ann an ceàrdach riaghaltas na mion-chuid. Chaidh spiorad agus neart mòr-chuid a' bhuidhinn sin a chur gu feum anns a' ghluasad a dh'ionnsaigh riaghaltais le mòr-chuid. Chan urrainn dhomh a ràdh gun do dh'aontaich mi ris a h-uile beachd a bh' aig neach-gairm a' buidhinn, Gill Paterson BPA. Ach b' urrainn dhomh m' earbsa a chur ann gun teagamh. Tha Nicola Sturgeon air tòiseachadh gu soirbheachail mar Phrìomh Mhinistear. Gheibh ise taic a' bhuidhinn sgileil seo sa phàrlamaid. Tha na buidhnean againn aig Westminster, a tha Aonghas Robasdan a' stiùireadh, agus anns an Roinn Eòrpa, fo stiùir Ian Hudghton, nam pàirtean de sgioba cumhachdach pàrlamaideach Pàrtaidh Nàiseanta na h-Alba.

Tha an sgioba ministreil agam, anns an robh na h-oifigearan lagha, tron teirm agam mar Phrìomh Mhinistear, airidh air taing mhòr. Mar a bhios fios aig cuid, tha meas mòr agam air a' Phrìomhaire Làbarach, Harold Wilson. Thathar ag ràdh gur e an comas airson daoine a chur à dreuchd an aon sgil phoilitigeach a bha a dhìth air. A rèir m' eòlais-sa, bha adhbharan ann gun robh seo fìor dhoirbh dhomh fhìn. Feumaidh mi ràdh gu h-onarach nach robh aon bhall den sgioba mhinistreil agam a dh'fhairtlich san dreuchd, agus nuair a b' fheudar dhomh atharrachaidhean a dhèanamh 's ann air sgàth 's gun robh agam ri cothrom a thoirt do dhaoine eile feuch an sealladh iad dhomh dè na comasan a bh' aca fhèin. 'S e sin aon duilgheadas a tha mi a' toirt gu deònach do Nicola.

Bha mi a' stiùireadh Pàrtaidh Nàiseanta na h-Alba airson na mòr-chuid de na 25 bliadhna a dh'fhalbh. Thuirt Harold MacMhaoilein uair dha robh saoghal gun deach a thrioblaidean am broinn a' Phàrtaidh Thòraidhich an lughad nuair a chaidh e na cheannard. Agus feumaidh mi ràdh 's e sin a thachair dhomh fhìn anns a' Phàrtaidh Nàiseanta. Tha fios agam nach bi e comasach buidheann cho dealasach agus cho fialaidh 's a bha na daoine seo a stiùireadh a-rithist. Chan eil ach beagan nithean ann a bheireadh deòir dom shùilean, ach 's e sin a thachras ma chuimhnicheas mi air na ginealaichean de nàiseantaich Albannach a chur an smior is an cridhe anns a' chùis phoilitigich gun dòchas gun soirbhicheadh leotha. Tha an SNP air a dhol am meud a dheich uiread ann an deich bliadhna. 'S e an rud as cudromaiche gun cùm am pàrtaidh mòr seo ri dealas agus spiorad nan daoine onarach sin a stèidhich agus thog an iomairt againn.

Tha am pàrtaidh sgìreil agam ann an ceann an ear-thuath na h-Alba air a bhith fìor dhìleas. Tha a h-uile rud a choisinn mi anns an t-saoghal phoilitigeach stèidhichte air na rinn na daoine is na coimhearsnachd aca dhomh. Bha fathannan anns na naidheachdan an-uiridh gum bithinn a' gluasad a dh'àite eile ann an Alba a bhith nam thagraiche Westminster ann an sgìre nas taiceile dhuinn. Carson, nuair a tha an t-urram agam a bhith a' riochdachadh nan daoine seo, a bhithinn airson imrich a sgìre eile? Tha buidheann de dh'ochd comhairlichean fichead a' riochdachadh nan daoine gasta seo air Comhairle Siorrachd Obar Dheathain. Tha na h-oidhirpean aca aig ìre coimhearsnachd a' ciallachadh gu bheil obair buill pàrlamaid Albannach nas torraiche. Am measg nan comhairlichean tha an t-oifigear tagraidh agam, Stuart Pratt, a tha air mo stiùireadh gu soirbheachail tro ochd taghaidhean pàrlamaid. Tha e air aontachadh gum feuch sinn air an naoidheamh oidhirp còmhla anns a' Chèitean.

Tha an oifis sgìreil agam fhìn, fo shreath luchd-obrach, air a bhith a' feuchainn ri oifis ionadail a ruith a bha air a cleachdadh mar oifis nàiseanta. 'S ann air sgàth comasan nan daoine òga seo a chaidh an obair seo a choileanadh cho math. 'S e Fearghas Mutch a tha a' stiùireadh a' bhuidhinn seo, anns a bheil Ann Marie Parry, Anndra MacEanraig, Stuart MacDhòmhnaill agus Gavin Mowat, a bhios ag obair dhomh fhìn agus don BPA airson Ceann an Ear-thuath na h-Alba, Christian Allard. Fhreagair iad uile ri dùbhlanan an reifreinn le spiorad agus dealas. Fhuair mi taic mhòr bhon dithis dhràibhearan iomairt agam, Seumas Tulloch agus Jimmy MacIain, a tha air èisteachd ri barrachd òraidean ann am barrachd thallachan na luchd-obrach na h-Aithisg Oifigeil aig Pàrlamaid na h-Alba!

A thaobh riochdachaidh an leabhair seo, bu thoigh leam mo thaing a thoirt don luchd-obrach aig Peters Fraser & Dunlop agus do Charoline Michel gu sònraichte, a shònraich gum biodh luach ann an leabhar a leithid seo. An uair sin do HarperCollins airson am modh fulangach is iad a' seasamh mu choinneimh cheann-latha do-dhèanta, agus Màrtainn Redfern, gu seachd àraid, a choilean gu gaisgel ris na dùbhlanan an lùib briathrachas ùr ionnsachadh airson an leabhar a chumail fo stiùir chòmhnard, sheasmhach. Agus feumaidh mi mo thaing a thoirt do dh'Aonghas Briannan MacNeìll a thug cuideachadh dhomh leis a' Ghàidhlig agus don Chomhairliche Cryle Shand airson na comhairle air a' Bheurla Ghallta.

Thug an neach-lagha agam agus an tagraiche pàrlamaid, Tasmina Ahmed-Sheikh, agus an co-dheasaiche, Alan Muir, an t-uabhas cuideachaidh dhomh sa phròiseas dheasachaidh. 'S e triùir chumhachdach a bh' anns an dithis seo agus Màrtainn, a thug orm obrachadh cho cruaidh riutha fhèin. Fhuair iad fhèin taic bhon luchd-obrach agam fhìn, Lorraine Kay agus Lisa Ghòrdan agus an cunntasair agam, Iain Cairns.

Thug Mìcheal Russell BPA agus Joan NicAilpein BPA comhairle fheumail dhomh is iad a' leughadh nan dreachan tràth. Tha mi an eisimeil luchd-obrach The Marcliffe ann an Obar Dheathain, Continis, Jolly's agus The George ann an Dùn Èideann cuideachd airson na prìomh àiteachan coinneimh a chur air dòigh.

Bu chòir dhomh a ràdh, agus mar a dh'aidich mi aig deireadh an reifreinn, gur mi fhìn, agus mi fhìn a-mhàin, as coireach do mhearachd no dearmad sam bith.

Anns an deicheamh linn, aig Abaid Dhèir ann an Siorrachd Obar Dheathain, faisg air Srath Eachainn, chuir na manaich crìoch air an leabhar ionmhainn Laideann aca leis an earrainn seo anns a' Ghàidhlig choitchinn (a' Ghàidhlig sgrìobhte a bha cumanta eadar Alba is Èirinn). Tha na briathran a' sealltainn gu bheil eirmse Bhuchanach, a tha cho geur ris an lannsa, nas sine na mìle bliadhna a dh'aois.

Tha an earrann ag ràdh: 'Gum biodh e air cogais an duine a leughas an leabhar beag seo gun guidh e airson anam an truaghain a bha cho fada ga sgrìobhadh.'

Alex Salmon.

Ailig Salmond BPA
Srath Eachainn, Am Màrt 2015